Né à Paris en 1947, Christian Jacq découvre l'Égypte à treize ans à travers ses lectures, et se rend pour la première fois au pays des pharaons quelques années plus tard. L'Égypte et l'écriture prennent désormais toute la place dans sa vie. Après des études de philosophie et de lettres classiques, il s'oriente vers l'archéologie et l'égyptologie, et obtient un doctorat d'études égyptologiques en Sorbonne avec pour sujet de thèse : « Le voyage dans l'autre monde selon l'Égypte ancienne. »

Christian Jacq publie alors une vingtaine d'essais, dont *L'Égypte des grands pharaons* chez Perrin en 1981, couronné par l'Académie française. Il fut un temps collaborateur de France Culture, notamment pour l'émission « Les Chemins de la connaissance ». En même temps, il publie des romans historiques qui ont pour cadre l'Égypte antique et des romans policiers sous des pseudonymes. Son premier succès est *Champollion l'Égyptien*. Ses romans suscitent la passion des lecteurs en France comme à l'étranger : *Le Juge d'Égypte*, *Ramsès*, *La Pierre de Lumière*, *Le Procès de la momie*, *Imhotep, l'inventeur d'éternité*. Après sa dernière trilogie, *Et l'Égypte s'éveilla* (XO Éditions, 2011), et *Le Dernier Rêve de Cléopâtre* (XO Éditions, 2012), il a publié *Néfertiti : l'ombre du Soleil* (XO Éditions, 2013). Christian Jacq est aujourd'hui traduit dans plus de trente langues.

LE DERNIER RÊVE
DE CLÉOPÂTRE

CHRISTIAN JACQ

LE DERNIER RÊVE
DE CLÉOPÂTRE

XO ÉDITIONS

Pocket, une marque d'Univers Poche,
est un éditeur qui s'engage pour la préservation
de son environnement et qui utilise du papier fabriqué
à partir de bois provenant de forêts gérées
de manière responsable.

© XO Éditions, 2012
ISBN : 978-2-266-24279-0

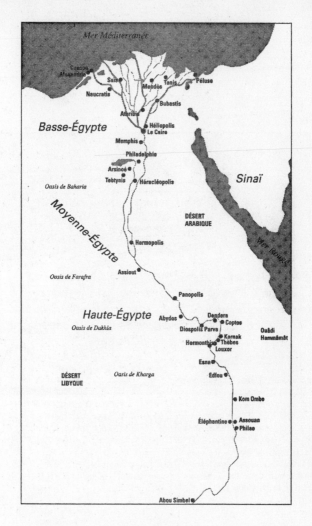

L'ÉGYPTE AU TEMPS DE CLÉOPÂTRE

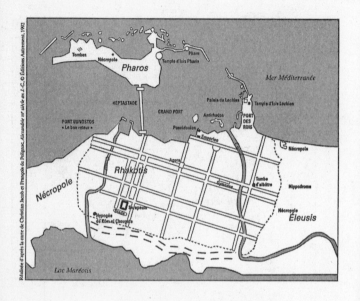

Réalisée d'après la carte de Christian Jacob et François de Polignac, *Alexandrie IIIᵉ siècle* en J.-C., © Éditions Autrement, 1992

L'ALEXANDRIE ANTIQUE

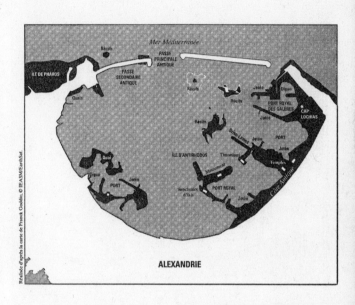

LES PORTS DE L'ALEXANDRIE ANTIQUE

Regarde en haut avec les yeux du cœur, rassemble en toi-même les sensations de tout le créé, du feu et de l'eau, imagine que tu es à la fois partout, sur la terre, dans la mer, au ciel.

Hermès.

1

La reine était nue.

De la terrasse de son palais, Cléopâtre contemplait, sans doute pour la dernière fois, sa capitale chérie, la très brillante Alexandrie.

Le vent doux de la nuit n'apaisait pas sa fièvre ; elle, la souveraine de l'Égypte, la terre aimée des dieux, qu'elle avait cru conquérir et qui lui échappait, elle, la maîtresse absolue d'un pays riche, réduite à la solitude et à l'impuissance !

La flamme brillant au sommet du phare éclairait la mer, affirmant la gloire de la cité fondée par Alexandre le Grand[1], après qu'il eut vaincu les Perses et délivré la vieille terre des pharaons d'une rude occupation. La Bibliothèque, le Musée, les temples, le théâtre, les palais, le port, le phare… Que de splendeurs, dont elle était devenue la légitime détentrice à la mort de son père, pendant l'éclipse totale de lune du 7 mars – 51[2] !

---

1. En – 331. Nous avons adopté la convention de la plupart des ouvrages d'Histoire actuels, à savoir – 51 (et non 51 avant J.-C. comme naguère).

2. Pour les dates, voir S. Cauville, *L'Œil de Rê. Histoire de la construction de Dendara*, Paris, Pygmalion, 1999.

Son père, le douzième de la lignée des Ptolémées, un lâche, un corrompu, un obsédé sexuel qui avait vendu l'Égypte aux Romains ! Surnommé « le flûtiste[1] » par le peuple, il se plaisait à jouer de cet instrument lors des orgies où il s'exhibait en perdant toute dignité. Chassé d'Alexandrie, il avait repris le pouvoir en achetant des soldats romains à prix d'or et en déclenchant ainsi une crise économique. Quantité de mercenaires, notamment des Germains et des Gaulois, appartenaient aujourd'hui à l'armée égyptienne que Cléopâtre ne contrôlait plus.

Folle de rage, la jeune femme de vingt ans arracha son collier de perles, ôta ses bracelets d'argent et les jeta à cette cité ingrate qui voulait se débarrasser d'elle et s'abandonner à la convoitise d'une clique de conspirateurs.

Née à Alexandrie en janvier – 69 dans l'appartement des concubines de son géniteur, Cléopâtre était montée sur le trône d'Égypte à 18 ans. Un trône que, selon la coutume des Ptolémées, elle avait dû partager avec son jeune frère de dix ans. Pourtant la première des Cléopâtres, née en – 180, avait bel et bien régné seule après la mort de son mari !

Et la septième des Cléopâtres, dont le nom signifiait « Gloire de son père », l'avait imitée en reléguant dans l'ombre le petit teigneux de Ptolémée XIII qu'elle détestait. Prenant, non sans ironie, le surnom de « celle qui aime son père[2] », elle préférait le titre de « celle qui aime sa patrie », cette Égypte au passé prestigieux, objet de tous ses rêves.

---

1. En grec, l'aulète.
2. Philopator.

Et ces rêves se transformaient en cauchemar.

Révoltée devant tant d'injustice, la jeune femme leva les mains vers la lune.

— Toi qui disparais et renais, donne-moi ta force !

Cléopâtre n'avait-elle pas montré sa maturité et son courage en s'attaquant à la crise financière ? À cause des dettes énormes de son père, elle avait été contrainte de procéder à une dévaluation et de faire produire de nouvelles pièces de bronze. Frappées par des périodes de famine et une fiscalité insupportable, les campagnes grondaient ; aussi, afin de préserver la richesse de la capitale, la souveraine avait-elle signé un décret interdisant, sous peine de mort, de transporter les céréales provenant de Moyenne-Égypte ailleurs qu'à Alexandrie. Ses silos resteraient pleins, les Grecs ne manqueraient pas de nourriture.

Et ce n'était que le début d'un processus de réformes visant à lutter contre la corruption et une bureaucratie envahissante, de manière à rétablir la prospérité du pays.

Mais Cléopâtre se trouvait confrontée à la médiocrité de sa cour et à la perversité de son père défunt ! Au sénat de Rome, il avait demandé de veiller à l'exécution de son testament, lequel exigeait que le pouvoir fût partagé entre sa fille aînée et son frère cadet, Ptolémée XIII, gamin insupportable et prétentieux qui jouissait de puissants appuis.

Trois hommes manipulaient ce pantin et avaient décidé de briser Cléopâtre : l'eunuque Photin, à la tête du gouvernement ; l'érudit Théodote, précepteur du roitelet ; Achillas, le chef de l'armée. Et Arsinoé, la sœur cadette de Cléopâtre, encourageait ce trio maléfique ; rusée, ambitieuse et jalouse, elle n'aspirait qu'à prendre le pouvoir.

Dédaignant le danger, la jeune reine avait manqué de lucidité et de vigilance ; se consacrant à résoudre la crise financière et à imposer ses vues sans ménager les susceptibilités, elle se sentait capable de diriger seule l'État en oubliant le testament de son père et sa soumission aux Romains.

Rome, la grande puissance, arrogante et dédaigneuse ! Deux soldats, redoutables prédateurs, s'affrontaient pour en acquérir la maîtrise : César et Pompée. Cléopâtre avait opté pour ce dernier, espérant qu'il resterait loin de l'Égypte et ne contesterait pas sa souveraineté. En – 49, elle lui avait envoyé des vivres et des soldats, et les mauvaises langues prétendaient que la reine était devenue la maîtresse du fils de Pompée, envoyé à Alexandrie comme ambassadeur !

Des senteurs de jasmin enchantèrent la jeune femme au corps parfait, mais ne suffirent pas à dissiper la puanteur des ragots répandus par ses ennemis et les membres de sa propre famille. Elle, hier au sommet, et maintenant détruite ! Inutile de se leurrer : le complot avait réussi, Cléopâtre était évincée au profit de son rat de petit frère.

Le front haut, baignée de la lumière de la lune, la reine déchue s'approcha du rebord de la terrasse. Depuis son avènement, elle avait pris goût au pouvoir et s'était surprise en s'oubliant elle-même ; peu lui importait sa propre gloire, seul l'avenir de son royaume l'obsédait. Le destin ne lui confiait-il pas une mission, ne lui imposait-il pas de sacrifier son existence à la nouvelle Égypte ?

En quelques mois, la souveraine avait anéanti l'adolescente, et le sens de l'État dissipé l'insouciance. Façonnée pour régner, Cléopâtre ne reviendrait pas en arrière. Puisque les factieux triomphaient, pourquoi continuer à vivre ?

La lumière émanant du phare la fascinait et les eaux du port, éclairées d'une clarté irréelle, l'attiraient. Elle, une recluse sous l'autorité d'un gamin couronné ? Jamais !

Se transformer en oiseau, survoler la rade, gagner le grand large et laisser derrière elle un monde de médiocres... Cléopâtre sourit, écarta les bras et se prépara à prendre son envol.

— Majesté, attendez !

Charmion, la fidèle servante, courut jusqu'à sa maîtresse et la recouvrit d'un voile de lin royal.

Petite, brune, le front bas, le nez pointu, les jambes épaisses, Charmion était dévouée corps et âme à la reine. D'une poigne ferme, elle la ramena au centre de la terrasse.

— Majesté, il faut partir !

S'éveillant d'un songe, Cléopâtre peina à reconnaître sa servante.

— Partir...

— J'ai surpris une conversation terrifiante ; au palais, vous n'êtes plus en sécurité.

— Je me battrai !

— Inutile, vos ennemis sont trop nombreux ; partons, je vous en supplie !

— Tu me connais mal, Charmion.

— À mon sens, vous n'avez aucune chance de vaincre.

Cléopâtre vacilla.

Sa servante venait de la sauver, la mort menaçait à

nouveau… Une reine fléchir devant l'adversité, céder à la panique, se comporter comme la dernière des lâches ?

— Soyez raisonnable, insista Charmion : loin d'ici, vous pourrez lutter.

— J'écraserai les vermines dans mon propre palais, décida Cléopâtre.

2

Depuis la mort d'Alexandre le Grand, les Ptolémées n'avaient cessé d'embellir le quartier principal d'Alexandrie, le Bruchion, situé au nord-est de l'agglomération, sur le cap Lochias qui s'avançait dans la mer. Là se trouvaient plusieurs palais, dont la résidence royale, le siège du gouvernement, les ministères, les demeures des dignitaires, le Musée, la Bibliothèque, le théâtre, le gymnase et le stade. Les principaux monuments de la vaste cité s'étendant entre la Méditerranée et le lac Maréotis avaient été édifiés à proximité du tombeau d'Alexandre et des premiers Ptolémées[1].

Connaître les dédales de l'administration alexandrine, forte de milliers de fonctionnaires jouissant d'un nombre incalculable de privilèges, nécessitait une solide expérience, beaucoup d'habileté et un cynisme à toute épreuve. Ces qualités-là, l'eunuque Photin les possédait au plus haut point.

De taille moyenne, presque chauve, ventripotent, les joues rebondies, pataud, il semblait sympathique et

---

1. Cette localisation probable demeure hypothétique, car le tombeau d'Alexandre le Grand n'a pas été retrouvé.

inoffensif ; ceux qui s'étaient fiés à cette apparence trompeuse l'avaient amèrement regretté. Impitoyable et rusé, Photin s'était débarrassé de ses concurrents afin d'occuper le poste majeur, celui de ministre de l'Économie et des Finances. Il contrôlait l'agriculture et l'artisanat, vérifiait la rentrée des nombreuses taxes en espèces et en nature, et avait placé ses créatures à la tête de la chancellerie, de la justice et des douanes, fort lucratives.

Manipuler Ptolémée XII, le flûtiste dépravé et corrompu, n'avait pas été trop ardu ; en revanche, la montée sur le trône de la jeune Cléopâtre s'était vite transformée en catastrophe. Cultivée, énergique, douée pour le pouvoir, la souveraine avait écarté son petit frère, le treizième des Ptolémées, et procédé à une série de réformes, notamment monétaires, qui déplaisaient aux dignitaires et au peuple d'Alexandrie. Si on la laissait continuer, ne s'attaquerait-elle pas à certains privilèges au détriment de l'ordre établi ?

Inquiet, Photin avait déployé sa meilleure stratégie : agir dans l'ombre. Il s'était constitué un réseau efficace, décidé à soutenir l'enfant Ptolémée XIII et à évincer Cléopâtre. Arsinoé, sa sœur cadette, la jalousait et haïssait cette aînée à la fois belle et intelligente ; néanmoins, Photin se méfiait de cette ambitieuse, aussi dangereuse qu'un serpent. Son meilleur allié était l'érudit Théodote, spécialiste de la rhétorique ; ses beaux discours visaient à persuader le petit Ptolémée qu'il était le seul roi légitime et qu'il devait se débarrasser de l'abominable Cléopâtre avant qu'elle ne l'assassinât.

Et le grand jour était arrivé : le gamin acceptait de

passer à l'offensive finale. Depuis plusieurs semaines, Photin avait réussi à monter l'ensemble de l'administration contre la reine et à l'isoler ; ses ordres n'étaient plus exécutés et ses derniers soutiens se détournaient. Désormais, Ptolémée XIII régnait et, à travers lui, Photin.

La défaite de Cléopâtre ne suffisait pas ; prenant enfin conscience de la situation, la reine ne tarderait pas à réagir.

Il fallait la supprimer, et le roi ne s'y opposait pas.

L'eunuque emprunta un couloir long et étroit menant aux appartements d'Achillas, le chef de l'armée. Un militaire d'origine égyptienne, devenu un parfait Grec d'Alexandrie ; borné, mais courageux et respecté de la troupe, il obéissait au doigt et à l'œil à Photin qui le couvrait de richesses et de femmes.

Le général était grand et costaud ; le poil très noir, la tête carrée, la lèvre gourmande, la voix rauque, il appréciait chaque jour davantage sa position et jouissait au maximum des plaisirs qu'offrait la capitale.

Sa femme de chambre introduisit Photin.

Achillas dînait en compagnie d'une nymphette dénudée et déjà ivre ; elle gloussa en apercevant l'eunuque, au physique peu avantageux que n'améliorait pas sa robe verte au plissé délicat.

Le général gifla la gamine.

— Pardonne-lui, Photin ; et toi, idiote, décampe !

La nymphette s'enfuit en pleurant sous le regard torve de l'eunuque. Achillas remplit une coupe d'argent d'un vin rouge à la cannelle et la tendit au ministre.

— À la nôtre, mon ami très cher !

Photin trempa à peine ses lèvres.

— Une urgence ? s'inquiéta le militaire.

— En effet.

— Ah... Ça veut dire maintenant ?

— Le plus tôt serait le mieux.

La voix légèrement tremblante de l'eunuque traduisait la gravité de la situation.

— Des troubles dans le quartier chaud, je parie ! Je vais calmer ces excités.

— Rien de tel, Achillas.

Le général fronça les sourcils.

— Explique-toi, Photin !

— Tu t'es engagé à servir fidèlement notre roi, n'est-ce pas ?

— Je le confirme !

— Le moment est venu de prouver la qualité de ce serment. Ptolémée a besoin de ton bras et de ton courage.

Achillas se leva.

— Qu'il commande, et j'obéirai !

— Ton acte modifiera le destin de ce pays et sauvera le trône de notre souverain légitime ; tu deviendras un héros, mon ami, et seras honoré à ta juste valeur.

Le général s'inquiéta ; la promesse ne manquait pas d'attrait, mais quel danger cachait-elle ?

— Pourrais-tu être plus précis, Photin ?

— Ptolémée a pris une grande décision, digne d'un monarque : il désire assumer seul la responsabilité du pouvoir.

— Seul, c'est-à-dire...

— C'est-à-dire en éliminant la traîtresse qui complote sans cesse afin de se débarrasser de lui.

— La traîtresse… Cléopâtre ?

Photin hocha la tête.

— Donc, tu me demandes de…

— Notre roi, Ptolémée XIII, t'ordonne de supprimer Cléopâtre.

3

Renfrogné, le général Achillas contempla les restes de son dîner et sentit son estomac se contracter.

— Je suis un militaire, pas un assassin !

— Qui te parle d'assassinat ? demanda Photin d'une voix douce. Cléopâtre, elle, est sur le point de devenir une meurtrière et de condamner notre pays à la ruine ! Ne désires-tu pas le sauver en extirpant le mal à sa racine ?

La tête du chef de l'armée bouillonnait ; pour mieux réfléchir, il marcha de long en large.

— Cette femme est une vipère, déclara l'eunuque ; d'après mes informateurs, elle se prépare à frapper. Si nous n'intervenons pas, nous sommes tous condamnés. Elle prendra la tête de nos troupes et de la police, tuera son propre frère et ses proches. Il ne nous reste qu'un espoir de survivre : toi, Achillas.

Le général se sentit investi d'une énorme responsabilité, et sa mission commença à lui plaire. Lui, le sauveur de l'Égypte ! La reconnaissance de Ptolémée serait infinie, la fortune du héros acquise, sa réputation légendaire.

Cléopâtre… La femme était séduisante, voire envoûtante, mais elle le dédaignait.

— J'accepte, déclara Achillas.

Photin s'inclina.

— Je rends hommage à ta loyauté et à ton courage, et notre roi t'en saura gré.

— Quand devrai-je agir ?

— Maintenant.

Nerveux, le général se vêtit d'une tunique orange au col évasé et aux manches courtes. Puis il choisit un poignard à double lame.

— Je suis capable de terrasser de nombreux adversaires, rappela-t-il, mais pas la garde personnelle de Cléopâtre, composée d'une vingtaine d'hommes armés de lances !

Photin sourit.

— J'ai résolu le problème ; ces braves gens sont passés dans notre camp, de même que la plupart des serviteurs et des servantes de la reine. À cette heure, tu la trouveras seule en train de dîner.

Le général eut un haut-le-corps ; une tâche exaltante l'attendait.

D'un pas lourd, Photin le précéda. Les deux hommes empruntèrent un itinéraire compliqué aboutissant au palais de Cléopâtre, en passant par des jardins qu'éclairait la pleine lune.

À l'entrée, pas un seul garde.

Les Alexandrins étaient friands de marbre qu'ils importaient et le palais de Cléopâtre ne faisait pas exception à la règle ; Achillas gravit la volée de marches menant à l'accès principal, passa entre deux colonnes au galbe prononcé et pénétra dans la salle d'accueil, décorée de peintures murales représentant des paysages nilotiques, et de bustes des Ptolémées.

Un couloir desservant des salons, la salle à manger, l'antichambre… Des lampes allumées, pas de désordre, pas un seul serviteur. La porte des appartements privés de la reine était close.

Le général se méfia. Il n'oubliait pas que Cléopâtre, excellente cavalière, avait fréquenté le gymnase, en remontant parfois à des hommes. Ne lui tendait-elle pas un piège ?

Il ouvrit la porte à la volée et se précipita à l'intérieur d'un domaine où régnaient le luxe et les parfums. La vaste chambre, la salle de bains, les pièces consacrées au massage, à la coiffure, au maquillage, aux parures, aux vêtements… Pas âme qui vive.

Méticuleux et prudent, Achillas explora en vain toutes les cachettes possibles. Dépité, il rejoignit Photin.

— Cléopâtre n'est pas ici.

L'eunuque ne parut pas découragé.

— Je sais où elle se terre : son second palais, sur l'île d'Antirhodos.

Le général affréta une grande barque ; une vingtaine de soldats ramèrent à une cadence soutenue afin de gagner au plus vite la petite île, située à proximité du port de l'est. Là se dressaient une résidence royale et un petit sanctuaire dédié à Isis.

— Le roi souhaite que tu coupes la tête de cette sorcière et que tu la montres au peuple, suggéra Photin à l'oreille d'Achillas ; il t'acclamera, et tu seras amplement récompensé.

— Du nerf ! exigea le général qui se tenait à la proue de la barque.

En abordant le port privé de la reine, l'eunuque et le militaire constatèrent qu'il était vide.

— Elle s'est enfuie, marmonna Photin, en proie à une rage froide.

*

Le petit Ptolémée XIII s'était gavé de gâteaux et avait mal au cœur. Maigre, le front large, le nez fin et pointu, son précepteur, l'érudit Théodote, tentait de lutter contre la gourmandise de ce gamin capricieux qui ne tarderait pas à devenir obèse.

— Je vais vous lire des poésies de Callimaque[1], Majesté, et vous goûterez une nuit paisible.

— Je n'ai pas sommeil et je veux boire du vin.

— Désolé, Majesté, vous me semblez trop jeune.

— Des garçons de mon âge en boivent !

— Mais vous, vous êtes le roi.

— Justement, j'ai droit à tout !

— Justement non.

L'arrivée inattendue de Photin interrompit la dispute ; le chef du gouvernement s'inclina.

— Toi, s'enflamma Ptolémée, donne-moi raison !

— J'ai une mauvaise et une bonne nouvelle, Majesté.

Le regard hautain de Théodote se durcit.

— Je déteste les mauvaises nouvelles ! protesta le roi.

— Cléopâtre a quitté Alexandrie en compagnie de quelques fidèles, révéla l'eunuque ; elle nous a échappé de peu.

— Fais-la revenir, j'exige de la voir morte !

— Sait-on où elle est allée ? demanda Théodote.

---

1. Callimaque (–300- –240) fut l'un des principaux poètes alexandrins et auteur d'un catalogue des ouvrages de la Bibliothèque.

— Pas encore, mais j'insiste sur la bonne nouvelle : cette ambitieuse nous laisse le champ libre. Aujourd'hui débute le règne de Ptolémée XIII.

Ces paroles apaisèrent l'enfant.

— Bien, je décide de dormir.

4

Un fort vent du nord facilitait la progression rapide des deux bateaux, toutes voiles dehors, transportant Cléopâtre et ses derniers fidèles, une centaine de soldats, sa servante Charmion, et son chambellan, Apollodore le Sicilien. Appuyant le témoignage de Charmion, il avait convaincu la reine, menacée de mort, de quitter sans délai Alexandrie. Conscient du danger, le Sicilien avait fait préparer, dans le port privé d'Antirhodos, deux vaisseaux chargés de nourritures, de bijoux et de sacs remplis de pièces d'or, d'argent et de bronze. Grâce à cette fortune, Cléopâtre continuerait à lutter contre ses ennemis.

Cet argument avait convaincu la jeune femme, le cœur déchiré, de quitter sa capitale. Mais où se réfugier, quelle direction prendre ? À la stupéfaction générale, la reine avait décidé d'emprunter le canal menant au Nil et de se diriger vers le sud.

Les soldats composant la garde personnelle de la reine n'avaient jamais quitté Alexandrie et ne souhaitaient guère découvrir une Égypte inconnue, peuplée de paysans hostiles.

Quand l'aube se leva, Cléopâtre se tenait à la proue

du navire de tête. Son chambellan lui apporta du pain et du lait.

— Pourquoi courir un tel risque ? demanda Apollodore.

— Seul un ancien dieu peut me venir en aide ; je l'ai honoré, lors de ma première année de règne, et je compte solliciter sa force.

Le Sicilien était un homme de belle taille, âgé d'une trentaine d'années ; l'œil noir, le menton carré, arborant une moustache soignée, il ignorait la fatigue et vouait une sincère admiration à cette jeune reine pour laquelle il était prêt à mourir.

— Alexandrie m'a chassée mais j'y reviendrai, promit Cléopâtre ; et cette fois, personne ne me volera le pouvoir. Cette journée marque le début de ma reconquête ; les provinces du Sud se rangeront sous mon autorité, et ma nouvelle armée balaiera celle de cet avorton de Ptolémée !

— Je ne partage pas votre optimisme, Majesté.

Vexée, la reine jeta un regard courroucé à son chambellan.

— Comment oses-tu me parler ainsi ?

— Je me suis promis d'être sincère et d'éviter la flatterie. Vous avez été aveugle et ne vous êtes pas suffisamment méfiée de l'eunuque Photin et du précepteur Théodote, les deux comploteurs qui ont commandité votre assassinat avec l'accord de votre frère ; à présent, ils sont les maîtres de la capitale et du pays entier. À cause de vos réformes monétaires, les Alexandrins vous détestent ; ils acclameront leurs nouveaux maîtres qui se garderont bien de décrire la réalité et leur promettront un avenir merveilleux. Le Sud ? Vous en ignorez tout. Ses habitants haïssent les

Grecs et leurs coutumes, les considérant comme des envahisseurs ; pour eux, Alexandrie est une ville étrangère, une verrue horrible dont ils espèrent la destruction. Pourquoi vous aideraient-ils, vous, une Grecque ?

Cléopâtre demeura silencieuse un long moment. Le Sicilien avait commis une faute impardonnable et ne doutait pas d'être renvoyé ; cependant, il ne regrettait pas son intervention. Peut-être la jeune femme se montrerait-elle moins naïve et comprendrait-elle que ses projets étaient voués à l'échec.

— Continue à me parler ainsi, Apollodore, et n'hésite pas à pointer du doigt mes erreurs. J'ai besoin d'un conseiller tel que toi, qui ne succombe pas à la flatterie. Sans doute as-tu raison ; néanmoins, je ne renoncerai pas, car je n'ai pas d'autre choix. M'imagines-tu cachée dans un trou perdu ou perpétuellement en fuite ? Je me battrai et, si je suis vaincue, je périrai les armes à la main.

— Je serai à vos côtés, Majesté.

*

Tantôt émerveillés, tantôt inquiets, les voyageurs découvrirent la vallée du Nil, ses rives verdoyantes bordées de papyrus, les villages perchés sur des buttes, les palmeraies, l'existence en apparence tranquille des paysans, le va-et-vient des ânes lourdement chargés. Des groupes d'enfants saluaient le passage des deux bateaux, des hommes armés de fourches proféraient des injures.

Par chance, la reine disposait d'excellents marins ; en raison des bancs de sable et de courants capricieux, la navigation n'était pas toujours facile. Cléopâtre passait sa journée entière à contempler la beauté de ce pays envoûtant ; elle découvrait des temples, apercevait des pyramides à la lisière du désert, s'enivrait de couleurs chaudes et de la douceur des paysages.

Ces heures de navigation s'écoulèrent comme un rêve et modifièrent la vision de la jeune femme.

Grecque, l'était-elle encore vraiment ? L'Égypte commençait à lui façonner une âme nouvelle, capable de percevoir la grandeur et l'œuvre des ancêtres, au-delà de la dynastie des Ptolémées. Sa destitution ne lui offrait-elle pas la chance de pressentir sa nature authentique, enfouie sous l'héritage dérisoire de ses pères ? Cléopâtre cessait peu à peu d'être une étrangère pour devenir une Égyptienne ; oui, ce pays était le sien et ne se réduisait pas aux fastes d'Alexandrie.

Au terme de vingt jours de voyage, les deux bateaux arrivèrent en vue de la ville d'Hermonthis, à une vingtaine de kilomètres au sud de la prestigieuse « Thèbes aux cent portes » qu'avait célébrée Homère. Pillée et ravagée par les Perses, la richissime capitale des pharaons du Nouvel Empire sommeillait, nostalgique de sa gloire passée.

Cléopâtre donna l'ordre d'accoster, les soldats se saisirent de leurs armes. Apollodore ne doutait pas que leur présence eût été signalée et redoutait un premier affrontement avec les autorités locales.

En dépit de la mise en garde de sa servante Charmion, la reine tint à descendre la passerelle la première, à la tête de ses hommes ; crispés, ils regardaient autour d'eux, craignant une attaque d'archers.

Les villageois accouraient, intrigués ; qui était cette magnifique jeune femme, vêtue d'une robe blanche de lin royal, parée d'un diadème, d'un collier et de bracelets d'or ?

Des policiers fendirent la foule ; armés de gourdins et d'épées courtes, ils s'immobilisèrent à quelques pas de l'intruse.

Un sexagénaire aux cheveux blancs bouscula ses subordonnés et apparut au premier plan. La mine bourrue, il dévisagea l'arrivante.

— Je suis Cléopâtre, souveraine des Deux Terres, la Haute et la Basse-Égypte, et tu me dois obéissance.

Le chef de la police locale fut ébloui.

— Vous… vous parlez égyptien ?

5

Cléopâtre était la seule des Ptolémées à parler l'égyptien ; elle avait également appris l'hébreu, le syrien, le perse, le parthe, l'éthiopien et plusieurs autres langues, y compris celle des « coureurs des sables », les tribus bédouines qui attaquaient les caravanes.

— Quel est ton nom ? demanda la reine.

— Pacôme, Majesté… Je suis le stratège[1] de la province de Thèbes, commandant des forces de l'ordre et responsable des finances locales… On… On ne m'avait pas prévenu de votre arrivée et…

— Conduis-moi à ta résidence, et qu'on donne à manger à ma suite.

Apollodore et deux soldats accompagnèrent la souveraine. Subjugué, Pacôme marcha à pas pressés et emprunta des ruelles pour aboutir à un bâtiment à deux étages passablement délabré.

— Hermonthis n'est pas riche, précisa le stratège, gêné, et le chef de la province ne lui accorde guère d'importance. Vous… vous êtes vraiment la reine Cléopâtre ?

---

1. Titre donné par les Ptolémées à de hauts fonctionnaires provinciaux.

La souveraine se contenta de sourire.

— Un instant, je vous prie !

Le stratège se rua à l'intérieur du local administratif, réveilla les fonctionnaires assoupis, leur ordonna de nettoyer à vive allure la salle d'hôte et d'aller chercher des victuailles. Cette tornade inattendue eut des résultats positifs, et Cléopâtre n'eut pas à patienter trop longtemps.

Sur une table basse, une purée de fèves, de la salade, des lentilles à l'ail, des œufs, du fromage de chèvre, des dattes.

— Le repas est modeste, déplora Pacôme, et ces mets sont indignes de Votre Majesté ! Mais il y a tant de misère, ici...

La reine s'assit sur une natte.

— Parle-moi de la souffrance des paysans.

Le stratège baissa la tête.

— Il me faudrait des journées entières !

— La situation serait-elle si grave ?

— Presque désespérée, estima Pacôme d'une voix lasse. Le gouvernement d'Alexandrie ne tient aucun compte des protestations du peuple et lui impose une fiscalité écrasante. Les rapports alarmants que j'adresse à mes supérieurs restent sans réponse, et leur seule réaction est l'envoi de policiers qui quadrillent les villages et bastonnent les récalcitrants. L'ordre est maintenu, je le reconnais, mais à quel prix ? Et je n'évoque pas la multiplication des fonctionnaires ! Ils prolifèrent comme des sauterelles et se nourrissent du travail des pauvres gens. Les dernières révoltes ont été matées, de nombreuses victimes ont été jetées dans le Nil... Et la colère gronde à nouveau. Les outils agricoles sont propriété de l'État, la quasi-totalité des récoltes lui revient, le taux de production est imposé, les mauvais paysans sanctionnés. Soit l'on se soumet aux exigences de l'administration, soit l'on renonce à cultiver la parcelle allouée par le chef de province et l'on crève de faim. Et le fleuve lui-même nous refuse son aide, puisque les dernières crues ont été trop faibles.

Les traits creusés, Pacôme s'assit à son tour et se redressa aussitôt.

— Pardon, Majesté, vous ne m'avez pas autorisé, je…

— Assieds-toi, je te prie, et ne me cache rien.

Cléopâtre écouta attentivement les doléances du stratège, heureux d'ouvrir enfin son cœur et de décrire avec précision les souffrances quotidiennes de ses compatriotes. Pas un instant, son long discours ne lassa la souveraine qui découvrait un monde inconnu.

La gorge sèche, Pacôme s'interrompit.

— Désirez-vous de la bière, Majesté ?

Cléopâtre acquiesça, le stratège remplit deux coupes. N'osant pas affronter le regard de son interlocutrice, il craignait d'être désavoué.

— Ici, à Hermonthis, déclara la jeune femme, je proclame devant toi la première année de mon règne. Je ne supporte pas l'injustice et mettrai tout en œuvre pour y mettre fin. Alexandrie est tellement éloignée du pays que je contemple… Merci de m'avoir éclairée.

Le stratège n'en croyait pas ses oreilles ; si cette princesse était bien Cléopâtre, la Grecque à la mauvaise réputation, comment pouvait-elle s'intéresser au sort du bas peuple ?

— Tu ne me crois pas, Pacôme, et tu as tort. Mon propre frère, Ptolémée, m'a chassée de la capitale, avec la complicité de ses âmes damnées ; repus de leur triomphe momentané, ils mésestiment ma détermination.

Admiratif, le stratège ne cacha pas son pessimisme.

— Majesté, vous n'imaginez pas la puissance de la police ; les sbires du gouvernement d'Alexandrie sont omniprésents, ils surveillent tout et tout le monde. Si vous ne la contrôlez pas, vous êtes condamnée.

— Je ne la contrôle pas, reconnut Cléopâtre.

— Alors, fuyez le plus loin possible de ce pays et oubliez-le !

— Ce serait raisonnable, mais renoncer m'est impossible.

— En ce cas, Majesté, vous mourrez !

— Le dieu de ta ville ne me portera-t-il pas assistance ?

Le stratège fut étonné.

— Notre taureau sacré ?

— Au début de ce que je croyais être mon règne, j'ai salué l'avènement du jeune animal que les prêtres ont choisi pour succéder à son vénérable ancêtre ; aujourd'hui, je désire le rencontrer, seule à seul.

— Notre génie protecteur est plutôt irascible !

— Conduis-moi auprès de lui.

Au cours de son existence, le stratège avait rencontré des caractères obstinés, mais nul n'égalait celui de cette jeune femme à la voix douce et aux yeux charmeurs. Essayer de lui résister était inutile.

Sous la protection de sa modeste escorte, la reine sortit du bourg et emprunta le sentier menant à l'enclos du taureau sacré d'Hermonthis.

Semblant jaillir du soleil, un faucon traça de grands cercles au-dessus du cortège puis survola la reine de si près que Pacôme, Apollodore et les soldats levèrent les bras afin de la protéger ; Cléopâtre, elle, demeura imperturbable.

Ce signe du ciel troubla le stratège ; les dieux ne se manifestaient jamais par hasard, mais leur langage n'était pas toujours facile à déchiffrer. Incarné dans un faucon, Horus, le dieu fondateur de l'ancienne monarchie pharaonique, n'accordait-il pas ses faveurs à cette jeune femme ?

6

Depuis plusieurs générations, les taureaux sacrés du dieu Montou, seigneur de la guerre qui prenait, lui aussi, la forme d'un faucon et rendait Pharaon victorieux lors des combats contre les ténèbres, étaient inhumés dans des souterrains en compagnie de leurs mères, représentantes terrestres de l'immense vache céleste dont le lait nourrissait les êtres de lumière. Dûment momifiées, les dynasties de vaches et de taureaux résidaient pour l'éternité au sein du « temple du Principe créateur ».

Le taureau se nommait Boukhis, à savoir « l'expression de la lumière divine » ; qui, mieux que lui, aurait exprimé sa puissance ?

— Laissez-moi seule, ordonna Cléopâtre à son escorte.

— Ne pénétrez surtout pas dans l'enclos, recommanda Pacôme ; je vous le répète, le jeune Boukhis est irascible !

Apollodore redoutait que la reine n'en fît qu'à sa tête, et le chambellan ne se trompait pas.

La tête noire et le pelage blanc, l'impressionnant quadrupède disposait d'un vaste espace et ne manquait de rien ; au terme d'une existence paisible et de fêtes au cours desquelles il était paré de fleurs et de bijoux, il serait remplacé par un successeur en tous points semblable et sa mère serait également vénérée.

À l'approche de la jeune femme, les naseaux du taureau se dilatèrent et ses yeux noirs devinrent agressifs.

— Toi, le porte-parole de Râ, réserve un bon accueil à la souveraine des Deux Terres ! pria Cléopâtre. Je viens te demander ta force, non pour moi-même, mais pour mon pays et pour mon peuple. La guerre se prépare, mes ennemis sont redoutables ; rends mon bras invincible, insuffle-moi un courage inaltérable.

Du sabot, Boukhis gratta le sol, et sa queue s'agita.

— Il va charger, murmura le stratège, affolé.

Cléopâtre s'avança et tendit les bras en un geste d'imploration.

— Sois mon interprète auprès de la lumière créatrice qui donne la vie ; puisse ton âme féconder la mienne.

Le taureau redressa brusquement la tête et fixa la suppliante.

Apollodore se préparait à intervenir, Pacôme le retint.

— Nul ne doit entraver l'action du taureau sacré ; si tu osais, tu serais exécuté.

Les cornes de Boukhis étaient épaisses et pointues ; il lui suffisait de prendre son élan et de foncer droit devant lui pour transpercer la jeune femme immobile et recueillie.

Alors, le dieu s'exprima.

Éblouis, Apollodore, Pacôme et les soldats virent un soleil jaillir du front de l'animal et former un disque qui trôna entre ses cornes. Intense, son rayonnement enveloppa Cléopâtre de lumière, la rendant de longues secondes invisible aux yeux des mortels.

Puis un vent du sud dissipa le voile irréel ; Boukhis émit un meuglement et rejoignit sa mère qui broutait de l'herbe tendre.

Bouleversé, Pacôme savait, à présent, que Cléopâtre était l'élue des dieux.

*

La nouvelle du miracle s'était vite répandue à travers Hermonthis et, afin d'honorer son hôte illustre, le stratège avait organisé un banquet auquel l'ensemble des habitants était convié. Ce soir-là, vin et bière coulaient à flots, et l'on oublia pendant quelques heures la dureté du quotidien.

Aimable, écoutant les doléances des principaux fonctionnaires de la cité, la reine semblait pourtant absente, comme si son entrevue avec le taureau sacré et la communion avec l'âme du soleil se prolongeaient au cœur de la nuit.

La joie de ces festivités inattendues dissipa toute envie de dormir, et seules les premières lueurs de l'aube mirent fin à la beuverie, aux chants et aux danses. Les soldats de Cléopâtre regagnèrent leurs bateaux, et ni Charmion ni Apollodore ne résistèrent au sommeil, lequel s'empara aussi du stratège et de ses concitoyens.

Parfaitement éveillée, animée d'une énergie nouvelle et inconnue, la reine traversa la zone des cultures et emprunta un sentier aboutissant au désert. La terre rouge et inhospitalière l'attirait de façon irrésistible ;

les Anciens n'y avaient-ils pas construit leurs demeures d'éternité ?

La jeune femme foula le sable fin de ses pieds nus et goûta l'air frais des premières heures du jour. Pourquoi le pouvoir lui avait-il échappé ? Parce qu'elle s'était enfermée dans la trop brillante Alexandrie, loin de la terre de ses ancêtres, se privant de leur sagesse et de leur force.

Grâce à l'intervention de Boukhis, Cléopâtre renouait des liens qui avaient été brisés ; encore fallait-il les renforcer face à l'adversité et les rendre indestructibles. Alexandrie était un cocon à l'abri de la vraie Égypte, une illusion que dissipait la violence de ce désert où les humains n'étaient pas les bienvenus ; la reine désirait s'éprouver et savoir si elle était digne de la lumière offerte par le taureau sacré.

La solitude… Ce serait la condition de la victoire. Même adulée, acclamée, encensée, la souveraine resterait seule et n'aurait d'autre ressource que son propre feu qui, cette fois, nourrirait sa lucidité.

Soudain, elle le vit.

Dressé, sa langue bifide sortant de sa gueule à intervalles rapprochés, le cobra royal lui barrait le chemin. Perdue dans ses pensées, la reine s'éveillait brutalement, trop proche du reptile pour s'enfuir.

Le moindre mouvement provoquerait une attaque foudroyante et mortelle. Cléopâtre cessa de respirer, tentant en vain de capter le regard du prédateur, prêt à frapper.

Le cobra royal… N'ornait-il pas la couronne des pharaons, n'émettait-il pas une flamme dévorant leurs ennemis ? Statufiée, le cœur battant, la reine refusa de croire que ce serpent, chargé de magie, mettrait fin à ses jours.

— Sois en paix, exigea une voix grave dont les intonations, d'une rare profondeur, firent frissonner la reine.

Le cobra se tourna vers un homme âgé, de grande taille, le crâne rasé, vêtu d'une tunique ocre. La sévérité de son visage marqué de rides profondes était presque effrayante.

— Regagne ta tanière, ordonna-t-il au reptile.

Soumis, ce dernier s'éloigna ; et l'homme tourna le dos à la reine.

— Attends ! Qui es-tu, mon sauveur ?

Le charmeur de serpent s'immobilisa.

— Mon nom est Hermès.

7

Cléopâtre se porta à la hauteur du surprenant personnage.

— Comment maîtrises-tu un tel monstre ? Je veux le savoir !

L'homme dévisagea la jeune femme.

— Et toi, qui es-tu ?

— La reine Cléopâtre.

— Une Grecque d'Alexandrie…

— Ta souveraine, à laquelle tu dois le respect !

Le regard du mage exprima tant de dédain que la reine fut incapable de répliquer.

— Vous, les Grecs, êtes des enfants prétentieux, sans tradition ni spiritualité ; votre philosophie se réduit à un bruit de mots dépourvus d'efficacité. Retourne chez toi, reine Cléopâtre, et ne t'aventure plus dans le désert.

— Je pourrais te faire arrêter !

— Et m'obliger à avouer mes secrets sous la torture ? Ne surestime pas tes pouvoirs, et regagne ta cité grecque, loin de l'Égypte.

— Ce pays est le mien !

Hermès croisa les bras.

— Une découverte récente, me semble-t-il.

— Et quand bien même !

— Pourquoi cet intérêt subit ?

Face à cet être étrange, au magnétisme intense, Cléopâtre sentit qu'elle ne devait pas taire la vérité.

— Menacée de mort, j'ai été contrainte de quitter Alexandrie et j'espère gagner les provinces à ma cause afin de reconquérir le pouvoir.

— L'eunuque Photin et ses complices, le précepteur Théodote et le général Achillas, ne resteront pas inactifs.

Cléopâtre ouvrit des yeux ronds.

— Tu... tu les connais ?

— Ils manipulent ton petit frère, Ptolémée, imbu de son pouvoir, et ne connaîtront pas la paix avant d'avoir contemplé ton cadavre.

La jeune femme serra les poings.

— Serais-tu leur allié ?

— Si c'était le cas, tu serais déjà morte ; le cobra royal ne manque jamais sa proie.

— Donc, tu consens à m'aider !

— Je t'ai sauvé la vie et je retourne au désert.

— Devrais-je te supplier ?

Cléopâtre s'agenouilla et ouvrit les bras, osant planter son regard dans celui d'Hermès.

— Ce voyage m'a transformée, j'ai découvert ma véritable patrie ! Mon père était un corrompu, un incapable et un lâche, et je n'ai pas l'intention de lui ressembler. En moi, l'Égyptienne anéantit la Grecque ; ne doute pas de mon unique désir, redonner splendeur et prospérité à la terre des pharaons. Ma vie, désormais, n'aura pas d'autre sens.

Pendant d'interminables secondes, Hermès demeura

silencieux, se contentant d'observer cette souveraine déchue.

Puis il lui prit fermement la main et la releva.

— As-tu conscience des épreuves à surmonter ?

— Probablement pas, mais qu'importe ?

— Connais-tu la peur ?

— Elle me ronge le ventre, et je lui résiste !

Hermès s'écarta.

— Qu'as-tu ressenti devant le taureau sacré ?

— La puissance de la lumière, le désir fou de me dissoudre en elle. Et le vent a dissipé mon rêve... J'ai besoin de la force de Boukhis pour partir en guerre !

— En imagines-tu les conséquences ?

— Existe-t-il un autre chemin ?

De l'index, Hermès traça un ovale dans le sable.

— Voici le symbole qui contient le nom des pharaons, nés du ciel et destinés à y retourner ; le cosmos illumine leur conscience afin qu'ils mettent la vérité à la place du mensonge, l'ordre à celle du désordre, la rectitude à celle de l'iniquité, la justice à celle de l'injustice. Les Ptolémées ont oublié ces devoirs, piétiné l'institution pharaonique fondée par les dieux, et voué un culte à la grande tortue, cette monnaie dont les Anciens avaient refusé l'usage. Ton monde est celui de la corruption et de la perversion, le criminel est préféré à l'homme droit, les intrigues politiques remplacent la bonne gouvernance. Les puissants ne songent qu'à leur profit, méprisent le peuple et l'oppressent en l'écrasant d'impôts. Voilà le malheur que les Grecs ont engendré, incapables de percevoir l'harmonie secrète de l'univers, privilégiant le savoir à la connaissance, se vantant de leur philosophie qui détruit l'intuition créatrice, de leurs discours creux et de leurs interminables débats ne menant à rien. Et ces fausses élites, véritable gangrène, ont introduit l'esclavage en Égypte, tout en réduisant la femme au statut d'inférieure, dépendante d'un mâle.

— Je suis la preuve du contraire ! protesta Cléopâtre.

— N'as-tu pas été contrainte d'épouser ton frère ?

— J'ai régné seule et…

— Et tu as été chassée.

Les paroles d'Hermès étaient autant de coups violents, mais un voile se déchirait.

— Je croyais avoir beaucoup appris, admit la jeune femme, et je constate que j'ignorais la réalité d'un pays ancré au plus profond de mon cœur. Acceptes-tu de m'enseigner ta science, Hermès, et de continuer à m'ouvrir l'esprit ?

La haute stature du mage parut se déployer encore.

— Quel est ton véritable désir, jeune reine ?

— Rendre à l'Égypte sa splendeur passée en exerçant un pouvoir juste.

— Tâche impossible…

— Au moins, j'aurais essayé !

— Ton existence est en jeu.

— Je ne veux pas jouer d'autre jeu, et c'est la condition pour y participer.

Hermès regarda au loin, comme s'il tentait de percer l'avenir.

8

Cédant à l'insistance du Sicilien Apollodore et de Charmion, la servante de Cléopâtre, le stratège Pacôme, en dépit des mauvaises nouvelles qu'il venait d'apprendre, se décidait enfin à envoyer une patrouille à la recherche de la reine, disparue depuis de longues heures. Où était-elle allée, avait-elle été victime d'une mauvaise rencontre ?

Les soldats s'apprêtaient à partir lorsque la jeune femme réapparut, en compagnie d'un homme à l'impressionnante stature dont le regard imposa le respect.

Charmion se précipita.

— Majesté ! Êtes-vous indemne ?

— Sois rassurée.

— Qui est cet homme ? demanda le Sicilien, suspicieux.

— Le mage Hermès, mon nouveau conseiller.

Pacôme jugea indispensable d'intervenir sans délai.

— Majesté, vous ne pouvez pas rester ici ! Il faut partir immédiatement.

La reine maîtrisa son irritation.

— Pour quelle raison ?

— Votre présence n'est pas passée inaperçue, et

l'un de mes subordonnés a alerté la garnison grecque de Thèbes afin qu'elle procède à votre arrestation. Dès demain, une troupe nombreuse déferlera.

— Hermonthis et toi ne me défendrez-vous pas, aux côtés de mes soldats ?

Le stratège baissa la tête.

— Ce serait une folie. Nous n'avons aucune chance de vaincre, et nous serions tous massacrés. Si vous souhaitez épargner nos vies, Majesté, fuyez !

— Quelle direction prendre ? interrogea Apollodore.

— Évitez le Nil, recommanda Pacôme ; au nord, une flotte de guerre vous intercepterait. Et il en serait de même au sud.

— Restent les déserts de l'est et de l'ouest, constata le Sicilien.

— Nous y périrons de chaleur, de soif et de faim ! s'exclama Charmion, terrorisée à l'idée de se perdre dans cet univers hostile, peuplé de maléfices et de créatures dangereuses.

Comme la servante regrettait le luxe du palais d'Alexandrie ! Pourtant, elle resterait fidèle à sa reine.

— Il n'existe qu'une seule solution, trancha Hermès : sortir d'Égypte et gagner le nord de la Palestine où la reine Cléopâtre trouvera peut-être des alliés.

Pacôme en fut bouche bée.

— Impossible, tout à fait impossible ! Il faudrait traverser le désert, arraisonner un bateau, longer la côte de la mer Rouge, aboutir au-delà du delta et remonter vers le nord en parcourant des contrées remplies de barbares et de pillards !

— Exact, reconnut Hermès.

— Et toi, tu serais le guide ?

— Moi, non ; mais j'en connais un.

— Ici, à Hermonthis ?

— Que la reine me suive.

Cléopâtre n'hésita pas ; dubitatif, Apollodore l'accompagna.

Le trio emprunta une succession de ruelles débouchant à l'extrémité sud de la cité.

Une modeste maison blanche à un étage, un jardin potager et un champ de luzerne dont se régalait un âne à la robe grise.

Troublant la quiétude de cette fin d'après-midi, un ronflement d'une rare puissance. Le dos appuyé contre un puits, un vieillard malingre et mal rasé dormait à poings fermés.

Hermès s'immobilisa à deux pas du décharné.

— Réveille-toi, le Vieux.

Le front se plissa, le menton tremblota, les lèvres chuintèrent, et les paupières se soulevèrent lentement.

— C'est qui… Ah non, pas toi ! Laisse-moi me reposer, je suis éreinté.

— Ne dois-tu pas le respect à la reine d'Égypte ?

Un regard inquiet scruta les alentours. Repérant Cléopâtre, le Vieux s'appuya sur ses coudes et se redressa.

— C'est elle ?

— C'est elle, confirma Hermès.

— Tu plaisantes ?

— Je ne plaisante pas.

— Ç'aurait été trop beau… Avec toi, ce n'est jamais l'heure de la rigolade !

Le Vieux s'étira et, non sans peine, se releva.

— C'est vrai qu'elle est belle, la reine ! En quoi ça me concerne ?

— Nous avons besoin de tes services.

Le Vieux se gratta les cheveux.

— Ah non, je n'aspire qu'au repos ! Les aventures, c'est fini.

— Même s'il s'agit de sauver ta reine de criminels grecs ?

Perplexe, le Vieux marmonna.

— Ça, c'est différent… C'est du sérieux ?

— Très sérieux, confirma Cléopâtre. Ou tu me guides, ou je meurs.

— Il fallait que ça me tombe dessus… À croire que les dieux ne me lâchent pas les talons !

— Acceptes-tu de m'aider ? questionna la reine.

— Les Grecs, ils me gonflent la tête et l'estomac ! Et puis vous avez un regard franc… Mais je ne suis pas seul à décider.

— Qui d'autre ?

— Mon âne, Vent du Nord ; s'il refuse, je me rendors. Lui, il n'est pas du genre à faire n'importe quoi.

Le grison avait belle allure. Pesant près de 300 kilos, haut de 1,40 m au garrot, le museau et le ventre blancs, la queue peu touffue, de grands yeux marron, il était le descendant d'une longue lignée à la robustesse exceptionnelle.

Le Vieux s'approcha, l'âne leva la tête.

— Vent du Nord, voici la reine d'Égypte et probablement un paquet d'ennuis. On n'est pas au paradis, d'accord, mais ça pourrait être pire. Un périple à travers le désert, par exemple.

Le quadrupède écoutait avec attention.

— J'ai une seule question à te poser : on y va ?

Si l'oreille droite se levait, la réponse était « oui » ; si c'était la gauche, « non ».

Le Vieux espérait une attitude sensée de la part d'un âne expérimenté ; et ce fut l'oreille droite qui se dressa.

— Tu as bien réfléchi ?

Vent du Nord maintint sa réponse.

— Bon sang de bon sang, marmonna le Vieux, je ne m'attendais pas à un tel délire ! Tu te rends vraiment compte ?

Le quadrupède ne changea pas d'avis.

Dépité, le Vieux retourna d'un pas lourd à son logis et vida une petite jarre de vin blanc. Celle-là, il se la réservait pour une grande occasion.

— Ta décision ? lui demanda Cléopâtre alors qu'il savourait la dernière goutte.

— Malheureusement, je ne sais pas mentir, et Vent du Nord a perdu l'esprit... Bref, nous partons.

— Selon Pacôme, les heures nous sont comptées.

— Ça ne m'étonne pas ! Bon, je m'occupe de tout ; nous aurons les ânes et les chameaux nécessaires. Je te préviens, reine d'Égypte : cet interminable voyage ne sera pas une partie de plaisir.

9

Le théâtre d'Alexandrie était rempli d'une foule bruyante et impatiente ; enfin, les autorités allaient mettre fin aux rumeurs qui parcouraient la ville. La mort de Cléopâtre ou son triomphe, l'assassinat du petit Ptolémée, la démission des ministres... On ne savait plus quoi penser, jusqu'à l'annonce d'une déclaration solennelle de Photin, le chef du gouvernement.

Éduquées au gymnase et fréquentant la Bibliothèque et le Musée, les élites attendaient le discours de l'homme fort de la capitale.

L'apparition du petit Ptolémée XIII, encadré de l'eunuque Photin et du précepteur Théodote, étonna l'assistance. Vêtu d'une tunique jaune, le roitelet était coiffé d'une double couronne rouge et blanc, évoquant celle des pharaons. Il tenait un sceptre en forme de crosse de berger, symbole de son autorité, et affichait un visage grave.

Photin leva la main, les discussions cessèrent ; chacun était suspendu à ses lèvres.

— Citoyens d'Alexandrie, j'ai de grandes nouvelles ! La reine Cléopâtre a quitté notre cité avec un petit nombre de factieux, refusant de reconnaître

de notre souverain, Ptolémée le Trei-
reine indigne a tenté de le supprimer,
ıl Achillas est parvenu à le sauver ; cer-
ure condamnée, Cléopâtre s'est enfuie. Nous
la retrouverons et la châtierons ! Une sombre période
s'achève, Alexandrie est de nouveau en paix ; le règne
de notre monarque sera glorieux, il accroîtra la prospérité de notre très brillante capitale. D'une seule voix,
acclamons Ptolémée !

Le bref discours de Photin souleva l'enthousiasme ;
débarrassés de l'impopulaire Cléopâtre, les Alexandrins saluèrent la prise de pouvoir de l'enfant couronné, lequel se leva, appréciant cette ferveur.

*

Ptolémée frétillait.

— Je suis le roi, je suis le roi ! Qu'on m'apporte
des gâteaux !

— Calmez-vous, Majesté, recommanda Théodote en
ôtant la double couronne ; ne vous laissez pas enivrer
par ces clameurs.

Le gamin se roula sur le sol de marbre de son palais,
se releva et sautilla.

— Obéis à mes ordres !

L'austère précepteur saisit les poignets de son élève.

— Je vous le répète : calmez-vous.

— Tu as entendu la foule ? C'est moi qui gouverne !

— Pour le moment, vous allez dîner et vous irez
dormir.

Le gamin bouda.

— Je ne mangerai que des gâteaux.

— Trêve de caprices ! Votre fonction exige un minimum de dignité.

Vexé, l'enfant se dégagea.

— Un jour, je te tuerai !

— En attendant, à table ; la musique des joueurs de lyre apaisera vos nerfs.

Ptolémée haussa les épaules ; mourant de faim, il se plia aux exigences de son précepteur.

*

Aucun des courtisans n'aurait manqué le conseil de régence que présidait Photin ; certes, la capitale croyait aux déclarations officielles, mais transcrivaient-elles la vérité ? Aux dignitaires chargés de mettre en œuvre sa politique, le chef du gouvernement ne pouvait mentir.

Un sexagénaire au triple menton posa la question qui obsédait la cour :

— Où se trouve Cléopâtre ?

— On nous a signalé sa présence à Hermonthis, en Haute-Égypte, répondit Photin.

— A-t-elle été arrêtée ?

— Pas encore.

— Donc, elle demeure dangereuse !

— Elle n'est qu'une fuyarde, accompagnée d'une misérable cohorte de soldats perdus qui ne tarderont pas à l'abandonner. Considérez-la comme morte.

— Nous aimerions voir son cadavre à Alexandrie.

— Les vautours le dévoreront, promit Photin ; oublions cette sorcière et préoccupons-nous de conforter le pouvoir de Ptolémée. Le général Achillas maintiendra l'ordre. Théodote et moi-même rétablirons la prospérité de notre belle cité sans toucher aux privilèges des notables fidèles à notre souverain et fervents soutiens de notre politique.

L'assemblée murmura d'aise.

— Et les Romains ? s'inquiéta un haut fonctionnaire.

— Deux généraux, César et Pompée, se livrent un combat à mort ; attendons-en l'issue, et nous féliciterons le vainqueur.

— Et s'il tente de nous envahir ?

— Rome a de trop graves soucis pour envoyer une armée contre nous ; cette cité prétentieuse se doit d'abord d'éviter la guerre civile et la famine. Soyez rassurés, mes amis : Cléopâtre disparue, l'existence reprend son cours normal.

À la sortie de ce grand conseil, Théodote, resté silencieux, s'entretint en privé avec l'eunuque.

— Tes déclarations ont ravi ces esprits faibles, reconnut-il ; et nous avons les mains libres.

— Continue à maîtriser ce gamin capricieux et, surtout, qu'il ne mette pas le nez dans nos affaires !

— Quelles sont les véritables nouvelles concernant Cléopâtre ? interrogea le précepteur.

— Un régiment thébain a failli l'intercepter à Hermonthis, mais elle et une poignée de partisans ont réussi à s'enfuir. Le désert ne leur accordera pas la moindre chance de survivre.

— En es-tu persuadé ?

— Nos soldats sont formels.

Théodote parut soulagé.

— Reste un danger non négligeable : Arsinoé, la sœur cadette de Cléopâtre. Cette ambitieuse a la fâcheuse habitude de poser beaucoup de questions.

— Je me charge de lui répondre, assura Photin ;

tenons-la à l'œil et isolons-la au maximum. Si elle devenait gênante, le général Achillas se chargerait de lui clouer le bec.

Satisfaits d'eux-mêmes, les deux amis s'offrirent un excellent déjeuner ; leur avenir s'annonçait riant.

10

Sans Vent du Nord, qui avait pris la tête de la caravane, et le Vieux qui décidait des haltes et des temps de repos, Cléopâtre et ses partisans n'auraient pas réussi à franchir le désert séparant la province de Thèbes d'un petit port de la mer Rouge. Tout en subissant la chaleur, les vents de sable, les puces et autres insectes, il avait fallu éviter plusieurs patrouilles de police chargées de repérer les fuyards. Par chance, personne n'avait été victime d'une morsure de serpent ou d'une piqûre de scorpion, et le mage Hermès n'avait eu à soigner que des affections bénignes.

Ce rude voyage avait renforcé les liens unissant les membres de la petite troupe, et chacun admirait le courage de Cléopâtre, proche de ses hommes, réconfortante, et d'une humeur égale. La plus éprouvée était la servante Charmion, revigorée à la vue de la mer ; elle ne cessait de songer à son Alexandrie natale et au confort du palais. Apollodore doutait de l'heureuse issue de cette folle aventure, mais ne remettait pas en cause son allégeance à la reine qu'il suivrait jusqu'aux confins de la terre.

La nuit, observant le ciel étoilé, Cléopâtre questionnait

Hermès, lequel acceptait de lui enseigner l'astrologie des anciens Égyptiens, venant compléter et approfondir les connaissances acquises par la jeune femme lors de ses nombreuses heures d'étude à la Bibliothèque d'Alexandrie. Les savants grecs n'avaient pas menti en affirmant qu'ils avaient tout appris des sages de l'Égypte pharaonique, et la souveraine découvrait un héritage fabuleux dont elle se considérait responsable.

— L'essentiel, constata le Vieux en se dirigeant vers le petit port, c'est qu'on n'ait pas eu soif ; ce rouge un peu jeune désaltère mieux que de l'eau.

— Et tu connaissais tous les puits, rappela Cléopâtre.

— Le plus difficile commence : convaincre le propriétaire d'un bateau de vous le vendre.

Deux bâtiments étaient au mouillage, une trentaine d'artisans s'affairaient, des marins jouaient aux dés. Trapu et barbu, le patron du chantier naval, les poings sur les hanches, apostropha les arrivants.

— Tiens, le Vieux ! Ça fait longtemps qu'on ne t'avait pas vu... C'est qui, cette beauté ?

— La reine d'Égypte.

Le barbu éclata de rire.

— Et moi, je suis le nouveau Ptolémée !

— Quoi qu'il en soit, jugea le Vieux, incline-toi et manifeste ton respect envers ta souveraine.

Le chef de chantier perdit sa gaieté.

— Tes plaisanteries ne m'amusent pas ! Que veux-tu ?

— Notre reine désire acheter un bateau.

— Désolé, impossible ! Ils appartiennent à l'armée et ne sont pas en vente.

— On pourrait s'arranger...

— On ne peut pas. Moi, je ne veux pas d'e

— Tu risques quand même d'en avoir, déplora le Vieux ; ce bateau, il nous le faut.

— N'insiste pas, mon gars ; sinon, il t'en cuira.

— Ce serait stupide de s'entre-tuer. Mais puisque tu ne nous laisses pas le choix...

Hermès s'approcha et fixa le barbu.

— Tu mens.

Impressionné, le bonhomme recula.

— Non, je...

— L'un des deux bateaux au mouillage n'appartient pas à l'armée. Toi et ta bande de pirates l'avez arraisonné en pleine mer et avez tué ses occupants, des marchands de bois précieux.

Le barbu sua à grosses gouttes.

— Nous avons la faiblesse de te verser une indemnité et de ne pas te dénoncer aux forces de l'ordre ici présentes ; tu as de la chance, beaucoup de chance, et tu rendras compte de tes crimes devant le tribunal des dieux.

— Les soldats vous arrêteront, ils...

— Ils continueront à se reposer si tu leur annonces que nous sommes d'excellents acheteurs et de braves négociants. Empresse-toi de t'expliquer auprès de leur chef et montre-toi convaincant.

Subjugué, le chef de chantier s'empressa d'obéir.

Pendant qu'il s'entretenait avec le gradé, le Vieux et Apollodore hâtèrent la manœuvre ; on déchargea les ânes et les chameaux, et l'on transborda richesses et nourritures sans perdre un instant.

Cléopâtre savait apprécier la solidité d'un bâtiment : celui-là tiendrait la mer.

Entre le chef du détachement et le barbu, la conversation s'envenimait ; les explications de l'artisan ne satisfaisaient pas son interlocuteur.

Hermès intervint.

— Le contrat sera régularisé, annonça-t-il, et le vendeur n'aura pas à se plaindre.

— Qui es-tu, interrogea le militaire, énervé, qui est cette femme qui…

— Apaise-toi, mon ami, exigea le mage, et songe aux merveilleux jardins d'Alexandrie. L'air est embaumé, tu sommeilles à l'ombre d'un sycomore, une servante te sert de la bière fraîche, une autre te masse le cou. Le sommeil s'empare de toi, tu oublies tes soucis, et tu t'endors, tu t'endors…

Le gradé essaya de résister, mais ses paupières s'abaissèrent, ses muscles se détendirent et il s'allongea sur le côté. Le mage acheva de le plonger dans une profonde torpeur, tandis que la minuscule armée de Cléopâtre terminait le chargement, sous l'œil indifférent des soldats ennemis qui, n'ayant pas reçu d'ordres, continuaient à boire et à jouer aux dés.

Déjà, on hissait les voiles et on levait l'ancre ; le bateau quitta le port et gagna la haute mer, poussé par une forte brise. Vent du Nord apprécia son lit de paille et un repas composé de fruits et de concombres ; soulagé, le Vieux déboucha une jarre de vin blanc.

À la proue, Cléopâtre contempla l'horizon.

Certes, elle avait échappé aux tueurs de Ptolémée et de sa clique, mais quel serait le terme de ce nouveau voyage ? Le nombre minuscule de ses partisans ne lui permettait pas d'envisager une contre-offensive et la science d'Hermès, si puissante fût-elle, ne suffirait pas à lui procurer la victoire.

À chaque jour suffisait sa peine ; demain, l'espérance renaîtrait.

11

Un ciel bleu, des vents favorables, une mer calme... La traversée avait été rapide et paisible. À l'heure d'accoster, la mine du Vieux devint soucieuse.

— L'endroit[1] est dangereux, prévint-il ; j'ai bourlingué dans ce coin-là quand j'étais jeune, et ça castagnait dur. On tentera de passer à l'est de Péluse, en évitant à la fois les patrouilles égyptiennes et ces maudits coureurs des sables qui attaquent les caravanes et n'hésitent pas à tuer les marchands.

— Existe-t-il suffisamment de puits ? s'inquiéta Charmion, navrée de quitter le bateau où elle avait goûté un repos réparateur.

— Il faudra se montrer sobre et ne pas se déplacer aux heures torrides. En cas de danger, Vent du Nord nous avertira.

La petite troupe abandonna le bâtiment et gagna un campement de chameliers ; après une longue discussion, le Vieux parvint à acheter une dizaine de bêtes à un prix convenable. Il négocia aussi le silence des

---

1. Le golfe de Suez.

vendeurs, lesquels ne désiraient pas attirer la curiosité des autorités égyptiennes.

— Où nous conduis-tu ? questionna Cléopâtre.

— Aux confins de la Palestine. La région est remplie de mercenaires et de déserteurs romains qui détestent le régime d'Alexandrie ; soit vous les enrôlez, soit ils vous trancheront la gorge. Il est encore temps de renoncer et de chercher un abri sûr.

— En route.

*

La progression fut lente et pénible. Plusieurs fois par jour, l'âne levait les deux oreilles et refusait d'avancer ; aussitôt, le Vieux faisait s'accroupir les chameaux, et les soldats de Cléopâtre se disposaient de manière à repousser des agresseurs. À maintes reprises, les guetteurs aperçurent au loin des policiers du désert et des bédouins en maraude ; grâce aux protections magiques que déployait Hermès, tout affrontement fut évité.

À proximité de la cité d'Ascalon, Charmion remarqua l'extrême lassitude de Cléopâtre et alerta Hermès, occupé à consulter les astres. Il se rendit auprès de la reine, allongée sur une natte, à l'abri d'une tente.

La jeune femme respirait avec difficulté.

— Tu as présumé de tes forces, estima le mage ; le temps n'est-il pas venu de rebrousser chemin ?

— Simple refroidissement à cause de la fraîcheur de la nuit ! Es-tu capable de me guérir ?

— Es-tu toujours décidée à recruter de nouveaux partisans et à guerroyer contre ton propre frère ?

— Tel est mon destin.

De la poche de sa tunique, Hermès sortit une pierre noire et la posa sur la poitrine de la reine.

— Ce talisman est issu de la pierre divine, créée lors de la célébration des mystères d'Osiris, expliqua-t-il ; si tu réussis à gouverner, ne les néglige pas. Tous les pharaons y furent initiés, car il est impossible de régner en justesse sans connaître les secrets de la mort et de la vie. Ta nuit sera paisible et, demain, tu auras recouvré la santé.

*

Un rayon de lumière éveilla Cléopâtre ; elle n'éprouvait aucune douleur et se leva avec entrain. Soulevant un pan de sa tente, elle admira le soleil levant.

Charmion accourut.

— Majesté ! Êtes-vous guérie ?

— Cette journée s'annonce magnifique ; nous allons conquérir Ascalon.

La servante pensa que sa dernière heure était arrivée ; en dépit de sa détermination et de son courage, la petite troupe était incapable de s'emparer de la cité, peuplée de rudes guerriers.

— Majesté… Ne convient-il pas de regarder la réalité en face ?

— Bien sûr, Charmion ! Contemple cette cité : elle sera bientôt à nos pieds.

Cléopâtre appela ses soldats ; dès qu'ils furent rassemblés, elle les harangua.

— Au péril de votre vie, vous m'avez suivie jusqu'ici, et votre confiance m'honore ; nous sommes peu nombreux, mais tellement unis que nulle épreuve ne nous paraît insurmontable. Des conspirateurs ont tenté de m'assassiner, ils ont échoué ; aujourd'hui, ils me croient abattue, ils se trompent ! Grâce à vous, mes fidèles lieutenants, je reprendrai le trône qui m'a été volé. Ensemble, nous triompherons ! Et la première étape de notre reconquête, c'est Ascalon.

La voix de Cléopâtre était ensorcelante ; quoique ses promesses fussent illusoires, les braves voulurent y croire et l'acclamèrent.

*

Le colosse qui sortit de la cité était un déserteur romain, évadé de la prison d'Alexandrie ; il s'était imposé comme chef d'une garnison formée d'anciens combattants d'origines fort diverses et profitant de la couardise des civils, prêts à satisfaire leurs moindres désirs.

Le Romain était ivre lorsqu'on l'avait alerté : des étrangers se présentaient à la porte de sa ville ! Brusquement dégrisé, il s'était vêtu à la hâte afin d'affronter en personne l'éventuel adversaire.

La misérable cohorte l'étonna ; à l'évidence, aucun danger.

— Votre commandant ! exigea-t-il.

Cléopâtre sortit du rang.

— Une femme, murmura le Romain, stupéfait.

— Je suis la reine d'Égypte ; rallie-toi à ma cause, et tu connaîtras la gloire.

Le colosse secoua la tête et cracha.

— Tu divagues, femelle ! Une bonne correction te remettra les idées en place.

Le poing levé, le matamore menaça l'imprudente ; Cléopâtre ne recula pas.

Un ibis noir à la tête blanche survola l'agresseur, l'enveloppant d'une ombre glaciale ; le Romain se désarticula, tentant en vain d'échapper à ce linceul, sous le regard impassible d'Hermès. L'oiseau de Thot, dieu des paroles sacrées et de la connaissance, avait accompli sa mission en libérant le chemin de celle qui aspirait à rétablir l'institution pharaonique.

Mercenaires et civils sortirent d'Ascalon et s'inclinèrent devant Cléopâtre, piétinant le cadavre de leur tyran.

12

Les vautours picoraient les dépouilles, d'effroyables odeurs montaient du champ de bataille de Pharsale, au nord de la Grèce, en ce 9 août – 48. Cadavres décapités, éventrés, membres dispersés, sol saturé de sang, chaleur écrasante… Au sommet d'une butte caillouteuse, l'*imperator* Jules César contemplait l'effroyable spectacle de son triomphe.

En dépit de son infériorité numérique, sa dixième légion, expérimentée et disciplinée, avait terrassé l'armée disparate de Pompée. Cette fois, après une lutte interminable, la victoire était totale et définitive.

Le visage émacié, le front creusé de rides et encadré de grandes oreilles, le nez cassé, les lèvres fines et bien découpées, le menton affirmé, robuste, César était né le 12 juillet – 100, et se présentait volontiers comme le descendant de Vénus et du héros Énée ; ne l'appelait-on pas le nouveau Romulus, le légendaire fondateur de Rome ?

Ayant bénéficié d'une excellente éducation, juriste et philosophe, parlant le grec aussi parfaitement qu'un latin châtié, César avait connu une remarquable carrière. Tribun militaire, consul, proconsul et même *Pon-*

tifex Maximus, à savoir autorité religieuse suprême, il était devenu un général à l'efficacité remarquable. Vainqueur de la guerre des Gaules, il s'était heurté à son ancien allié, Pompée le Grand, le conquérant de l'empire oriental de Rome, comblé d'honneurs par le Sénat en – 61.

Formé de César, de Pompée et de Crassus, le triumvirat rassemblant tous les pouvoirs avait volé en éclats ; la mort de Crassus avait laissé face à face César et Pompée, irréconciliables. Nommé consul unique en – 52, ce dernier espérait se débarrasser de son rival, éloigné de Rome ; mais César, à ses risques et périls, avait franchi le Rubicon en juin – 49, décidé à affronter les troupes sénatoriales commandées par Pompée.

Et c'était ici, à Pharsale, que cette lutte fratricide et impitoyable prenait fin. En déplaçant le conflit en Orient, Pompée avait cru épuiser César ; le piège tendu dans les Balkans avait échoué, et le traquenard grec semblait imparable.

Les premières heures de la bataille avaient donné raison à Pompée ; sans l'intelligence tactique de César et le courage de ses hommes, la défaite aurait été consommée.

Fils d'affranchi, Rufin, le lieutenant du général victorieux, s'approcha du maître auquel il avait voué son existence. Buriné, les épaules carrées, le torse couvert de cicatrices, la lèvre supérieure fendue, il était à bout de forces.

— Toute résistance a cessé, déclara-t-il ; je n'ai jamais vu autant de morts et de blessés. La plupart ne survivront pas.

— Nos pertes ?

— Importantes, mais il vous reste une armée

capable de combattre. Sans votre manœuvre de dernière minute, nous aurions été massacrés. Ils étaient nombreux, si nombreux…

— Pompée ?

— Nous recherchons son corps.

— J'ai hâte de le contempler ; fais ramasser les armes.

Surmontant sa fatigue, Rufin exécuta l'ordre.

Pompée avait commis une erreur fatale : engager trop d'étrangers et de mercenaires, formant une masse difficile à commander. César, lui, préférait la mobilité et la rigueur de combattants aguerris, prompts à réagir. Ses hommes lui vouaient un véritable culte, sachant qu'il les menait toujours à la victoire.

Que de chemin parcouru depuis la Gaule, que de batailles, de conquêtes ! Qu'elle était rude la route conduisant au pouvoir suprême ; semée d'embûches, de cadavres et de souffrances, elle exigeait ténacité et lucidité. César avait douté, voire hésité, mais pas reculé ; au-delà de sa personne, la gloire de Rome devait continuer à briller, et des êtres décadents comme Pompée la menaçaient. Pourquoi s'était-il acharné à lutter, au lieu de reconnaître la supériorité de son adversaire et éviter ainsi un long et meurtrier conflit ?

La chaleur de l'été grec était écrasante ; César gardait néanmoins son manteau pourpre de général en chef, visible de loin et rassurant. Les légionnaires appréciaient son courage et savaient qu'il les admirait ; contrairement à la majorité des nobles, le vainqueur de Pharsale ne dédaignait pas le peuple et se montrait parfois d'une surprenante générosité envers les petites gens.

Rufin réapparut, le visage grave.

— Mauvaise nouvelle ? demanda César.

— Pompée s'est enfui.

— De quelle manière ?

— À bord de son dernier bateau, avec l'aide d'une poignée de rescapés ; selon plusieurs témoignages, il serait indemne.

— En ce cas, la guerre n'est pas terminée.

Ces paroles-là, Rufin redoutait de les entendre.

— Nos hommes sont épuisés, admit César, mais je n'ai pas le droit de leur voler leur triomphe.

— Pompée n'est-il pas devenu inoffensif ?

— Détrompe-toi, Rufin, il n'a qu'une idée en tête : lever une nouvelle armée et repartir au combat. Nous allons le poursuivre, l'intercepter et l'empêcher de nuire. Je le ramènerai à Rome où il sera jugé pour avoir trahi sa patrie. Que notre flotte se prépare à appareiller.

— L'urgence ne consiste-t-elle pas à soigner nos blessés ?

César regarda Rufin qui s'attendait à une sévère remontrance.

— Tu as raison. Pompée s'est assuré un peu d'avance, mais nous le rattraperons ; dès que le service de santé aura terminé son travail, nous prendrons la mer.

Le lieutenant se hâta de distribuer les consignes ; César, lui, s'enferma dans la cabine du vaisseau amiral afin d'étudier une carte de la Méditerranée et de prévoir le trajet de Pompée, lequel avait deux priorités indissociables : se mettre en sécurité et trouver un allié capable de lui fournir des troupes.

Après mûre réflexion, une destination privilégiée :

l'Égypte. Pompée n'était-il pas l'exécuteur testamentaire du défunt Ptolémée XII auquel avaient succédé un gamin et une fillette ? L'armée égyptienne n'était pas négligeable, il s'imposerait aisément à sa tête.

Non, la guerre n'était pas terminée.

13

Quoique le vin d'Ascalon ne fût pas des meilleurs, il permettait au Vieux de s'hydrater. Vu la chaleur écrasante, il passait ses journées à l'ombre, s'accordait de longues siestes et dormait sur la terrasse de la modeste demeure qui lui avait été attribuée. À proximité, Vent du Nord bénéficiait d'une étable au toit de palmes et d'une nourriture convenable.

Le Vieux appréciait cette période de repos, bien qu'il se méfiât de la population mélangée et de la quantité de mercenaires à la morale douteuse. Ici, tout se négociait, et la vie n'avait pas une énorme valeur ; la quiétude apparente cachait une violence prête à exploser.

Le miracle de l'ibis avait impressionné les différents chefs de clan qui, pour le moment, respectaient Cléopâtre et n'osaient pas s'en prendre à sa garde rapprochée ; la présence du mage Hermès, dont on redoutait les pouvoirs, était une protection non négligeable, mais serait-elle durable ?

Des notables murmuraient contre cette souveraine déchue ; quelles étaient ses intentions, combien de temps comptait-elle séjourner à Ascalon, ne risquait-elle pas d'attirer les foudres de Ptolémée ?

Cette aventure insensée ne pouvait que mal finir, et le Vieux se préparait à décamper.

*

Bien fortifiée, la cité maritime d'Ascalon jouissait d'une prospérité certaine et d'une relative indépendance ; son maire, un négociant en huiles, tolérait divers trafics, à condition de toucher des dédommagements. Payant grassement son service de sécurité, il vivait dans une luxueuse villa où il avait installé Cléopâtre, son chambellan et sa servante.

Au lieu de s'y prélasser, la reine recevait les habitants d'Ascalon, Syriens, Palestiniens, déserteurs romains, esclaves en fuite, et les surprenait en parlant leur langue. Au fil des jours, sa popularité ne cessait de croître, et le maire commençait à en prendre ombrage.

La reine le convia à dîner et, de sa voix envoûtante, l'invita à s'asseoir face à la mer.

— Ne serais-tu pas contrarié ?

— Majesté…

— Je te remercie de ton accueil et je souhaite qu'aucune ombre ne trouble nos excellentes relations ; alors, sois sincère.

Habitué à louvoyer, le maître d'Ascalon ne parvint pas à résister au charme étrange de la jeune femme.

— Votre présence risque de devenir… dangereuse.

— J'en suis consciente.

Le maire ne s'attendait pas à une réponse aussi encourageante.

— Votre séjour… se terminerait-il ?

— Ce serait une solution, en effet ; mais j'ai un autre projet.

Le front de l'édile se plissa. Craignant qu'il n'eût la gorge sèche, Apollodore lui offrit une coupe de vin fort.

— Tu détestes Ptolémée et sa clique, précisa Cléopâtre ; ils ont usurpé mon trône et, demain, ils s'attaqueront à des cités autonomes comme la tienne. Te croire à l'abri serait une illusion mortelle, car les prédateurs d'Alexandrie souffrent d'une inextinguible soif de richesses. Ascalon est une proie si tentante qu'elle ne tardera pas à déclencher leur convoitise.

Les arguments de la reine bouleversèrent le maire ; ce qu'il avait patiemment édifié allait-il s'écrouler en un instant ?

— Auriez-vous une solution pour éviter ce désastre, Majesté ?

Cléopâtre dégusta des grains de raisin.

— Je le crois, mais ton aide m'est indispensable.

— Qu'attendez-vous de moi ?

— Tu gères ta cité de manière remarquable en évitant d'opposer les chefs de clan les uns aux autres et en faisant régner l'ordre grâce à des milices qui y trouvent leur avantage ; ces forces-là, ajoutées aux mercenaires et aux soldats perdus errant dans la région, pourraient former une armée.

— Une armée… À quoi servirait-elle ?

— À reconquérir Alexandrie.

— Et… qui la commanderait ?

— Moi, Cléopâtre.

— Majesté, vous êtes…

— Une femme et la souveraine de ce pays. Sois-en persuadé, il n'existe pas d'autre solution ; la clique de Ptolémée me croit morte ou hors d'état de nuire. Elle

74

ne saurait imaginer mon retour à la tête de combattants valeureux, capables d'écraser les troupes d'Achillas.

Le maire eut un regard noir.

— Achillas… Celui-là, j'aimerais voir sa dépouille brûler ! Et je ne suis pas le seul. Menteur, voleur, pillard… Il ne mérite pas de vivre !

— C'est lui qui était chargé de m'assassiner, révéla la reine ; à présent, il peut exécuter les basses œuvres de Ptolémée en toute tranquillité. Le laisser continuer à agir nous condamne, toi et moi, à disparaître.

Le maire était presque convaincu ; restait un obstacle majeur.

— Les soldats composant votre armée viendraient d'horizons très différents, mais auraient un seul but : gagner un maximum d'argent. Disposez-vous des fonds nécessaires ?

— Je n'ai pas quitté Alexandrie les mains vides et j'assurerai une solde excellente.

— Combien de temps, Majesté ?

— Le temps nécessaire ; cette guerre sera inattendue et brève. Nous devons intervenir vite, avant qu'Achillas ne lance un assaut contre ta ville.

— Comment vous aider ?

— Nous recevrons les chefs de clan et les officiers d'abord séparément, puis ensemble ; il nous faudra emporter leur adhésion, exiger leur obéissance et dicter nos conditions.

— Et si nous essuyons des refus ?

— Ce ne sera pas le cas, promit Cléopâtre, souriante ; cette armée de libération verra le jour, je reprendrai mon trône et récompenserai mes alliés. Ta richesse d'aujourd'hui n'est rien comparée à celle de demain.

14

Entouré des notables, couverts d'or et de bijoux par Cléopâtre, le maire d'Ascalon avait tenu à honorer son hôte en frappant une monnaie à son effigie ; officiellement, l'ex-reine d'Alexandrie se satisfaisait de son sort et passerait le reste de son existence dans la petite cité fortifiée, paressant au bord de la mer.

La servante Charmion avait retrouvé le sourire ; après cet horrible voyage à travers le désert, elle pouvait à nouveau préparer des bains parfumés pour la reine, la coiffer, la maquiller et la vêtir avec des robes délicates provenant d'Alexandrie. Quant au chambellan Apollodore, il choisissait les meilleurs produits de la région et prenait soin de goûter les plats qu'il servait à la table de Cléopâtre dont l'intelligence, les réparties et le sens de l'humour ravissaient les plus revêches.

En quelques semaines, la reine avait conquis les cœurs ; puisqu'elle se contentait de cette existence oisive, elle ne faisait pas planer le moindre danger sur Ascalon. Cette comédie cachait une réalité bien différente ; grâce à l'aide du maire, la jeune femme avait progressé à pas de géant. Au cœur de cette douce nuit d'été, elle se préparait à réunir l'ensemble de ses futurs officiers afin de concevoir l'offensive.

Certains entretiens avaient été âpres, et les discussions serrées ; pour plusieurs guerriers, accepter le commandement d'une femme était une sorte d'atteinte à leurs capacités. Sans hausser le ton, Cléopâtre était parvenue à les convaincre et beaucoup commençaient à évoquer ses dons d'envoûteuse.

Un rayon de lune éclaira Hermès, assis sous un palmier et rédigeant un long texte d'une main régulière et souple ; la reine descendit de sa terrasse et le rejoignit dans le jardin.

— J'espère ne pas t'importuner ; voilà trop longtemps que nous n'avons conversé.

— La guerre n'emplit-elle pas ton esprit ?

— Aurais-je tort ?

— Es-tu prête à voir couler le sang, à entendre les hurlements des combattants et les râles des blessés, à rameuter les fuyards et à subir des trahisons ?

— Si tel est le prix à payer pour reconquérir mon trône et gouverner les Deux Terres en suivant le chemin de mes véritables ancêtres, ceux qui les ont façonnées pendant des millénaires, je suis prête.

— Il te faut encore maîtriser ta meute de mercenaires.

— Cette nuit sera décisive ; les astres ne sont-ils pas favorables ?

Hermès contempla le ciel étoilé.

— Sauras-tu te montrer patiente et attendre un événement qui échappe à ta volonté ?

La question embarrassa la jeune femme.

— J'ai de quoi payer mes troupes pendant quelques semaines… Le temps m'est compté, je dois frapper vite et fort.

— Nul humain n'est supérieur à la loi céleste, Cléopâtre ; l'oublier, c'est te condamner à l'échec.

— La patience, le hasard… Des luxes que je ne peux m'autoriser !

— Qui t'a parlé de hasard ? Des forces se mettent en œuvre et se meuvent à ton insu ; sache les percevoir, afin d'éviter un désastre.

— Je le préfère à l'inaction !

— Lorsque tu affronteras le premier grand obstacle, ne néglige pas mes paroles.

La jeune femme se mordit les lèvres.

— Qu'écris-tu, Hermès ?

— Je prolonge l'enseignement des Anciens de manière à préserver leur sagesse ; nous ne sommes qu'argile et paille, le principe créateur bâtit et détruit à chaque instant, et seule compte son œuvre mystérieuse. Ouvriras-tu les yeux et les oreilles, sauras-tu la voir et l'entendre ?

Chefs de clan et militaires arrivaient au palais.

— Si je suis victorieuse, m'aideras-tu ?

Hermès se contenta d'un regard conciliant. Réconfortée, la reine se rendit à la salle d'audience où Apollodore remplissait de vin les coupes de la trentaine d'hommes qui avaient répondu à l'invitation de la souveraine.

Son apparition imposa le silence ; même les baroudeurs fiers de leur virilité admirent que cette Cléopâtre disposait d'une autorité naturelle.

Un rouquin aux énormes biceps se fit le porte-parole de ses compagnons d'armes.

— Avant d'être ivres, les choses sérieuses ! Nous sommes des guerriers, pas des diplomates ; et vous, une reine, souhaitez prendre la tête d'une armée dont nous serions les officiers !

— En effet.

— Et cette armée, quel sera son but ?

— La prise d'Alexandrie.

Cette brève déclaration provoqua la stupéfaction générale.

— Impossible, estima le rouquin ; les troupes égyptiennes nous anéantiront !

— Ton bras serait-il faible ? Ces troupes-là, je les connais ! Face à des adversaires résolus, elles ne résisteront pas longtemps.

Un barbu imposant se leva.

— Pendant que nous combattrons, vous résiderez ici, à Ascalon ; qui donnera les ordres ?

— Nous nous sommes mal compris : c'est moi, et personne d'autre, qui serai à votre tête ! Les corrompus d'Alexandrie me verront, et ma présence leur glacera le sang. Le danger ne m'effraie pas ; même si la mort me menace, je ne fuirai pas.

La détermination de la reine subjugua l'assistance ; à la promesse d'une solde inespérée s'ajoutait une admiration réelle envers une meneuse d'hommes.

— Inutile de se leurrer, ajouta Cléopâtre ; nos pertes seront importantes. Aux vainqueurs, favorisés des dieux, je promets considération et fortune.

— Les risques sont énormes, déplora le rouquin.

— Si la peur te ronge le ventre, va-t'en ; je ne te regretterai pas.

Vexé, le contestataire choisit le silence.

— Une question essentielle se pose, reprit la souveraine : vos braves disposent-ils d'un armement suffisant ?

— Il n'est pas inférieur à celui de l'ennemi, estima le barbu ; je m'inquiète davantage à propos des rations.

— Mon chambellan assurera l'intendance, et mon armée n'aura pas à s'en plaindre. D'autres exigences ?

Nul ne prit la parole.

— À la prochaine pleine lune, décida Cléopâtre, nous partirons pour Alexandrie.

15

Malgré le manque d'empressement de Ptolémée, son royal disciple, le précepteur Théodote se devait d'insister.

— Majesté, relisez ces poésies de Callimaque et…

— Elles m'ennuient. Ce que je veux, c'est devenir un grand chef de guerre. Pour ça, il faut être fort et manger davantage de gâteaux ; après, je tuerai tous mes ennemis et chacun se prosternera devant moi.

— Le respect ne doit pas s'accompagner de servilité et la guerre est toujours la pire des solutions. Alexandrie est la cité des poètes, des artistes et des savants ; en vous instruisant, vous serez capable de dialoguer avec eux.

— Comme Cléopâtre ? Ça ne m'intéresse pas ! Regarde où ça l'a menée… Moi, je serai le chef de l'armée.

L'intrusion de Photin soulagea le précepteur qui avait parfois envie de renoncer à ses difficiles fonctions et de retourner à la Bibliothèque afin d'y savourer les œuvres des grands auteurs. Mais le treizième des Ptolémées, vexé, aurait exigé son exécution pour haute trahison.

— Sa Majesté est-elle en bonne santé ? demanda Photin.

— Je meurs de faim ! Et j'ai pris une décision : avancer l'heure du déjeuner.

Vu le visage grave de Photin, probablement porteur de nouvelles inquiétantes, Théodote céda.

Tandis que des serviteurs accouraient, les deux hommes s'enfermèrent dans le bureau du chef du gouvernement dont les fenêtres donnaient sur le port. Une table de marbre coloré était couverte de dépêches.

— La dixième légion de César a vaincu les troupes de Pompée à Pharsale, révéla-t-il.

— Incroyable ! s'étonna Théodote ; ce dernier ne disposait-il pas d'une énorme supériorité numérique ?

— Les témoignages concordent, les faits sont avérés.

— Pompée a-t-il été tué ?

— Non, il s'est enfui ; et voilà notre problème ! César le poursuit, Pompée cherche un refuge et des alliés capables de lui fournir des soldats.

— Autrement dit, l'Égypte !

Photin s'assit, son poids fit gémir un fauteuil en bois d'ébène.

— Nous n'avons pas droit à l'erreur, mon ami ; ou bien nous soutenons Pompée, ou bien César.

— Pompée n'a plus d'armée !

— Dès qu'il débarquera, il exigera de commander la nôtre, très supérieure à celle de César.

— Alors, il deviendra le véritable maître de l'Égypte !

— N'est-ce pas aussi le but de César ?

— N'en doutons pas, recommanda Théodote ;

mais lui, à la différence de Pompée, n'accordera sa confiance qu'à ses propres soldats.

— Comment tirer profit de l'affrontement final entre ces deux prédateurs et préserver notre indépendance sans mécontenter Rome ? N'oublions pas que Pompée est l'exécuteur testamentaire du défunt Ptolémée XII et, qu'à ce titre, il estime avoir des droits sur nous !

Un léger sourire anima les lèvres minces de Théodote.

— J'ai un plan à te proposer.

L'érudit s'exprima à voix basse, Photin fut ébloui ; voilà pourquoi il avait besoin de cet intellectuel, tellement tordu et vicieux qu'il réussissait à trouver des issues aux situations les plus compromises.

— Plan adopté, trancha le maître d'Alexandrie, au moment où l'on frappait des coups appuyés à la porte de son bureau.

Le général Achillas entra, accompagné d'un rouquin aux biceps démesurés.

— Ce gaillard est porteur d'informations stupéfiantes ! Allez, parle !

Impressionné, le costaud peinait à articuler.

— Je viens d'Ascalon… La reine Cléopâtre…

— Quoi, Cléopâtre ? s'emporta Photin.

— Elle est… vivante !

— Tu as perdu l'esprit, estima Théodote.

— Non, non, elle est arrivée à Ascalon avec sa suite et s'est installée chez le maire. Tenez, on a même frappé une monnaie à son effigie.

Le rouquin remit la pièce au précepteur qui la contempla, intrigué.

— Je vais envoyer un régiment, décréta Photin ;

il nous la ramènera enchaînée. Et si la cité tente de résister, nous la raserons.

— Trop tard, affirma le rouquin, provoquant l'étonnement de ses interlocuteurs.

— Que veux-tu dire ? demanda Théodote.

— Cléopâtre a levé une armée ; elle s'apprête à conquérir Alexandrie.

— Cet homme est fou ! s'exclama Photin en se relevant.

— Elle est vivante et a recruté des mercenaires, assura le rouquin ; moi, j'ai refusé de lui obéir et préféré vous avertir. Cette femme est obstinée et redoutable ; ne mésestimez pas le danger.

— Ce témoignage me paraît sérieux, jugea le général Achillas ; ne pas adopter les mesures nécessaires serait une grave imprudence.

— Que préconises-tu ? questionna Théodote.

— Il faut empêcher Cléopâtre d'atteindre Alexandrie ; mes soldats repousseront cette bande de révoltés !

Photin et Théodote se consultèrent du regard.

— Entendu, acquiesça le chef du gouvernement ; prends le nombre d'hommes nécessaire et intercepte cette insensée.

Achillas se réjouissait à l'idée d'exterminer une troupe hétéroclite commandée par une femme ; ivre de son illusoire puissance, Cléopâtre ne s'attendrait pas à un tel accueil.

En trahissant la reine, le rouquin ne s'était pas trompé ; le châtiment de cette femelle serait à la mesure de sa prétention.

— Je mérite une récompense, non ?

Les petits yeux de Photin fixèrent le délateur.

— Sans ton intervention, admit-il, nous aurions été

pris au dépourvu et peut-être terrassés ; tu nous as sauvé la vie.

Détendu, le rouquin imaginait son avenir à Alexandrie, paré de vêtements somptueux, au milieu de beautés dociles lui présentant des vins capiteux et des mets choisis.

— Tu nous as sauvé la vie, répéta Photin, mais qui trahit trahira ; demain, tu nous vendras au plus offrant.

— Non, vous vous trompez ! Je jure allégeance à Votre Grandeur.

— Emmène cette vermine, Achillas, et tranche-lui la gorge.

Le général ne se fit pas prier ; les démonstrations de cruauté ne déplaisaient pas aux Alexandrins.

Ce détail résolu, Photin et Théodote se trouvaient confrontés à un grave danger : bien vivante, Cléopâtre comptait reconquérir sa capitale. Un objectif prioritaire : déployer les forces nécessaires pour la stopper.

16

Les lourds vaisseaux de César avaient pris la mer à la recherche de l'unique bâtiment de Pompée. Le vaincu de la bataille de Pharsale espérait échapper à son impitoyable poursuivant qui désirait le faire prisonnier et l'exhiber à Rome. Quelle humiliation pour le consul déchu, quel triomphe pour le vainqueur de la guerre des Gaules dont le pouvoir serait désormais incontesté !

César imaginait le Sénat entier l'acclamer et condamner Pompée à un exil définitif, et cette vision lui procurait une force insoupçonnée ; après tant d'épreuves et de combats, parfois perdus d'avance, César jouissait d'une nouvelle jeunesse. Le destin ne continuait-il pas à le favoriser, un horizon immense ne s'ouvrait-il pas ?

Bientôt, il pourrait appeler cette vaste étendue d'eau *mare nostrum*, la Méditerranée, propriété de Rome… À condition de soumettre l'Égypte, ce vieil empire aujourd'hui décadent, mais disposant encore d'une armée non négligeable. La discipline des soldats romains pallierait leur infériorité numérique, et leur chef les conduirait, une nouvelle fois, à la victoire.

— Bateau en vue ! annonça la vigie.

— Aux postes de combat, ordonna César.

La distance ne tarda pas à se réduire, et le pourchassé, cessant de lutter, ramena ses voiles.

Ce n'était pas Pompée.

Debout le long du bastingage, les marins levèrent les bras ; désarmés, ils ne représentaient aucun danger. Méfiant, César procéda à une manœuvre d'encerclement, de manière à déjouer un éventuel traquenard.

Terrorisés, les captifs se prosternèrent ; leur capitaine se présenta à la proue.

— Ne nous tuez pas, implora-t-il, nous sommes de simples pêcheurs !

— Amène-le à mon bord, dit César à Rufin, et fouille son bateau !

Le gaillard, un petit moustachu, tremblait de tous ses membres.

— D'où viens-tu ? demanda le général.

— De l'île de Chypre.

— As-tu croisé un bâtiment romain ?

— Il faisait escale quand je suis parti.

— Sais-tu qui était à son bord ?

— Un grand héros, Pompée ! Il achetait des marchandises et recrutait des mercenaires.

— En grand nombre ?

— Non, il n'a pas été très convaincant.

La fouille du bateau de pêche ne donna aucun résultat ; le capitaine ne cachait pas le moindre Romain.

*

À la vue de la flotte de César, les autorités chypriotes redoutèrent une invasion et ne manifestèrent nulle velléité de résistance ; lorsque Rufin, accompagné d'une cinquantaine de légionnaires, interrogea le maître de l'île, ce dernier lui procura les informations exigées : Pompée ne disposait que d'un petit nombre de fidèles et avait décidé de rejoindre l'Égypte où il était certain de trouver assistance et protection.

Ainsi, César ne s'était pas trompé ; mettant le cap sur Alexandrie, il lui fallait atteindre au plus vite la capitale des Ptolémées, sans laisser à Pompée le temps de gagner les Égyptiens à sa cause et de prendre le commandement d'une armée suffisamment puissante pour repousser l'arrivant.

Comment était gouverné l'antique empire des pharaons ? Chassé d'Alexandrie par ses ennemis puis revenu en triomphateur grâce aux soldats romains, Ptolémée XII le flûtiste, jouisseur vénal et corrompu, avait confié à Pompée le soin de veiller à l'exécution de son testament. La clause principale ne souffrait pas d'ambiguïté : à sa mort, le pouvoir devait être partagé entre son jeune fils, Ptolémée le Treizième, et sa sœur aînée, Cléopâtre. Les espions romains l'estimaient intelligente et ambitieuse ; le conflit n'avait pas tardé à éclater, opposant les deux « époux ». En s'imposant, la jeune femme se débarrasserait tôt ou tard de son rival.

Cléopâtre serait l'alliée de Pompée et, dès l'arrivée de l'illustre guerrier, courberait l'échine devant lui. De nouveau, des Romains se battraient contre des Romains et, si expérimentés fussent-ils, les légionnaires de César risquaient gros ; malgré ses récentes erreurs, Pompée demeurait un adversaire redoutable, et César aurait à manœuvrer en territoire inconnu et hostile.

Rufin s'approcha.

— Les hommes sont inquiets, murmura-t-il ; certains croient que nous nous battrons à un contre trente et que nous serons exterminés.

— C'est possible, admit César.

— En ce cas, ne conviendrait-il pas d'étudier la situation au lieu d'attaquer ?

— Notre seule chance est une intervention très rapide. Nous devons capturer Pompée avant qu'il ne soit devenu le maître d'Alexandrie et le chef de l'armée égyptienne.

— Et… Si nous arrivons trop tard ?

— Nous le saurons sur place, Rufin ; les dieux ne m'ont-ils pas toujours protégé ?

— Ceux des Égyptiens ne sont-ils pas plus puissants que les nôtres ?

César contempla le ciel, d'un bleu éclatant.

— Nous ne débarquerons pas à Alexandrie, mais à Péluse ; Pompée a forcément ordonné de fermer le port de la capitale, et la flotte égyptienne tentera de couler la nôtre.

— Lancer une attaque terrestre… Bel effet de surprise !

— Remonte le moral des hommes, Rufin ; cette nouvelle bataille, ils la remporteront. Et Rome les acclamera.

Revigoré, le lieutenant de l'*imperator* s'acquitta de sa tâche.

César ne s'enivrait-il pas de son propre discours, l'Égypte ne serait-elle pas son tombeau ? La raison lui imposait de rebrousser chemin, de s'imposer à Rome, de rassembler des légions et de mener une guerre conventionnelle à l'Orient conquis par Pompée.

La terre des pharaons l'attirait de façon irrésistible. Contre toute logique, au mépris de la prudence et du sens de la stratégie, il ressentait la nécessité d'aller au terme de ce voyage dangereux et de franchir la porte de l'inconnu.

Un vent chaud lui fouetta le visage et gonfla les voiles du navire amiral. Et si lui, l'étranger, parvenait à obtenir les faveurs des divinités de l'ancienne Égypte ?

17

La crue avait été normale, et la supérieure des prêtres et des prêtresses du temple de Dendera, en Haute-Égypte, s'apprêtait à célébrer l'un des rites majeurs des cérémonies du Nouvel An. Elle portait le même nom, Hathor, que la déesse à laquelle était dédié ce très ancien sanctuaire, déjà en fonction aux temps reculés des premiers pharaons.

Sexagénaire de taille moyenne, fine et rapide, la supérieure veillait au moindre détail et tenait à l'exécution parfaite des rites ; n'étaient-ils pas l'expression de la pensée créatrice des dieux et le trésor inestimable des initiés aux mystères de la déesse du ciel ?

Récemment, un miracle s'était produit. Les Ptolémées, souverains grecs régnant à Alexandrie, redoutaient les révoltes du Sud, soumis à une fiscalité écrasante ; afin de les éviter, ils offraient aux Égyptiens, les plus religieux des hommes, de superbes temples bâtis par des équipes d'artisans dont le pouvoir assurait les salaires. Héritiers de ces cadeaux inestimables, les grands prêtres et les grandes prêtresses s'engageaient à calmer la population, à reconnaître la légitimité des souverains et à verser leurs impôts sans discuter.

De vastes édifices offerts aux divinités, en échange de la paix civile… Un fragile équilibre avait été atteint, et Hathor ne croyait pas en bénéficier jusqu'au jour où l'administration alexandrine avait accepté sa requête, pourtant extravagante aux yeux de beaucoup : bâtir un nouveau temple en l'honneur de Hathor, de taille identique au gigantesque sanctuaire érigé à Edfou à la gloire d'Horus, son époux divin. Horus, protecteur du roi ; Hathor, protectrice de la reine ; ensemble, ils formaient le couple sacré, garant de l'institution pharaonique que respectaient les Ptolémées. La violer aurait provoqué une révolte populaire.

En voyant le maître d'œuvre, les contremaîtres, les tailleurs de pierre, les dessinateurs, les sculpteurs s'installer à Dendera, la supérieure avait senti son cœur battre comme jamais. De son vivant, elle allait assister à la renaissance d'un domaine divin protégé de hauts murs, doté de salles à colonnes, d'un Saint des Saints et de plusieurs bâtiments annexes.

Certes, les travaux dureraient de longues années, mais l'enthousiasme et la compétence des artisans raccourciraient le temps. Et quel bonheur, chaque matin, d'entendre le chant des outils !

De santé fragile, la supérieure éprouvait une intense envie de vivre et d'assister à la croissance de ce temple d'Hathor, élevé à l'emplacement de l'ancien sanctuaire. Les prêtresses et les prêtres préparaient des repas pour les ouvriers, leur apportaient à boire, soignaient les blessures, se préoccupaient de l'hygiène et des logements provisoires.

À la veille de la célébration, la supérieure et le maître d'œuvre dînèrent à la belle étoile ; le vent était doux, répandant les senteurs envoûtantes de fleurs épanouies.

— Tu sembles contrarié, observa la supérieure.

— Désirez-vous connaître les derniers événements ?

La prêtresse contempla la constellation d'Orion, l'une des destinations des âmes royales ; elle aurait préféré oublier les tribulations humaines et ne se soucier que de l'office divin, mais la destinée de son futur temple ne la contraignait-elle pas à regarder la réalité en face ?

— Seraient-ils inquiétants ?

— Conformément à la volonté de Ptolémée XII, son fils et sa fille Cléopâtre auraient dû se partager le pouvoir ; la jeune reine a tenté d'éliminer son frère et de gouverner seule le pays. Ses réformes ont déplu au peuple, et les conseillers du treizième Ptolémée ont réussi à chasser Cléopâtre.

— Ces troubles compromettent-ils la construction du temple ?

— Non, car les notables d'Alexandrie souhaitent poursuivre la politique qui permet d'éviter des soulèvements dans le Sud. Ptolémée XIII n'est qu'un gamin, un jouet entre les mains de l'eunuque Photin et de Théodote, son précepteur.

— Qu'est devenue Cléopâtre ?

— Les uns la croient morte, les autres pensent qu'elle prendra sa revanche. Quoi qu'il en soit, l'avenir de Dendera n'est pas menacé ; j'ai reçu une mission officielle et continuerai à la remplir.

— Et si une guerre civile se déclenche ?

— Nous n'en sommes pas là ; d'après mes informateurs, l'entourage du jeune roi a la situation bien en main. Le chef de la province observe les instructions de la capitale, paie mes artisans et tient à la réussite de notre entreprise.

— Le ciel est merveilleux, ce soir... Puisse Hathor nous protéger.

*

Sur un autel, la supérieure déposa des sceptres, une coudée, des vases en or et en argent, des étoffes, des pots d'onguents et des bouquets de fleurs. Entourée des fidèles de la déesse Hathor, elle admira le lever du soleil, vainqueur des ténèbres. Les premiers rayons du soleil illuminèrent les offrandes et revigorèrent les objets rituels, leur procurant l'énergie nécessaire pour affronter l'année nouvelle.

La supérieure s'imaginait monter un escalier menant au toit d'un grand temple où, à l'abri d'une chapelle consacrée à l'union du disque solaire, elle célébrerait un rite millénaire, lié à la naissance de l'Égypte. Ressusciter l'esprit des origines... N'était-ce qu'un rêve ? Cependant, des pierres vivantes s'assemblaient, des murs s'élevaient, le souffle de la déesse animait les cœurs et les mains.

Et la supérieure prononça les paroles ancestrales : « Qu'il est parfait, ton parcours de l'éternité, lumière divine ; Hathor, dame de Dendera, œil créateur, ouvre nos yeux et nos oreilles, trace notre année, donne du chemin à nos pieds. »

Des dizaines de rayons jaillirent du disque solaire, et la ritualiste vit l'œuvre achevée ; pendant quelques instants, elle vécut un bonheur impossible. La puissance divine habitait sa demeure, les fêtes étaient célébrées à leur heure, les journées s'écoulaient en harmonie.

Un simple rêve... Et si la construction de ce nouveau temple guidait la pensée d'un nouveau souverain, s'il inspirait son action, s'il refondait un âge d'or ? La supérieure n'était-elle pas responsable d'un espoir fou, son sanctuaire n'émettrait-il pas une énergie capable de redonner sa dignité au peuple ?

Un simple rêve... Et s'il devenait réalité ?

18

Des Syriens, des Palestiniens, des déserteurs romains, des esclaves en fuite… À voir l'armée de Cléopâtre, comment lui accorder la moindre confiance ? La servante Charmion détestait ce ramassis de brigands et regrettait la trop courte halte d'Ascalon ; elle avait espéré que Cléopâtre renoncerait à ses projets insensés et se contenterait d'un exil douillet en attendant des jours meilleurs, mais la reine, impatiente, avait décidé de conduire cette mauvaise troupe à l'assaut d'Alexandrie. Autrement dit, elle les entraînait à une mort certaine, et personne ne serait épargné.

Le chambellan Apollodore n'avait pas tenu d'autre discours à Cléopâtre. Certes, elle avait réussi à rassembler ces mercenaires et à les persuader qu'ils s'empareraient de la capitale où les survivants, comblés d'honneurs et de richesses, mèneraient une existence fastueuse ; pourtant, la reine ne pouvait s'abuser elle-même et savait que cette expédition se terminerait par un carnage. Supérieure en nombre, mieux équipée, l'armée de Ptolémée ne ferait qu'une bouchée de ces agresseurs hétéroclites et Cléopâtre, si elle survivait, serait condamnée aux pires supplices.

Ces sombres perspectives n'avaient pas entamé la détermination de la jeune femme qui s'estimait capable de vaincre ; Hermès, lui, demeurait silencieux. Quant au Vieux et à son âne, Vent du Nord, chargé de petites amphores contenant un rouge passable, ils restaient prudemment à l'arrière, de façon à exécuter une manœuvre de repli en cas de coup dur. « La jeunesse, la jeunesse », marmonnait le Vieux en constatant l'enthousiasme de la reine, préférant le trépas à la déchéance.

Nul obstacle n'avait retardé la progression des conquérants ; au passage, Cléopâtre avait engagé des villageois qu'attirait la solde. Les soldats appréciaient la nourriture et se pliaient à une relative discipline, tout en déplorant les marches forcées et la brièveté des temps de repos ; néanmoins, le dynamisme de la reine, véritable chef de guerre, les incitait à poursuivre leur progression. Eux, des hommes rudes, devaient se montrer à la hauteur de cette femme d'apparence fragile, toujours élégante et soignée, à la parole entraînante.

— Le rouquin qui refusait de s'engager a disparu, dit Apollodore à la souveraine.

— Les lâches ne manquent pas.

— Et s'il vous avait trahie, en révélant vos projets à Ptolémée ?

— Pourquoi me nuire ainsi ?

— L'appât du gain, Majesté ; seriez-vous devenue naïve ?

Cléopâtre contint sa colère.

— Qu'importe ! Ce délateur aura été exécuté, et nous devrons bien affronter les régiments de Ptolémée... À moins que je parvienne à les faire changer de camp !

— Les soldats d'Achillas respectent leur général, la paye est bonne.

— Ne crois-tu pas à ma magie, Apollodore ?

— Hermès déploiera-t-il la sienne, Majesté ?

— Tu m'irrites, le Sicilien ! Va préparer mon repas.

En cette dernière semaine de septembre – 48, la chaleur ne retombait guère et les haltes étaient les bienvenues. Le Vieux prenait soin de se désaltérer à intervalles réguliers et, à l'approche de la cité fortifiée de Péluse, à l'est d'Alexandrie, commençait à ressentir la nervosité de la troupe. Jusqu'à présent, l'avancée de cette armée de fortune avait été miraculeuse ; une telle quiétude ne pouvait durer.

Des cris tirèrent le Vieux de sa somnolence.

Un Syrien et un Palestinien se battaient à coups de poing ; le premier avait le visage en sang, le second claudiquait. Un cercle s'était formé autour d'eux et les incitait à se massacrer.

— Ça suffit, décréta Apollodore.

— Fiche-nous la paix, exigea un déserteur romain, et laisse-nous profiter du spectacle.

D'une poigne inattendue, le chambellan souleva de terre le déserteur et le projeta à plusieurs pas ; puis il s'interposa entre les lutteurs.

— La reine a besoin de tous ses soldats.

Un esclave en fuite sortit du rang.

— Tu te prends pour qui, toi ?

— Pour un Sicilien qui transmet les ordres de notre général, la reine Cléopâtre, et les fait exécuter.

L'esclave aperçut tant de violence dans le regard d'Apollodore qu'il battit en retraite.

— Préparez-vous à repartir, ordonna le chambellan ; marcher vous calmera les nerfs.

*

L'intervention d'Apollodore avait apaisé les esprits, et l'on songeait surtout à se protéger d'un vent de sable qui ralentissait la progression. À la satisfaction générale, Cléopâtre décida une halte, et l'on dressa les tentes.

— Encore une journée de marche, dit Apollodore à la souveraine, et nous parviendrons en vue de Péluse. Ses fortifications ne vous effraient-elles pas ?

— Mon défunt père a eu tort de concentrer ses forces à Alexandrie et de réduire la garnison de Péluse ; elle n'offrira qu'une faible résistance et deviendra notre camp. L'aisance de cette première victoire transformera mes hommes en authentiques guerriers et sèmera la panique chez l'adversaire.

— En attendant, intervint Charmion, je dois vous coiffer et vous parfumer… Dans quel état vous êtes !

La reine ne contraria pas sa servante et songea à la prise de Péluse, édifiée sur la branche la plus orientale du Nil. Péluse, « le marais » selon les Grecs, mais « Celle que le dieu Amon a bâtie » d'après les Égyptiens ; le monde extérieur d'un côté, la dimension sacrée de l'autre. À la veille d'un premier affrontement avec son passé, le simple nom d'une ville mettait en relief la déchirure dont souffrait Cléopâtre.

— Jadis, rappela Hermès, Amon, le « dieu caché », couronnait les pharaons qui œuvraient à sa gloire ; sans sa protection et son souffle, leur règne aurait été vide de sens. Ici, à Péluse, la puissance d'Amon t'infligera une épreuve ; à toi de prouver ta valeur.

La jeune femme aurait aimé en savoir davantage,

99

mais Hermès retournait déjà à ses travaux d'écriture, indifférent au brouhaha du camp. Les discussions allaient bon train, et les optimistes affichaient leur confiance.

Prendre Péluse d'assaut… Le Vieux était sceptique, Vent du Nord d'une tranquillité surprenante. Demain, ce serait du sérieux et il y aurait forcément de la casse. Afin de goûter un sommeil réparateur, le Vieux s'offrit une jarre entière de son meilleur vin.

19

Première levée, Cléopâtre observa son armée. Un militaire de carrière aurait certainement renoncé à commander cette bande de mercenaires qui pouvait se disloquer à tout moment ; ne s'éparpilleraient-ils pas à la vue de l'ennemi ? À Cléopâtre d'assurer la cohésion de ses troupes et, au mépris de la réalité, d'entretenir leur espoir de vaincre.

Peu après l'aube, la reine et ses hommes se dirigèrent vers Péluse ; on se tut, comme si l'approche du conflit contraignait chacun à rentrer en lui-même.

À la mi-journée, Cléopâtre envoya deux éclaireurs. À leur retour, ils étaient essoufflés et décomposés.

— Majesté, il faut s'enfuir, et vite !

— Aurais-tu aperçu un monstre ?

— Des centaines de soldats, des milliers… Péluse est inaccessible ! Et s'ils attaquent, nous serons massacrés.

— Conduis-moi.

— Je ne veux pas retourner là-bas !

— Conduis-moi, répéta Cléopâtre.

*

Le Vieux se sentait soulagé. Ainsi, la reine ne s'était pas montrée assez rapide, ou bien elle avait été trahie ; en se massant à proximité de Péluse, l'armée de Ptolémée lui barrait le passage et la contraignait à reculer. Dès qu'ils ne seraient plus payés, les mercenaires se disperseraient et personne ne serait tué ; Cléopâtre se réfugierait dans une bourgade de Palestine ou de Syrie et se résignerait à cet exil définitif. Au moins, son dernier rêve se dissipait de façon pacifique.

— Amène-toi, lui dit un ex-esclave, la reine va nous parler.

Les articulations raides, le Vieux rejoignit les rangs pour entendre l'ultime discours de la reine déchue.

Vêtue d'une longue robe verte, parée d'un fin diadème en or et de bracelets, Cléopâtre était d'une beauté envoûtante ; on se suspendit à ses lèvres.

— Je reviens des abords de Péluse ; prévenu de notre arrivée, Ptolémée a ordonné à ses troupes d'en interdire l'accès. Voici la preuve qu'il nous redoute ! Sa démonstration de force ne m'impressionne pas, et nous allons lui confirmer qu'il a raison de nous craindre. J'ai examiné le terrain : nous nous installerons sur le promontoire de Kasion, face à l'ennemi.

La stratégie de la reine stupéfia le Vieux : un véritable suicide ! Ptolémée lancerait un assaut, sa sœur aînée ne résisterait pas longtemps.

— En route, ordonna Cléopâtre.

Vent du Nord fut le premier à obéir, et le Vieux eut de la peine à soutenir son allure ; subjugués, les mercenaires les suivirent. La servante Charmion sanglota, le majordome Apollodore garda la tête haute.

*

Le général Achillas n'était pas mécontent de sa manœuvre et paradait devant ses régiments, en compagnie du régent Photin, impressionné par ce déploiement de forces qui mettrait fin aux ambitions insensées de Cléopâtre.

— Dès qu'elle constatera notre supériorité, prédit le général, elle s'enfuira ; et ses mercenaires s'éparpilleront comme des moineaux affolés ! Nous n'aurons aucune peine à la capturer. Une seule question : devons-nous la ramener vivante à Alexandrie ?

— Je préfère exposer son cadavre et offrir à boire au peuple.

Photin rejoignit Ptolémée XIII, assis sur un trône en bois, à l'abri d'un dais ; son précepteur, Théodote, lui décrivait l'organisation de l'armée grecque dont il était, en théorie, le chef suprême.

— Je veux attaquer tout de suite, décréta le gamin, et je piétinerai moi-même Cléopâtre !

— Un peu de patience, recommanda Théodote. D'abord, nous éliminerons ses partisans ; ensuite, vous apparaîtrez comme vainqueur, et vos soldats vous acclameront.

Le roitelet frétillait d'aise, tant ce jeu-là l'amusait ; Photin, lui, n'éprouvait pas le moindre goût pour les armes et détestait sortir de son palais.

Alors que le régent regagnait Péluse, un officier courut vers lui.

— Venez vite, la reine arrive !

Ptolémée, Photin et Théodote, en sécurité à l'arrière des fantassins, assistèrent, étonnés, à l'irruption d'une bande de rebelles ; en courant, ils occupèrent le promontoire de Kasion, hors de portée des flèches ennemies.

— Attaquons-les ! exigea Ptolémée.

— Nous appliquerons la stratégie du général Achillas, rappela Photin, irrité.

Le gamin se renfrogna, espérant une mêlée bien sanglante.

Une centaine de mercenaires, puis d'autres, puis d'autres encore… Ils couvrirent le promontoire entier, et leur masse ne cessait de se renforcer.

Achillas monta jusqu'à la butte où se tenaient le roi, l'eunuque et le précepteur.

— Ils sont plus nombreux que prévu, déplora-t-il, et occupent une excellente position. Leur armement n'est pas négligeable, un assaut nous coûterait beaucoup d'hommes et ne serait peut-être pas décisif.

— Tu racontes n'importe quoi ! s'emporta Ptolémée ; attaque, tue-les tous et ramène-moi Cléopâtre !

— La précipitation est mauvaise conseillère, indiqua Photin ; analysons la situation et réfléchissons afin d'appliquer la meilleure stratégie possible.

— Ce n'est sans doute que de la forfanterie, avança Théodote ; ce ramassis de brigands est incapable de nous vaincre ! Ils ne tarderont pas à se retirer, et nous les pourchasserons.

Soudain, les rebelles s'immobilisèrent et un profond silence s'établit ; les maîtres d'Alexandrie et leurs soldats gardèrent les yeux rivés sur le promontoire.

Les partisans de la reine s'écartèrent, et Cléopâtre apparut.

Une simple jeune femme, si fragile, si élégante, dont le diadème scintilla, reflétant les rayons du soleil. L'énergie de sa voix agit comme un sortilège.

— Vous, les usurpateurs, regretterez bientôt votre félonie ! Moi, la souveraine légitime des Deux Terres, je vous chasserai de ma capitale et reprendrai mon trône. Vos propres soldats se retourneront contre vous, et le peuple m'accueillera en triomphatrice !

Une immense clameur salua la déclaration de Cléopâtre ; ses partisans ne doutaient plus de la victoire.

Tétanisés, ses adversaires esquissèrent un léger recul. Ptolémée trépigna, Théodote frissonna, Photin sua à grosses gouttes et Achillas serra le pommeau de son épée.

20

La situation était figée ; personne ne prenait l'initiative d'un assaut, au risque d'être repoussé par l'ennemi et de subir de lourdes pertes. Les positions des troupes de Ptolémée et de Cléopâtre semblaient aussi inexpugnables l'une que l'autre, et nul ne discernait de faiblesse exploitable.

Cléopâtre ne se leurrait pas : le temps jouait contre elle. L'armée alexandrine ne manquait pas de provisions, tandis que l'intendance des libérateurs connaîtrait d'insurmontables difficultés qui provoqueraient la dispersion des mercenaires.

— Suis-moi, exigea Hermès.

À la tombée du jour, le mage emmena la reine loin du promontoire, à l'entrée d'une gorge obscure.

— Avance.

La reine hésita.

— Aurais-tu peur ?

Elle avança.

— Que vois-tu ?

À l'endroit où la gorge se resserrait, une lueur ; attirée, la jeune femme progressa et distingua un naos en granit.

Une lumière rouge en émanait.

— Agenouille-toi, tire le verrou et ouvre les portes.

Lentement, la reine s'exécuta et ressentit une profonde émotion ; n'accomplissait-elle pas les gestes rituels permettant aux pharaons de libérer l'énergie créatrice, ne prolongeait-elle pas l'une des traditions majeures de l'ancienne Égypte ?

Cléopâtre étouffa un cri de stupeur.

À l'intérieur du sanctuaire, un lion en or, brillant d'un vif éclat !

— Contemple l'incarnation du dieu de l'air lumineux, recommanda Hermès ; il a séparé le ciel de la terre, créé les étoiles et les décans. L'Égypte est à l'image du ciel et le temple du monde où résident les divinités ; un corps immense enveloppe l'univers et, sur le cercle de ce corps, sont tracées les trente-six figures des décans qui préservent toute vie et président à toutes choses. Reine d'Égypte, désires-tu encore combattre ?

— Ma détermination est intacte.

— Es-tu consciente du danger ?

— Je vaincrai ou je mourrai.

— Alors, déclenchons la violence du neuvième décan, celui qui détruit les ennemis... À condition d'attendre le moment juste.

Hermès saisit le poignet de la reine et posa sa main sur la représentation du génie céleste aux pouvoirs terrifiants.

*

Les mercenaires mangeaient à leur faim, mais leur confiance s'effritait ; pourquoi Cléopâtre, si elle était vraiment confiante en son destin, ne leur donnait-elle pas l'ordre d'attaquer ? On discutait, on s'apostrophait, on commençait à se diviser.

Enfin, Cléopâtre reprit la parole !

— L'ennemi nous redoute et n'ose pas nous affronter ; n'est-ce pas la preuve de votre valeur ?

Un Syrien sortit du rang.

— Et nous, on reste cloués ici !

— Avec l'aide d'Hermès, j'ai sollicité l'intervention d'une puissance divine. Un événement imprévu modifiera la situation de manière radicale, et nous obtiendrons l'avantage. Ayez confiance en moi.

L'assurance de la reine dissipa le trouble, les critiques s'évanouirent.

Consternée, la servante Charmion se retira sous la tente de la souveraine à laquelle Apollodore présenta une coupe de vin blanc.

— Toi, mon chambellan, tu ne me crois pas ?

— Peu importe, Majesté ; vous commandez, j'obéis.

— Ne sois pas sceptique ! L'art d'Hermès se montrera efficace, l'événement annoncé se produira.

— Ne doutez-vous jamais ?

— À chaque instant, et je m'en moque ! Ce luxe-là, je n'ai pas le droit de me l'autoriser. Si cette armée de fortune m'abandonne, je suis perdue.

*

Au milieu de la matinée du 29 septembre – 48, les guetteurs de Cléopâtre discernèrent de l'agitation parmi les soldats de Ptolémée. Ils ne se préoccupaient pas de leurs adversaires, aussitôt en état d'alerte, mais d'un danger venant de la mer.

De son promontoire, Cléopâtre vit un navire entrer dans le port de Péluse.

— Un vaisseau étranger, estima Apollodore ; le petit roi reçoit des renforts.

— Un seul bâtiment ! Et s'il s'agissait d'un ennemi ?

— Pourquoi courrait-il un tel risque ?

Intriguée, la reine songea à l'événement qu'avait prédit Hermès ; ce bateau n'était-il pas un signe du destin ?

Chez l'adversaire, le calme revint.

— Préparons-nous à un assaut, recommanda Cléopâtre, persuadée que la confrontation était imminente.

D'interminables minutes s'écoulèrent, puis une heure et d'autres heures… Et les soldats de Ptolémée demeurèrent sur leurs positions.

L'attaque n'aurait pas lieu.

Les nerfs de Cléopâtre tombèrent, elle se retira sous sa tente et s'abandonna aux mains expertes de sa servante Charmion qui la massa des pieds à la tête.

— Renoncez pendant qu'il en est encore temps, Majesté ! Survivre n'est-il pas l'essentiel ?

L'intervention d'Apollodore évita une réponse cinglante.

— Majesté, un Romain souhaite vous parler.

Cléopâtre se releva, Charmion la revêtit.

— Qu'il vienne.

Hirsute, balafré, le mercenaire n'avait pas l'air commode.

— Qu'as-tu à dire ? demanda la reine.

— L'homme à la proue du bateau, je l'ai reconnu ; naguère, j'appartenais à l'une de ses légions. Ses soldats le respectaient et croyaient qu'il deviendrait le maître de Rome.

— Cet homme…

— C'est Pompée le Grand.

21

Cléopâtre ne trouva pas le sommeil. Que signifiait l'arrivée de l'illustre Pompée, le Romain chargé de veiller à l'exécution du testament de son père, Ptolémée le Douzième, donc à partager le pouvoir entre le petit Ptolémée XIII et sa sœur aînée ?

En l'accueillant à Péluse, le clan adverse aurait beau jeu de manipuler cet hôte inattendu ! Pompée se déclarerait hostile à Cléopâtre et, qui sait, commanderait peut-être les troupes chargées de l'éliminer.

À bien y réfléchir, la venue de ce guerrier étranger ressemblait à un désastre.

Dès l'aube, la reine observa le camp adverse depuis le sommet du promontoire de Kasion, s'attendant à découvrir les préparatifs d'un assaut.

Mais le calme régnait, et le dispositif habituel de sentinelles n'avait pas varié.

— Il te faut patienter, conseilla la voix grave d'Hermès ; le décan n'a pas encore produit l'action décisive.

— Comment le sais-tu ?

— Apprends à déchiffrer les messages du ciel. Pompée a subi une lourde défaite et cherche à lever une nouvelle armée.

— Et je serai sa première victime !

— Je te le répète : patiente et maintiens la cohérence de tes partisans. L'événement majeur n'est pas survenu.

— Quand se produira-t-il ?

— Bientôt.

Hermès s'éloigna ; Cléopâtre ne tenta ni de le retenir ni de l'interroger, persuadée qu'il n'en dirait pas davantage. Soit elle lui accordait sa confiance, soit elle prenait l'initiative et attaquait la première.

*

Deux jours passèrent.

La reine s'était adressée à ses hommes, réussissant à les convaincre de tenir bon sans commettre d'acte irréfléchi ; ne disposant que d'un seul bateau, Pompée, en dépit de sa réputation, n'était visiblement pas arrivé avec des renforts destinés à Ptolémée ! Et l'ennemi restait inerte, comme si les conseils du stratège romain ne suffisaient pas à déclencher l'offensive.

Résignée, la servante Charmion s'organisait ; obsédée par l'hygiène et la propreté, elle occupait son temps à nettoyer la tente de la reine et à laver ses vêtements. Au palais, ses subalternes s'acquittaient de ces tâches ingrates, mais ici, au milieu de ce camp peuplé d'individus grossiers qu'elle détestait, elle ne pouvait laisser la situation se dégrader.

Alors qu'elle se baissait pour ramasser un flacon d'huile parfumée, une main se plaqua sur ses fesses.

— Dis donc, ma belle, on devrait s'amuser tous les deux, non ?

Horrifiée, Charmion s'écarta et découvrit un Syrien mal rasé, aux lèvres grasses et au regard bestial.

— Décampe, espèce de monstre !

— Rentre sous la tente… Un peu de distraction te détendra.

À l'instant où le Syrien agrippait Charmion, un bras puissant lui serra le cou.

— Calme-toi, l'ami, recommanda le chambellan Apollodore ; personne ne touche à la servante de la reine Cléopâtre. Compris ?

— Compris !

Le Sicilien relâcha sa prise, le Syrien peina à reprendre son souffle.

— Tu m'as presque étranglé !

— Ça te servira de leçon.

Le bonhomme s'éloigna, l'œil mauvais.

Charmion était au bord des larmes.

— Les hommes deviennent nerveux, déplora Apollodore, je vais nommer deux gardes qui assureront ta sécurité.

— Quand cette horrible période finira-t-elle ?

— Bientôt, selon Hermès.

— Et s'il se trompe ?

— Alors, nous périrons.

*

Le Vieux ne chômait pas ; redoutant de manquer de vin, il avait organisé une section de ravitaillement qu'encadrait un détachement d'archers. Conformément aux instructions de la reine, ils ne pillaient pas la campagne environnante, mais payaient la nourriture et les boissons qu'ils achetaient aux paysans. Les ressources de l'endroit n'étaient pas inépuisables et, si la situation s'éternisait, les mercenaires de Cléopâtre souffriraient de faim et de soif. La révolte ne tarderait pas à gronder, et cette armée hétéroclite se déliterait.

Le Vieux se chargeait de l'achat des amphores du médiocre cru local et discutait âprement les prix ; la jactance des vignerons n'atténuait pas sa vigilance, et il obtenait toujours satisfaction.

En approchant de la cave, le Vieux surprit une étrange conversation. Un Syrien et un Palestinien évoquaient le soulèvement des villages contre Cléopâtre ; prise à revers, elle deviendrait une proie facile pour Ptolémée.

Le Syrien se plaignit d'avoir été repoussé par Charmion, la servante de la reine, à laquelle il infligerait les pires sévices lorsque l'armée alexandrine anéantirait les rebelles. Lui et les Palestiniens allaient déserter, rejoindre l'ennemi et lui donner toutes les informations utiles concernant les forces de Cléopâtre.

Le Vieux toussota.

— Dites donc, les gars, c'est pas bien beau ce que vous préparez ! À votre place, je renoncerais et je supplierais la reine de me pardonner.

Les deux comploteurs brandirent leur poignard.

— Vous choisissez la mauvaise solution, déplora le Vieux.

— Tu espères nous terrasser ? ironisa le Palestinien.

— Moi, non, mais je ne suis pas seul.

La ruade de Vent du Nord brisa les reins du Palestinien et, d'un violent coup de tête, l'âne défonça la poitrine du Syrien.

— Je vous avais prévenus, rappela le Vieux en

ramassant les armes ; c'est bizarre, chez les traîtres, cette manie de se croire supérieurs.

Indifférent aux râles des mourants, il suivit Vent du Nord qui retournait au camp de Cléopâtre.

Le temps se gâtait ; ces deux cafards en annonçaient d'autres.

22

— Le port d'Alexandrie est fermé, constata Rufin ;
nous ne pourrons accoster qu'à Péluse, et je n'aime
pas ça. À l'évidence, l'ennemi nous y attend ; que
décidez-vous ?

À la proue du vaisseau amiral, César contemplait
l'Égypte, ce pays mystérieux où il risquait de tout
perdre. Ainsi, Pompée avait conquis la capitale des
Ptolémées et souhaitait livrer un combat naval à la
tête de la marine égyptienne, ralliée à sa cause.

— Cap sur Péluse, décida César.

— Si leurs bateaux sont assez nombreux, ils tente-
ront de nous encercler, prédit Rufin.

— Notre rapidité nous permettra d'échapper à ce
genre de piège, assura César.

On ne discutait pas les ordres de l'*imperator*, et
ses hommes avaient totale confiance en lui ; ne les
menait-il pas de victoire en victoire ?

Malgré un visage impassible, Jules César était en
proie au doute et à l'anxiété ; cette fois, la protection
de la déesse Vénus serait-elle suffisante ? Manquant de
points de repère, avançant en terrain inconnu, ignorant
les forces réelles de l'adversaire, il aurait dû rebrousser

chemin et tenter d'obtenir des informations avant de lancer cette attaque à hauts risques.

Mais une force étrange l'attirait de manière irrésistible vers cette terre aimée des dieux, siège de l'institution pharaonique qui avait résisté à tant d'invasions et continuait, selon une loi mystérieuse, à soumettre ses conquérants.

Prête à combattre, la flotte romaine s'éloigna d'Alexandrie. Le vent soufflait fort, ce 2 octobre – 48, et la mer était agitée ; de grosses vagues compliquaient la manœuvre, et les marins se félicitaient de leur expérience.

César découvrit une côte inhospitalière, dépourvue de golfe et d'anses ; à perte de vue, des marécages et des dunes mouvantes. L'endroit idéal pour un guet-apens ! Au loin, la cité côtière de Péluse, aux impressionnantes fortifications.

La mer demeurait vide.

— Impossible d'accoster, estima Rufin ; mais où se cachent les bateaux de Pompée ? Je ne comprends pas sa stratégie ; souhaite-t-il un affrontement au cœur des marais ?

— Là-bas, une barque !

Sa taille modeste ne représentait pas une menace ; néanmoins, Rufin se méfia.

— Archers en position, exigea-t-il.

Il ne tarda pas à distinguer les occupants : un grand maigre et huit rameurs.

— Nous venons rendre hommage à Jules César, clama l'échalas, et nous ne sommes pas armés.

Tous se levèrent, les bras écartés du corps ; de fait, la petite délégation paraissait inoffensive.

— Mon nom est Théodote, déclara son chef ; j'appartiens au conseil de régence et je suis le précepteur de Ptolémée le Treizième. En son nom, je souhaite la bienvenue à nos amis romains et à leur illustre général.

Aucune émotion n'anima le visage émacié de César dont la stature étonna Théodote.

— Le roi d'Égypte souhaite offrir un cadeau d'accueil à son hôte ; puis-je monter à bord ?

Perplexe, Rufin ne cessait d'observer la mer et la côte : ni embarcation en vue ni mouvement de troupes.

Sur un signe de César, une échelle de corde fut déployée ; muni d'un panier, Théodote la gravit avec peine.

Face au conquérant romain, il s'inclina.

— Où se trouve Pompée ? demanda César d'une voix tranchante.

— Il y a trois jours, le vaincu de Pharsale a tenté de débarquer à Péluse ; cette intrusion embarrassait le général Achillas et le régent Photin, les deux autres conseillers de notre bien-aimé souverain. Aussi avons-nous longuement discuté des mesures à prendre, tant cette arrivée nous troublait.

— Avez-vous refusé de confier le commandement de votre armée à Pompée ?

— En effet.

César contint un soupir de soulagement ; cette décision confortait sa victoire et lui ouvrait les portes de l'Égypte. La ruine de son redoutable adversaire, naguère maître de l'Orient, semblait consommée ; à Rome, le triomphe de César serait inoubliable.

— Pompée réside-t-il au palais de Ptolémée ?

Théodote parut gêné.

— Eh bien… Son arrivée fut mouvementée. La mer était encore plus mauvaise qu'aujourd'hui, son bateau ne pouvait pénétrer dans le petit port de Péluse. C'est pourquoi le général Achillas l'a prié d'emprunter une barque légère ; sur la rive, le roi, la cour et des curieux assistaient à la scène.

— Continue, exigea César que le ton ampoulé du précepteur exaspérait.

— Le général et son escorte ont appliqué la décision du conseil de régence, résumée en quelques mots par Photin : « Un mort ne mord pas. »

Les yeux de César flamboyèrent.

— Explique-toi !

— Quand la barque accosta, Achillas et trois de ses soldats poignardèrent Pompée qui ne tenta pas de résister. Le cadavre fut jeté aux flots ; ils le ramenèrent, et notre roi ordonna de le brûler.

— Comment croire à une telle atrocité ?

— Voici le cadeau de bienvenue de Ptolémée à Jules César.

Théodote ôta le couvercle du panier et en sortit la tête de Pompée qu'il tint à bout de bras en évitant de la regarder.

Malgré leur habitude de la violence et de la mort, Rufin et les marins romains reculèrent d'un pas.

César, lui, fixa la sinistre dépouille du grand Pompée que la chance avait brutalement abandonné.

— Nous vous avons débarrassé de votre pire ennemi, murmura Théodote en remettant la tête coupée dans le panier qu'il déposa aux pieds de César.

— Pour avoir approuvé ce meurtre, déclara-t-il,

Ptolémée sera condamné à errer aux enfers et considéré comme un abominable traître.

Théodote trembla ; le Romain n'allait-il pas sortir l'épée de son fourreau et lui trancher la gorge ?

Mais César, oubliant la présence de cet affreux émissaire, baissa les yeux et pleura.

23

De son promontoire, Cléopâtre assista à l'arrivée de la flotte romaine ; elle prévoyait une réaction rapide de la part de la marine égyptienne, laquelle ne se traduisait que par l'envoi d'une simple barque !

Quelle était la signification de cette scène stupéfiante ? Inquiète, la reine attendit avec impatience le rapport de son chambellan Apollodore qui rassemblait les témoignages des observateurs et des espions.

— Enfin, te voilà !

— Cette flotte est celle de César, le vainqueur de Pompée à Pharsale et le plus puissant des généraux romains.

— César pourchasse Pompée… Tant qu'il ne le verra pas enchaîné, il continuera !

— La chasse est terminée, révéla le Sicilien ; Pompée a été assassiné et décapité, sa dépouille brûlée.

La jeune femme ne cacha pas son étonnement.

— Ptolémée et sa clique ont pris un risque énorme !

— Au contraire, objecta le chambellan, c'est une habile stratégie ; en décidant de supprimer Pompée, ils ont mis fin à un conflit interminable entre Romains qui aurait pu se poursuivre sur le sol égyptien. Cette exécution ? Un superbe cadeau à César ! Peut-être aura-t-il simulé indignation et tristesse ; en réalité, il se réjouit de l'intervention radicale de Ptolémée.

Perplexe, Cléopâtre retourna contempler la mer ; la flotte romaine avait quitté les abords de Péluse pour se diriger vers Alexandrie. Et si son chambellan se trompait, si la disparition de Pompée et l'arrivée de César servaient sa cause ?

Un vent violent agitait sa chevelure, le soleil dorait sa peau ; la reine ne se sentait pas en perdition, l'événement prédit par Hermès avait eu lieu !

— Et s'il marquait la fin de ta révolte ? interrogea la voix grave du mage. Pompée était un homme seul, vaincu, en quête de protection, incapable de repartir au combat ; César, lui, est en pleine ascension et renversera tous les obstacles afin d'accéder au pouvoir suprême.

— Et moi, Cléopâtre, je serais l'un de ces obstacles ?

Hermès garda le silence.

— César, Ptolémée ou un autre, je refuse de me soumettre !

— Ne redoutes-tu pas la mort ?

— J'ai envie de vivre et de régner.

Délaissant Hermès, la reine ordonna à son chambellan de rassembler ses partisans. Sous la lumière de midi, la jeune femme manifestait une telle autorité qu'elle n'eut aucune peine à obtenir le silence que troubla à peine un vol de pélicans.

— J'ai d'excellentes nouvelles ! Ptolémée a commis une grave erreur en assassinant Pompée, le rival de César, et en oubliant qu'ils étaient tous deux Romains ; César n'a qu'une idée en tête : se venger ! À la tête de ses légionnaires, il sèmera la terreur à Alexandrie, même au prix de lourdes pertes, et l'armée de Ptolémée sera réduite en lambeaux. Alors, nous interviendrons et nous écraserons les rescapés des deux camps.

Cette superbe vision enthousiasma les mercenaires ; cette reine-là avait de la cervelle et saurait les conduire à la victoire.

— Notre meilleure arme, reprit Cléopâtre : la patience. Laissons Ptolémée et César s'entre-déchirer ; le moment venu, nous lancerons une attaque décisive. D'ici là, vous ne manquerez de rien.

Des acclamations saluèrent la promesse de Cléopâtre.

*

Charmion coiffa la reine avant le dîner qu'elle offrait à ses officiers et la jugea si belle qu'elle ne regretta pas de l'avoir suivie.

— Votre discours m'a presque convaincue, Majesté ; pardonnez mon impudence, mais vos arguments sont-ils fondés ?

— L'avenir le dira.

L'optimisme de la servante s'effondra.

— Cette victoire… Ce n'est qu'un rêve ?

— Ne rêves-tu pas de retourner à Alexandrie ?

— Quel fabuleux bonheur !

— Ne cesse surtout pas d'y croire, Charmion, et compte sur ma détermination.

La servante maquilla la souveraine, s'attachant à mettre ses yeux en valeur grâce à un fard d'un vert profond. Sa tâche accomplie, elle éprouva un sentiment troublant : cette jeune reine n'était-elle pas l'incarnation d'une déesse aux pouvoirs surnaturels ?

Apollodore brisa sa méditation.

— Majesté, un délicat problème de ravitaillement se pose, et vos soldats ont de l'appétit.

— Quelle solution proposes-tu ?

— Je crains de commettre une erreur. Un homme prétend assurer l'intendance, mais je m'en remets à votre jugement.

— Autrement dit, tu n'y crois pas !

— Puis-je vous présenter ce personnage ?

— Qu'il vienne.

Apollodore introduisit le Vieux, accompagné de Vent du Nord.

Surprise, Cléopâtre sourit.

— Te voilà… soldat ?

— Pas du tout ! En revanche, côté boisson et mangeaille, je me débrouille ; et j'estime qu'un ventre bien plein reste fidèle à son chef. Vent du Nord et moi, on a mis fin au complot de deux malfaisants ; ça recommencera si vos héros ne sont pas correctement nourris et abreuvés.

— Et tu te crois capable d'assumer cette fonction ?

Le Vieux et l'âne redressèrent la tête.

— Majesté, vous avez devant vous le descendant d'une longue lignée d'intendants qui ont donné satisfaction aux plus illustres familles. Et quand je m'engage, je m'engage.

Vent du Nord leva l'oreille droite en signe d'approbation.

Apollodore regardait ailleurs.

— Avec votre assentiment, reprit le Vieux, je réquisitionne dès demain deux caves remplies de jarres d'un

123

rouge convenable, plusieurs greniers et des potagers, en échange d'une honnête rétribution. Ensuite, j'organise les cuisines et les repas. Un campement militaire sans discipline, c'est la honte !

L'âne approuva.

— Au travail, décida Cléopâtre.

24

Théodote était aussi immobile qu'une statue, attendant la fin du recueillement de Jules César et redoutant une explosion de colère, voire sa condamnation à mort. Pourtant, en lui offrant la tête de Pompée, le trio formé de l'eunuque Photin, du précepteur Théodote et du général Achillas espérait obtenir la reconnaissance du vainqueur de Pharsale ; ne le débarrassaient-ils pas d'un rival encombrant, ne lui ouvraient-ils pas la route de Rome et du pouvoir absolu ?

— Nous nous rendons immédiatement à Alexandrie, décida César.

— Le port est fermé, le roi absent…

— Tu libéreras l'accès et me conduiras au palais.

Théodote comprit que sa survie était à ce prix et se garda d'émettre d'autres objections.

La flotte romaine, composée de trente-quatre vaisseaux, mit le cap sur Alexandrie ; favorable, le vent réduirait le temps de parcours.

César disposait de 3 200 légionnaires, issus de la sixième légion qu'il avait commandée en Thessalie, et de la vingt-septième ; à ces braves, fort expérimentés, s'ajoutaient 800 cavaliers, des Germains et des Gaulois, disposant de robustes montures. Or, d'après des informations à vérifier, l'armée de Ptolémée comptait au moins 20 000 hommes, en grande majorité des Grecs, dont les capacités au combat restaient à évaluer.

En tant qu'*imperator*, César possédait un droit de vie et de mort qu'aucun de ses soldats ne lui contestait ; habitués aux pires affrontements, à des conditions d'existence dépassant la limite du supportable et à une stricte discipline, les légionnaires étaient prêts à mourir pour leur général en chef. Son courage et ses compétences les rendaient fiers de servir, et son prestige ne cessait de croître.

Se battre à un contre cinq en territoire inconnu… L'entreprise paraissait périlleuse, et César devrait se montrer circonspect avant de déclencher un conflit, même partiel ; néanmoins, hors de question d'afficher le moindre signe de faiblesse qu'exploiteraient ses éventuels adversaires. S'ils percevaient crainte ou indécision, ne lui infligeraient-ils pas un sort identique à celui de Pompée ?

Et ce fut la découverte du port d'Alexandrie, dominé par le phare, dressé sur un rocher que frappaient les vagues, à la pointe orientale de l'île de Pharos, faisant face à la cité d'Alexandre le Grand. Au sommet de cette merveille, une statue de Zeus sauveur.

Les bateaux de la marine de guerre égyptienne formaient un barrage impénétrable.

— À toi de jouer, dit César à Théodote.

Le précepteur retrouva sa barque qu'avait remorquée le navire amiral ; à son bord, les rameurs, heureux d'être encore vivants, imprimèrent aussitôt une vive cadence.

— Ce Grec est une véritable anguille, visqueux

et insaisissable, estima Rufin ; votre indulgence m'a étonné.

— Indulgence passagère et intéressée.

— Ce rat va nous trahir et ordonner l'assaut ! Nos hommes sont prêts ; forcer le passage ne sera pas facile.

César contemplait la « très brillante Alexandrie » dont tant de visiteurs avaient vanté la beauté ; à la fois si proches et si lointains, de superbes monuments se dressaient le long de la rade.

La barque de Théodote rejoignit les rangs égyptiens, le précepteur monta à bord d'un vaisseau garni d'un nombre considérable d'archers.

Le moment de vérité approchait.

Peut-être, en agissant vite, les Romains parviendraient-ils à perforer les lignes ennemies. Les nerfs tendus, ils attendaient le signal de l'*imperator*.

Les voiles des bateaux de Ptolémée ne furent pas hissées, ils s'écartèrent les uns des autres et laissèrent un passage.

— C'est un piège ! jugea Rufin ; ne bougeons pas.

— Ils ont peur et n'osent pas se battre ; prouvons notre supériorité.

Le vaisseau amiral s'ébranla, la flotte le suivit.

Rufin redoutait une volée de flèches et une manœuvre brutale des Égyptiens, refermant les mâchoires du piège ; debout à la proue, César formait une proie idéale. S'il était abattu, ce serait la curée.

Juste le souffle du vent, le frémissement de l'eau que fendait l'étrave, la caresse du soleil couchant… La barque de Théodote guida le vaisseau amiral jusqu'au port.

*

La foule des Alexandrins s'était massée sur les quais et dans les rues menant au quartier des palais. Aucune manifestation de joie, mais des visages fermés, voire hostiles, et un sentiment d'indignation ; pourquoi la marine de Ptolémée n'avait-elle pas repoussé ces envahisseurs ? Elle comptait davantage de bateaux et aurait, sans nul doute, réussi à couler la flottille ennemie. Après avoir éliminé Pompée, on ouvrait les portes de la cité à César, un militaire impitoyable, grand massacreur de peuples, incarnation de l'arrogance romaine !

Et la garnison chargée de garder Alexandrie pendant qu'Achillas affrontait Cléopâtre à Péluse sous le regard du roi, comment réagirait-elle ? Un Romain, et particulièrement César, ne rendait jamais une visite amicale à un souverain ; il venait s'emparer de son trône et réduire son peuple en esclavage ! Fiers de leur opulente capitale, les Alexandrins n'avaient pas la moindre envie de subir le joug de militaires bornés.

— Place à l'*imperator* ! exigea Rufin, accompagné d'un Théodote mal à l'aise, guettant l'occasion de disparaître.

Apparurent les licteurs, des soldats qui précédaient un haut dignitaire en portant un faisceau de verges d'où dépassait une hache ; leur présence annonçait le pouvoir législatif de César, lequel se présentait ainsi comme le nouveau maître de l'Égypte.

— La loi romaine, on n'en veut pas ! hurla un contestataire ; rejetons ces barbares à la mer !

Des centaines de poitrines reprirent en chœur l'in-

128

jonction, et les fantassins de Ptolémée, sortant de leur passivité, brandirent des lances.

Le piège que redoutait Rufin se refermait : cette foule hurlante et déchaînée allait massacrer les licteurs puis s'attaquer à César ; son lieutenant saisit le bras de Théodote.

— Tu mourras le premier, lui annonça-t-il.

L'échalas n'avait pas l'autorité nécessaire pour calmer ses concitoyens et crut sa dernière heure arrivée.

La foule formait un mur compact, stoppant la progression des licteurs ; soldats et civils mêlés se disposèrent de manière à empêcher toute tentative de fuite. Pris dans une nasse, les Romains n'opposeraient qu'une résistance dérisoire.

La pointe de l'épée courte de Rufin piqua le cou de Théodote.

— Reculons, implora le précepteur.

— Impossible, et je déteste les traîtres.

— Ce n'est pas ma faute, je…

— Souviens-toi de Pompée !

Alors que Rufin s'apprêtait à trancher la gorge du grand maigre avant de se porter au secours de César, un cri le figea.

— Le voilà, c'est lui !

En un instant, la foule se calma et les clameurs s'éteignirent ; les agresseurs s'écartèrent, cédant la place à l'*imperator*. Il avança d'un pas calme, la tête haute ; vêtu d'une toge pourpre, il ne portait qu'un seul bijou, une bague servant de cachet à l'effigie de Vénus, sa déesse protectrice.

L'autorité, la prestance et le calme de César stupéfièrent les Alexandrins ; la finesse de ses traits, son charme et son élégance ravirent quantité de femmes qui perdirent l'envie de le mettre en pièces. À l'évidence, ce Romain-là n'était pas un barbare insensible à la beauté.

Rufin rengaina son épée.

— Cesse de pleurnicher, ordonna-t-il à Théodote.

Comme par miracle, le chemin se dégagea, et le précepteur, en flageolant, guida les licteurs qui précédaient César.

Le conquérant avait obtenu une nouvelle victoire, mais Rufin ne doutait pas de son caractère passager ; cette quiétude apparente ne durerait pas et, dès l'arrivée au palais royal, il prendrait les mesures nécessaires afin d'assurer la sécurité de César.

Son lieutenant ne prêta nulle attention à la splendeur des édifices, car une crainte l'obsédait : Alexandrie serait-elle le tombeau de l'*imperator* ?

25

Le banquet qu'offrit Cléopâtre à ses officiers fut
un franc succès ; les mercenaires se sentirent élevés à
une dignité inattendue et, le vin aidant, s'imaginèrent
conquérir Alexandrie en chantant les louanges de la
reine.

La jeune femme atteignait son objectif : gagner
du temps en attendant le résultat de l'inévitable
affrontement entre Romains et Alexandrins. Face
à elle, l'armée d'Achillas demeurait immobile, lui
interdisant toute progression ; et l'intrusion de César
serait-elle aisée ? La capitale se félicitait de son indépendance relative, et les forces armées restées sur
place étaient capables, avec l'appui de la marine,
de repousser l'envahisseur. Les Romains savaient
se battre, rendraient coup pour coup, les victimes
seraient nombreuses ; contraint d'abandonner ses
positions, Ptolémée regagnerait Alexandrie afin de
participer au combat.

Ensuite, Cléopâtre interviendrait.

Du moins, elle voulait s'en persuader, refusant d'ad-
mettre que Ptolémée et César devinssent des alliés,
désireux de l'abattre ; à la vue d'une troupe immense,

semblable à une vague géante, ses soldats de fortune s'enfuiraient.

Elle lutterait jusqu'au bout, mais comment éviter un désastre ?

Lasse, Charmion s'était assoupie ; Cléopâtre sortit de sa tente et contempla la pleine lune, le soleil de la nuit qui détenait le secret des combats victorieux. Pourquoi lui refusait-elle son aide ?

Les mercenaires dormaient, quelques sentinelles veillaient ; attirée par le scintillement des eaux aux reflets d'argent, la reine gagna l'extrémité du promontoire.

Pieds nus, le regard fixé sur la lune, elle emprunta un sentier longeant une dune et descendant vers la mer. César était précédé d'une réputation inquiétante : intelligent, rusé, impitoyable, adoré de ses légionnaires, il ignorait la défaite. Détruire la milice d'une jeune femme dépourvue d'expérience militaire serait un jeu d'enfant.

Pourtant, Cléopâtre ne se rendrait pas. Elle connaissait le sort des ennemis de Rome : attachés au char du vainqueur, ils étaient offerts en spectacle à une foule hurlante avant de finir torturés au fond d'un cul-de-basse-fosse. Mieux valait mourir au combat.

Soudain, une brûlure intense au talon ; baissant les yeux, la reine vit un scorpion noir détaler. Étant donné la taille du monstre, la quantité de venin ne lui laissait guère de chances de survivre. Bientôt, la douleur deviendrait insupportable, son corps se couvrirait de sueur, son cœur s'emballerait et la respiration lui manquerait.

Cléopâtre eut presque envie de rire ; ainsi, elle allait mourir loin d'Alexandrie et ne livrerait même pas bataille ! Les dieux brisaient net sa destinée terrestre et ne lui accordaient pas la possibilité de défier l'inconnu.

Pour éviter d'insupportables douleurs, une seule solution : s'abandonner à la mer et se fondre en elle ; la douceur de l'eau l'aiderait à quitter une existence privée d'espoir. Cléopâtre s'approchait du rivage lorsqu'une voix grave rompit son élan.

— Serais-tu si impatiente de disparaître ? questionna Hermès.

— Un scorpion m'a piquée.

— Ignores-tu qu'il existe des remèdes ?

— Pas ici, dans ce camp...

— Suis-moi.

Résistant à la souffrance naissante, la jeune femme accepta ; la science d'Hermès parviendrait-elle à la sauver ?

Empruntant le bord de mer, le mage se dirigea vers un petit sanctuaire dont la façade s'ornait de deux colonnes. La porte était ouverte, Hermès convia Cléopâtre à franchir le seuil.

Au fond de l'édifice, une statue qu'éclairaient des lampes. Elle représentait Isis, vêtue d'une longue tunique et portant une couronne composée de deux cornes de vache encadrant un soleil ; autour du bras droit de la déesse, un serpent enroulé et, sous son pied, un crocodile. Soumises, les deux créatures ne représentaient plus aucun danger.

— Isis donne la vie en ce monde et dans l'autre, rappela Hermès ; elle prolonge l'existence de ses fidèles et manie le gouvernail du destin. Sans son aide, impossible de régner en justesse ; grâce à sa parole, un roi peut occuper son trône, combattre ses ennemis et vaincre les forces des ténèbres. Mère des dieux, unique qui ne connaît pas de semblable et détient le secret de la lumière, Isis sera-t-elle ton guide ?

La beauté de la statue fascina Cléopâtre ; habituée à vénérer la grande déesse, elle eut le sentiment de découvrir sa véritable puissance. Oubliant les troubles commençant à l'envahir, elle s'agenouilla et croisa le regard d'Isis. Jamais elle n'avait vécu une telle communion, emmenant son âme au-delà du monde visible.

— Regarde avec les yeux du cœur, recommanda Hermès, rassemble en toi les sensations de toute la création, du feu et de l'eau, du sec et de l'humide, imagine que tu es à la fois partout, sur la terre, dans la mer et au ciel. Si tu embrasses par la pensée les forces de vie, tu percevras le divin.

Les paroles d'Hermès ne demeurèrent pas lettre morte ; chacun de ses mots prit réalité, et l'esprit de Cléopâtre voyagea en compagnie de celui d'Isis.

Constatant que la déesse accueillait sa servante de manière favorable, Hermès versa de l'eau sur la statue, puis recueillit le liquide imprégné de la pierre sacrée qui avait rempli un petit bassin orné de hiéroglyphes contenant des formules de guérison.

— Quand elle protégea son fils Horus caché au cœur des marais, expliqua le mage, Isis apprivoisa scorpions, serpents et crocodiles : de leur feu destructeur, elle fit des remèdes capables de sauver ses fidèles, victimes de blessures et d'agressions. Bois ce liquide magique, Cléopâtre, il rendra le venin inopérant et, dès demain, tu auras recouvré tes forces.

La reine n'hésita pas.

Elle sentit l'eau guérisseuse circuler dans ses veines, et le poids qui l'oppressait disparut.

— Quoi qu'il advienne, conseilla Hermès, ne te détourne jamais d'Isis ; elle seule te permettra de parvenir à bon port en utilisant les meilleurs vents. L'ignorer te conduirait à ta perte. À présent, endors-toi ; la déesse habitera tes rêves, ses paroles délivreront ton corps du mal.

Le mage s'éloigna, Cléopâtre s'allongea aux pieds de la statue et ne tarda pas à sommeiller, sous le regard protecteur de la dispensatrice de vie. Lorsqu'elle entendit sa voix, elle devint aussi légère qu'une plume d'oiseau et aperçut un paysage merveilleux, peuplé d'arbres en fleurs.

26

La sœur cadette de Cléopâtre, Arsinoé, n'en finissait pas de tourner en rond à l'intérieur des appartements privés que lui avait accordés Ptolémée, au sein du palais royal. Elle détestait ce gamin insupportable et prétentieux qui se prenait pour un roi et ne songeait qu'à satisfaire ses caprices ; quant à Cléopâtre, Arsinoé la haïssait ! Trop intelligente, trop déterminée, trop belle, trop séduisante… La somme de ces dons devenait exaspérante ! Adolescente peu gâtée par la nature, la jeune fille rêvait de régner et se voyait condamnée à périr d'ennui, entourée de serviteurs redoutant ses colères et ne cherchant qu'à la satisfaire.

Coiffeuses, manucures, pédicures, parfumeuses et couturières tentaient de lui donner un charme qu'elle ne posséderait jamais. Les garçons ne l'attirant guère, Arsinoé se distrayait avec de jeunes délurées qu'elle chassait de son existence au terme de quelques nuits de plaisir ; l'amour l'ennuyait vite, elle préférait les intrigues et les coulisses du pouvoir dont elle se rapprocherait tôt ou tard.

Les circonstances lui seraient-elles favorables ? Le complot contre Cléopâtre, sa fuite, son retour inattendu à la tête d'une cohorte de mercenaires, l'inévitable affrontement entre ces brigands et l'armée de Ptolémée, l'assassinat de Pompée venu demander l'asile... Que d'événements en une courte période ! La quiétude de la riche Alexandrie appartenait au passé, il lui fallait maintenant affronter la réalité façonnée par Rome.

Un espoir : la mort violente de Cléopâtre lors de son humiliante et fatale défaite. Malgré sa hargne, et selon des rumeurs persistantes, le ramassis de révoltés ne résisterait pas longtemps aux troupes du général Achillas. Alors, Arsinoé apparaîtrait au grand jour et prouverait ses qualités ; et ce ne serait pas le petit Ptolémée qui l'empêcherait de s'imposer !

Restaient les Romains : alliés ou ennemis ? Comment la première puissance mondiale réagirait-elle après l'élimination de l'un de ses héros, le grand Pompée ? Arsinoé avait une certitude ; on pouvait acheter n'importe qui, les Romains compris ; et dans l'art du commerce, les Alexandrins étaient passés maîtres !

L'adolescente se sentait apte à conduire une politique visant à maintenir la prospérité de l'Égypte et de sa capitale ; les rustauds de légionnaires méconnaissaient les subtilités de l'Orient et se laisseraient prendre à ses pièges. Arsinoé se réjouissait de manipuler ces pantins et saurait s'affirmer comme une reine brillante.

Rêvant de cette apothéose, elle se morfondait en attendant des nouvelles de Péluse où les hostilités n'avaient pas encore débuté ; pourquoi le général Achillas hésitait-il à piétiner Cléopâtre ?

Arsinoé dégustait une grappe de raisins vermeils lorsque son conseiller et confident, l'eunuque Ganymède, lui apporta un message.

Râblé, le cheveu noir, le regard insaisissable et la voix perpétuellement couverte, Ganymède souhaitait la chute de la clique de Ptolémée, la disparition de l'ambitieuse Cléopâtre et l'avènement de sa jeune maîtresse, inexpérimentée mais fougueuse ; l'eunuque formait pas à pas un réseau de soutiens composé de hauts fonctionnaires, de militaires et de négociants influents. Le retour agressif de la reine déchue l'avait étonné ; déstabilisé, Ganymède redoutait le chaos.

— Cléopâtre est-elle morte ? demanda Arsinoé, les yeux brillants.

— Ce message indique que les deux armées sont toujours face à face.

Déçue, l'adolescente jeta au loin la grappe de raisins.

— Un autre événement vient de se produire, reprit l'eunuque : l'arrivée de César, le rival de Pompée. Quoique la population l'ait hué, il l'a subjuguée, et notre garnison n'a pas osé repousser les Romains. Cette anguille de Théodote a conduit l'*imperator* au palais, et vous êtes la représentante de l'État, en l'absence de Ptolémée et de Cléopâtre. Désirez-vous affronter ce général ?

— Il ne m'effraie pas !

— On le dit sans pitié, et la prudence me semble nécessaire ; ne serait-il pas préférable de vous cacher ?

— Il me retrouverait et me châtierait ! Autant l'affronter.

L'adolescente se confia à sa femme de chambre qui la vêtit d'une robe verte au délicat plissé et la couvrit de bijoux. Nerveuse, accompagnée de Ganymède, Arsinoé courut jusqu'à la salle d'audience réservée aux visiteurs de marque.

Elle se heurta à un personnage buriné, aux épaules carrées.

— Où cours-tu, jeune fille ? demanda Rufin.

— Je suis la princesse Arsinoé, et j'exige de voir Jules César !

— Auparavant, je dois te fouiller.

L'adolescente repoussa le légionnaire.

— Si tu me touches, je te tue !

Ganymède intervint.

— Je me porte garant de la princesse, elle ne porte aucune arme !

— Au premier incident, intervint Rufin, tu le paieras cher.

Le lieutenant de l'*imperator* appela deux gardes.

— Encadrez la princesse et maintenez-la à distance de notre chef.

Rufin ouvrit la porte de la salle d'audience où César étudiait une carte d'Alexandrie que Théodote venait de lui apporter.

Prête à défier le conquérant, Arsinoé subit son regard qui la cloua sur place. L'illustre Romain était digne et beau, loin de l'image du barbare que s'était formée la princesse ; étonnée, dominée, la jeune fille fut incapable de prononcer le moindre mot.

— Voici Arsinoé, la sœur cadette de Cléopâtre, annonça Ganymède, d'une voix tremblante.

Croisant les bras, César observa l'adolescente au visage ingrat, à l'allure quelconque et trop lourdement parée.

— Quel est ton rang officiel, Arsinoé ?

— Le roi Ptolémée et la reine Cléopâtre ne se trouvent pas à Alexandrie, précisa Théodote ; appartenant au conseil de régence, je représente l'État.

— Pas cette jeune femme ?

— Elle appartient à la famille royale, rappela Gany-mède, mécontent de l'intervention du précepteur.

— Exerce-t-elle un pouvoir ? demanda César.

— Non, mais...

— En ce cas, qu'elle regagne ses appartements.

Le ton du Romain ne souffrant pas de réplique, Arsinoé s'inclina et se retira.

27

Contemplant de la terrasse du palais royal le plus riche des quartiers d'Alexandrie, César remarqua, dans le jardin, un pavillon d'une rare élégance.

— Je m'installerai ici, annonça-t-il à Théodote.

— Le palais est presque vide, vous y serez mieux.

— Ma décision est prise.

Inutile de préciser à Théodote qu'il serait aisé d'assurer la sécurité du pavillon, à la différence des appartements privés, probablement truffés de passages secrets et de portes dérobées.

— J'ai une mission à te confier : ramener à Alexandrie le roi Ptolémée et la reine Cléopâtre.

— Impossible, leurs armées ne tarderont pas à s'affronter, près de Péluse !

— Il s'agit d'un ordre qui doit être exécuté sans délai.

La fermeté du ton étouffa toute protestation.

— Je veux voir immédiatement le commandant de la garnison d'Alexandrie ; après me l'avoir présenté, tu partiras pour Péluse ; tâche de te montrer convaincant, Théodote. Je n'apprécie pas l'incompétence.

*

À la fin de la journée, les enquêtes et les interrogatoires qu'avaient menés César, Rufin et les officiers supérieurs de l'armée romaine aboutirent à des conclusions claires. Ni[1] par leur nombre, ni par leur composition, ni par leurs connaissances militaires, les troupes d'Achillas ne semblaient méprisables ; il disposait d'un effectif de 20 000 hommes, formé notamment des soldats du Romain Gabinius, qui s'étaient habitués à la vie dissolue d'Alexandrie en oubliant la discipline de l'armée romaine ; beaucoup s'étaient mariés et avaient des enfants. À ceux-là, s'ajoutaient des pirates et des brigands issus de Syrie, de Cilicie et des contrées voisines. De plus, quantité de condamnés à mort et de bannis s'étaient rassemblés à Alexandrie, qui offrait aussi aux esclaves en fuite un asile et une situation assurés. S'il arrivait que l'un d'eux fût arrêté par son maître, les soldats le libéraient. Aux fantassins s'ajoutaient deux mille cavaliers ; et ces troupes avaient vieilli dans de nombreux conflits, rétabli sur son trône Ptolémée le Douzième, le flûtiste, et livré bataille contre les Égyptiens.

— Ce n'est pas vraiment une armée, jugea Rufin, mais une bande de malfaiteurs !

— Ils n'en sont pas moins redoutables, estima César, et leur supériorité numérique est une menace.

— Vous avez déjà connu cette situation.

---

1. Les lignes qui suivent sont de César lui-même, extraites de *La Guerre civile*.

— Un port, une grande ville, un terrain inconnu…
Manœuvrer ici ne sera pas facile.

— Priorité absolue : assurer votre sécurité. J'ai disposé nos meilleurs hommes autour de votre quartier général. Dès ce soir, des patrouilles sillonneront la cité, et leurs rapports nous seront précieux.

La mine sombre de César inquiéta son fidèle lieutenant ; il ne l'avait jamais vu si pessimiste.

— Qu'un messager se rende en Asie Mineure auprès de notre allié Mithridate, lui enjoigne de lever des troupes et de me rejoindre à Alexandrie.

Rufin fronça les sourcils.

— Redoutez-vous une insurrection ?

— Peu probable, mais je préfère prendre des précautions ; l'arrivée de renforts calmera le jeu.

*

Forte de dix hommes, la première patrouille romaine quitta le quartier des palais et des bâtiments administratifs pour s'engager dans une rue bordée de maisons cossues. L'officier, un Gaulois vouant un culte à César, découvrait avec émerveillement la splendeur de la capitale égyptienne ; ses hommes, eux aussi, ouvraient de grands yeux. Après d'interminables mois de combats et la victoire de Pharsale, ils goûtaient l'atmosphère de cette ville, fière de son opulence. Leurs casernes seraient plus confortables que des tentes, et l'abondance des nourritures comblerait les ventres. Quant aux femmes faciles, selon les premiers échos, elles ne manquaient pas ! Bref, un agréable séjour en perspective.

L'accueil de la population par contre n'avait rien de réjouissant. Au passage de la patrouille, portes et fenêtres se fermaient ; les mères de famille ordonnaient aux enfants de rentrer chez eux, et les badauds s'éloignaient.

— Ils ne nous aiment pas, observa un légionnaire barbu, originaire de Germanie.

— Ils s'habitueront à notre présence, prédit le gradé ; l'autorité de Rome ne se discute pas.

— Ces Grecs sont des tordus, des spécialistes des coups fourrés ! Ils mentent comme ils respirent.

— Sois tranquille, César leur apprendra à marcher droit.

À une trentaine de pas, un rouquin brandit une pique.

— Mort à l'occupant, mort aux Romains !

— Celui-là, promit le barbu, on va lui faire avaler sa langue.

Le rouquin lança son arme avec force, mais sans précision, et s'enfuit à toutes jambes en empruntant une ruelle. D'un même élan, les membres de la patrouille se lancèrent à sa poursuite.

Un cul-de-sac.

Le fuyard avait trouvé refuge dans l'une des modestes demeures à deux étages.

— On les fouille et on le récupère, ordonna l'officier.

À peine frappaient-ils à la première porte qu'une clameur jaillit de l'entrée de la ruelle ; des hommes armés leur barraient le passage.

— Je l'avais dit, marmonna le Germain, ces Grecs sont des tordus.

Ne s'encombrant pas de stratégie, la patrouille fonça, épées et lances brandies. D'une extrême violence, le choc disloqua le barrage, et plusieurs émeutiers ne se relevèrent pas ; l'un d'eux, cependant, parvint à percer les reins du barbu. Rageur, il réussit à se retourner et à trancher la gorge du meurtrier.

— On se replie ! clama le Gaulois.

Deux légionnaires portèrent le Germain, incapable d'avancer.

— Tu t'en tireras, lui promit son chef.

— Tous ces tordus, murmura-t-il en expirant, massacrez-les.

Un mort, cinq blessés.

Indifférent au sang qui coulait de son épaule, le Gaulois songeait au rapport désastreux qu'il présenterait à César.

28

Rufin interrompit le dîner de César, lequel continuait à étudier un plan d'Alexandrie et s'imprégnait de ce nouveau territoire qu'il sentait plus dangereux qu'une forêt de Germanie.

— Trois patrouilles attaquées, quatre morts, huit blessés graves ; la révolte gronde, des émeutiers s'approchent du palais.

— Qu'on m'apporte mon manteau pourpre.

Revêtu de son habit d'*imperator*, César ordonna à son lieutenant de masser l'essentiel de ses troupes devant le palais royal afin d'attirer la foule ; la stratégie se révéla efficace. La meute en colère scanda des slogans hostiles à l'envahisseur.

César apparut au sommet de l'escalier monumental, encadré de deux porteurs de flambeaux ; la nuit était douce, la lune argentait les eaux du port.

En quelques secondes, le silence s'établit ; le peuple d'Alexandrie était impatient d'entendre les déclarations du chef des occupants.

— Je ne suis pas venu ici en conquérant, affirma César d'une voix posée, mais pour appréhender Pompée et le ramener à Rome. Sa disparition met fin au conflit qui nous opposait, et je n'ai pas l'intention de m'emparer de l'Égypte ; c'est pourquoi je reconnais la souveraineté de votre couple royal, formé de Ptolémée le Treizième et de Cléopâtre.

À la surprise succéda le soulagement, et l'on entendit même des « vive César ! ».

— Vous devez tous savoir, continua-t-il, que Ptolémée le Douzième, père de vos deux souverains, avait confié à Pompée le soin de faire respecter ses dernières volontés. Légitime représentant de Rome, c'est à moi, aujourd'hui, qu'il incombe d'accomplir ce devoir sacré ; aussi vais-je recevoir le roi Ptolémée et la reine Cléopâtre, afin de les persuader d'obéir au défunt et d'éviter une effroyable guerre civile. Voilà l'unique raison de ma présence parmi vous.

Cet engagement provoqua une salve d'acclamations ; pouvait-il exister meilleure nouvelle ? Les sceptiques furent réduits au mutisme et, jusqu'à l'aube, les tavernes ne désemplirent pas. Loin de déclencher les hostilités et de considérer l'Égypte comme une nouvelle province romaine, César respectait ses institutions et allait instaurer une paix qui semblait condamnée.

La foule se dispersa. Et Rufin n'en admira que davantage le génie de César.

*

Théodote était furieux.

— Tes archers ont failli m'abattre, reprocha-t-il à Photin, surpris de voir le précepteur, d'ordinaire si calme, en proie à une crise de nerfs.

— Leurs consignes sont strictes : empêcher quiconque d'approcher de Sa Majesté. Tu devrais te laver et changer de tunique avant de lui parler.

— Je suis porteur d'un ordre de César.

— Tu dis bien : un ordre ?

— À exécuter rapidement.

Soucieux, Photin conduisit son corégent à la tente de Ptolémée ; gavé de pâtisseries, le petit roi somnolait.

L'eunuque lui tâta le bras.

— Réveillez-vous, Majesté ; votre précepteur désire vous procurer des informations.

Le gamin se frotta les yeux.

— Ainsi, César t'a épargné !

— Il souhaite s'entretenir avec vous.

— Moi, je n'en ai pas envie.

— Pour être précis, insista Théodote, César vous ordonne de retourner à Alexandrie, de même que Cléopâtre.

— Il ordonne, il ordonne ! Je suis roi, et c'est moi qui ordonne ; que ce César rentre chez lui et cesse de m'importuner. J'ai une guerre à gagner, moi.

— À mon sens, lui désobéir serait une grave erreur ; en reconnaissant votre légitimité, César renforcera votre pouvoir et Rome ne nous importunera plus.

Le roi se leva.

— J'ai soif et j'ai faim.

— Vous attendrez, trancha Théodote, irrité ; il faut d'abord résoudre ce problème crucial.

— Je partage cet avis, insista Photin ; César est un redoutable chef de guerre qui pourrait nous porter des coups sévères.

— Notre armée est dix fois supérieure !

— Peut-être, mais comment réussirait-elle à vaincre sur deux fronts ? D'un côté, César ; de l'autre, Cléopâtre ! Attirons-nous d'abord les faveurs de ce conquérant ; ensuite, nous nous débarrasserons de votre maudite sœur.

Cette perspective intéressa Ptolémée.

— César n'a pas été bien accueilli, révéla Théodote ; le peuple est prêt à se révolter si votre trône est menacé. Vous n'avez donc rien à craindre ! Votre retour sera triomphal.

Photin ne partageait pas cet optimisme.

— César n'exige-t-il pas aussi de rencontrer Cléopâtre ?

— Hors de question de l'alerter ! Il faut continuer à la bloquer ici, en expliquant à César qu'elle refuse tout entretien et n'a qu'un seul désir : guerroyer. Alors, les Romains nous aideront à extirper cette verrue.

— Et si on l'attaquait maintenant ? avança le gamin.

— Le général Achillas nous le déconseille, rétorqua Photin ; la milice de cette sorcière nous opposerait une forte résistance et la victoire ne serait pas certaine. Achillas préfère attendre que ces mercenaires s'impatientent et se divisent ; étant donné son manque d'expérience, Cléopâtre ne parviendra pas à reformer les rangs.

— César vient troubler ce jeu-là, rappela Théodote ; le séduire est indispensable.

— Ces discussions m'ennuient, asséna Ptolémée, et j'ai vraiment faim !

Théodote héla un serviteur qui s'empressa d'apporter des gâteaux ; le précepteur s'interposa.

— Êtes-vous décidé à rencontrer César ?

— Oui, oui !

— Vous méritez une récompense, Majesté.

Le gamin se jeta sur les friandises. Théodote et

Photin se rendirent auprès du général Achillas afin de lui expliquer la nouvelle situation et de prendre les mesures nécessaires ; restait à espérer que César serait favorable au petit roi et à son conseil de régence.

29

C'était une matinée merveilleuse ; un vent doux ridait à peine la mer, le soleil d'automne dorait le paysage, l'horizon semblait plus vaste. En sortant du petit sanctuaire d'Isis, Cléopâtre s'enivra de sa jeunesse et des promesses de l'avenir ; la magie de la déesse avait dissipé le venin, il ne subsistait même pas une trace de la piqûre du scorpion.

Un instant, elle cessa de lutter ; pourquoi ne pas goûter les joies simples, apprécier la pureté de l'aube et la tendresse du couchant en renonçant à commander une armée de fortune et à tenter l'impossible ? Si jeune, Cléopâtre avait déjà connu plusieurs vies : celle de la princesse choyée profitant du luxe d'un palais, celle d'une reine croyant au pouvoir absolu, celle d'une souveraine déchue courant la mer et le désert, celle d'un chef de guerre capable d'effrayer le général Achillas... Le moment n'était-il pas venu d'arrêter ce tourbillon et de profiter de sa véritable existence, celle d'une jeune femme, éprise de beauté, qui avait oublié d'aimer ?

L'amour ou le pouvoir... En choisissant ce dernier, ne s'était-elle pas trompée de chemin ? Ne lui suffisait-il pas d'abandonner ces soldats perdus et de se façonner une nouvelle existence, loin de l'Égypte ?

En songeant à son pays, son cœur se serra ; rien ne la passionnait davantage que le destin de cet antique empire dont les premiers souverains avaient été Osiris et Isis. Elle ne pouvait se détourner de ce destin auquel elle était désormais associée ; si mince fût sa chance de gouverner, elle ne la gaspillerait pas.

L'attaque du scorpion était un présage : il lui fallait déclencher l'offensive, tailler en pièces les troupes d'Achillas et s'ouvrir la route d'Alexandrie.

Avant la tempête, la reine s'offrit un ultime plaisir en marchant dans l'écume des vagues ; à leur grâce s'ajoutait une puissance éternellement renouvelée. Patronne des marins, garante de la navigation heureuse, Isis continuerait-elle à protéger celle qu'elle venait de sauver ?

Elle reprit le sentier la ramenant au promontoire ; affolée, la servante Charmion courut à sa rencontre.

— Je vous ai cherchée partout, Majesté ! J'ai cru qu'on vous avait enlevée et que je ne vous reverrais jamais... Êtes-vous indemne ?

— Rassure-toi.

Apollodore les rejoignit.

— Majesté... Quel bonheur de vous revoir ! Montrez-vous vite à l'armée, je vous en prie ! Les bruits les plus fous circulent, et le Vieux a été obligé de distribuer des jarres de bière pour calmer les esprits.

— Hermès n'est-il pas intervenu ?

— Il a disparu.

Ainsi, le mage la laissait-il affronter seule l'épreuve du combat décisif qui lui offrirait la mort ou le pouvoir.

— La reine… la reine est là ! cria un Syrien en apercevant Cléopâtre.

Aussitôt, conversations et beuveries cessèrent ; les prophètes de malheur furent conspués, et chaque mercenaire tint à constater de ses propres yeux que la souveraine était bien vivante. Les nerfs du Vieux se détendirent, et il s'accorda plusieurs rasades d'un vin blanc revigorant ; également rassuré, Vent du Nord dégusta sa pitance composée de pain mouillé, de grains de raisin, de quartiers de pommes et de luzerne.

— Le moment décisif approche, annonça-t-elle ; intensifiez votre entraînement et préparez-vous à terrasser l'ennemi !

Des acclamations saluèrent cette déclaration ; après une période d'oisiveté, beaucoup avaient envie d'en découdre.

— Rapport d'un guetteur, Majesté, transmit Apollodore ; il y a de l'agitation chez l'adversaire.

— Un assaut en préparation ?

— Non, plutôt un recul ; de nombreux soldats s'abritent dans la forteresse, et seule subsiste une ligne de défense. Un imposant cortège vient de partir en direction d'Alexandrie.

Aux abords du camp de Cléopâtre, une sentinelle donna l'alarme ; des fantassins se précipitèrent et n'eurent aucune peine à maîtriser un paysan désarmé qu'ils amenèrent à la reine.

Intriguée, elle reconnut l'un des domestiques du palais. Visiblement épuisé, il se prosterna.

— Je suis l'un de vos partisans, Majesté, et j'ai quitté la capitale afin de vous informer ! Des événements majeurs viennent de se produire.

— Je t'écoute, dit la reine, sceptique.

— César et ses légionnaires sont entrés à Alexandrie. Face à l'hostilité de la population qui n'hésite pas à agresser ses patrouilles, le général a prononcé un discours pour justifier sa présence. Pompée a disparu, il lui revient de veiller à l'exécution du testament de votre père, confié à Rome ; aussi César exige-t-il votre retour et celui de votre frère. Il souhaite mettre un terme à votre querelle et rétablir la paix. L'émissaire chargé de vous contacter est le précepteur Théodote.

— Qu'on soigne cet homme et qu'on le nourrisse, exigea la reine ; ensuite, il travaillera sous les ordres du Vieux.

Deux soldats aidèrent le domestique à se relever et à marcher.

— C'est un piège grossier, estima Apollodore ; César veut conquérir l'Égypte et ne songe qu'à tirer profit du conflit qui vous oppose à Ptolémée !

— Tu as sans doute raison, mais peut-être ne se sent-il pas en position de force et cherche-t-il à gagner du temps en évitant un soulèvement populaire. En tout cas, Théodote n'aura remis son invitation qu'à Ptolémée, et ce petit tyran s'est empressé de retourner à Alexandrie. Lui et ses conseillers expliqueront à César qu'ils sont les gouvernants légitimes et que je me suis disqualifiée en me révoltant contre mon frère ; abreuvé de mensonges, César finira par les croire. Et comme je ne me présenterai pas devant lui, il aura la preuve de leurs dires. Le respect du testament de mon misérable père ? Marier le petit Ptolémée à ma petite sœur Arsinoé qui me déteste et rêve de régner ! Cette légère entorse au document ne choquera pas longtemps, et je serai définitivement éliminée, incapable de vaincre

l'armée de ce nouveau couple royal, allié aux légionnaires de César.

Apollodore n'émit aucune objection. La lucidité de la reine lui avait permis de tracer un tableau réaliste de la situation et d'anéantir ses espoirs de reconquérir le trône. La bataille était perdue avant d'avoir commencé ; restait à renvoyer les mercenaires et à trouver un refuge où, très loin d'Alexandrie, Cléopâtre vivrait de ses souvenirs.

30

L'Alexandrie de Ptolémée le Treizième et de Cléopâtre comptait environ 600 000 âmes et le tiers de
cette énorme population était juif. Jouissant d'un privilège accordé par Alexandre le Grand, l'élite de la
communauté juive habitait un magnifique quartier de
la capitale, le Bruchion, proche des palais ; ses coreligionnaires occupaient aussi le nord-ouest de la cité,
près du port, et l'on dénombrait des familles juives
dans l'ensemble des secteurs de la vaste agglomération.

Dès sa fondation, elles avaient été autorisées à vivre
selon leur loi, celle de la Torah ; beaucoup avaient pris
des noms grecs ou grécisé leurs patronymes hébreux,
de manière à s'intégrer à la société que dominaient les
descendants d'Alexandre. Tous parlaient et écrivaient
le grec, mais pratiquaient leur religion et restaient
fidèles à leurs coutumes.

Les juifs disposaient d'une somptueuse synagogue,
une basilique pourvue de colonnades et de soixante-
dix chaires d'or et de pierres précieuses qu'occupaient soixante-dix anciens, gardiens de la tradition ;
au centre, une tribune en bois destinée au chantre,
chargé de lire la Torah. Les cérémonies rassemblaient

des adeptes fervents et soudés, heureux de pouvoir vivre leur foi au cœur d'une ville prospère.

En cette soirée du 3 octobre – 48, Antipatros marchait à pas pressés vers une autre synagogue, celle du faubourg sud-ouest, qu'avait autorisée Cléopâtre avant d'être contrainte de quitter Alexandrie. Doté d'une rare énergie et d'une force de conviction peu commune, Antipatros était l'un des hommes les plus riches et les plus influents de la capitale. Commerçant hors pair, administrateur de premier plan, conseiller fort écouté des membres de sa communauté, il se tenait à l'écart des manœuvres politiciennes et des agitations de la cour ; vu les récents événements, cependant, impossible de garder cette ligne de conduite. Antipatros avait jugé nécessaire de convoquer le conseil des anciens afin de prendre des décisions.

Sous prétexte d'une commémoration religieuse, les principaux dirigeants de la population juive se réunirent en urgence ; à l'extérieur de la synagogue, un discret service d'ordre assurerait leur sécurité. En ces temps troublés, mieux valait adopter un maximum de précautions.

Antipatros fut satisfait de constater qu'aucune personnalité importante ne manquait à l'appel. Nul marchand ne trahirait le secret des délibérations, et l'orientation adoptée s'imposerait à la totalité des juifs d'Alexandrie.

La tension était perceptible, et Antipatros s'attendait à des discussions serrées. Voilà longtemps que l'Ancien des anciens, âgé de quatre-vingt-seize ans, se contentait de trôner du haut de son autorité, déléguant sa voix à un armateur raté, Aqaby, jaloux de la réussite et du prestige d'Antipatros. Petit, joufflu et grassouillet, il n'avait de succès qu'auprès des prostituées.

— Cette convocation nous a surpris, attaqua Aqaby ; le conseil des anciens n'est pas à ta disposition !

— Ignores-tu que César et ses légionnaires se trouvent à Alexandrie et que notre avenir est en jeu ? Je dispose d'informations confidentielles qui permettront à notre communauté de choisir son destin. L'Ancien des anciens m'autorise-t-il à m'exprimer ?

D'ordinaire sourd et presque aveugle, le vieillard leva une main en signe d'assentiment ; déçu, Aqaby se renfrogna.

— Les soldats de César, fantassins et cavaliers, se sont installés dans le quartier du Bruchion, révéla Antipatros ; ils ont réquisitionné des demeures appartenant à des juifs, mais n'ont pas commis de violences.

— Pourquoi Ptolémée n'a-t-il pas protesté ? s'étonna un ancien.

— Ptolémée et son armée avaient décidé d'affronter celle de Cléopâtre à Péluse et de la terrasser.

— Le roi a-t-il réussi ?

— Jusqu'à présent, les adversaires s'observent ; personne n'ose prendre l'initiative. César n'a trouvé qu'un palais vide et, afin d'apaiser la colère du peuple, a reconnu la légitimité du couple royal aujourd'hui disloqué. Il exige le retour de Ptolémée et de Cléopâtre et souhaite éviter une guerre civile.

— Tout cela ne nous concerne pas, estima Aqaby.

— Au contraire, rétorqua Antipatros ; la conquête du pouvoir aura des conséquences qui pèseront sur notre communauté.

— Que redoutes-tu ?

— Si nous commettons une erreur fatale, nous disparaîtrons.

Des murmures parcoururent l'assemblée.

— Tu divagues ! jugea Aqaby.

— Un fait nouveau doit éveiller votre regard : la montée inexorable de la puissance romaine. La mort de Pompée n'y change rien, César me semble encore plus redoutable.

— Nous sommes les sujets de Ptolémée, pas de César !

Antipatros fit quelques pas, observant tour à tour les membres du conseil.

— Des sujets ô combien méprisés ! Les Grecs nous tolèrent, mais gardent jalousement leurs privilèges ; nous sommes des juifs d'Alexandrie, pas des citoyens de notre ville, et ne participons à aucune des instances du gouvernement. Ptolémée et les siens nous considèrent comme des êtres inférieurs, juste bons à garantir leur prospérité grâce à notre travail et nos impôts ! Cette injustice est intolérable ; et le souverain ne nous garantit même pas la stabilité !

Antipatros disait à haute voix ce que nombre d'anciens osaient à peine penser ; l'arrogance du gouvernement grec, à laquelle s'ajoutaient la corruption et l'inefficacité, devenait insupportable.

— César est une chance pour notre communauté, affirma l'orateur ; en dépit de ses propos lénifiants, je suis persuadé qu'il désire chasser le petit Ptolémée et transformer l'Égypte en province romaine. Quand sa victoire sera consommée, il saura remercier ceux qui l'auront aidé à s'imposer.

— Prendre parti en faveur de César... Telle est ta proposition ? s'étonna Aqaby.

— À mon sens, nous n'avons pas d'autre choix, et je demande au conseil des anciens de suivre cette voie-là.

— C'est de la folie ! Moi, je demande à cette assemblée de rester neutre !

La voix usée de l'Ancien des anciens, que l'on n'avait pas entendue depuis plusieurs mois, résonna au sein de la synagogue.

— Antipatros nous ouvre les yeux ; l'âge des Ptolémées s'achève, un règne nouveau s'annonce. Notre communauté soutiendra César, à condition qu'il respecte notre foi et nous accorde davantage de responsabilités.

31

Malgré l'imposante escorte qui assurait sa sécurité, celle de Ptolémée et de son précepteur, l'eunuque Photin n'en menait pas large. En cette douce matinée du 4 octobre – 48, la flottille gagnerait rapidement Alexandrie en empruntant un canal bordé de palmiers, d'acacias et de saules.

Le général Achillas avait accepté de demeurer à Péluse, empêchant ainsi la progression de Cléopâtre dont les forces n'étaient pas assez puissantes pour s'emparer de la forteresse et s'ouvrir la route d'Alexandrie. Du moins Photin l'espérait-il, comme il espérait convaincre César de devenir son principal allié.

— Nous risquons gros, déplora Théodote ; quand je lui ai présenté la tête de Pompée, César a pleuré. Nous lui avons rendu un grand service en le débarrassant de son pire adversaire, mais je redoute sa rancune.

Le petit Ptolémée sautillait à la proue du vaisseau, lançait à l'eau des balles de chiffon, tirait sur les cordages et demandait aux marins d'accélérer l'allure.

— Il est si jeune, rappela Théodote, et tellement incapable de percevoir la gravité de la situation !

— C'est peut-être un avantage, avança Photin ; cet

enfant attendrira le Romain et sa candeur dissipera son irritation. Un militaire capable de pleurer un ennemi a forcément des faiblesses.

— Ce n'était qu'un moment d'émotion ; chez ce général, l'ambition prime tout.

— Et cette ambition-là le conduit à vouloir s'emparer d'Alexandrie…

— Il prétend le contraire, précisa Théodote, et ce discours-là a calmé une foule en colère.

— Comment croire un Romain ?

— Il connaît mal notre ville et nos coutumes ; sachons le persuader que notre aide lui est indispensable et que seul Ptolémée, souverain légitime, est apte à régner.

*

César ne quittait pas le pavillon du jardin royal ; il y recevait des notables, des hauts fonctionnaires et des responsables administratifs, de manière à comprendre le fonctionnement du gouvernement. À ses questions précises, il exigeait des réponses précises ; en l'absence du roi et des membres du conseil de régence, les dignitaires, gênés, essayaient de biaiser mais étaient contraints de fournir un minimum d'informations, sous peine d'essuyer les foudres de l'*imperator*.

Enfin, la bonne nouvelle ! Ptolémée, Photin et Théodote étaient de retour ; aussitôt, la foule des courtisans se pressa au palais et proclama sa fidélité au souverain. Rufin interrompit les congratulations et pria le trio de se rendre au pavillon où les attendait César.

Assis sur une chaise à haut dossier, il dévisagea ses hôtes avec une telle acuité qu'ils se sentirent désarçonnés. Dominés dès le premier regard, Photin et Théodote encadrèrent le garçonnet, comme s'ils désiraient le protéger.

César se leva, s'approcha et toisa l'enfant.

— Voici donc Ptolémée le Treizième ! Heureux de vous rencontrer, Majesté.

Pour la première fois de sa brève existence, le gamin était subjugué au point de ne pouvoir s'exprimer.

— Au nom du roi d'Égypte et du conseil de régence, dit Photin d'une voix tremblante, je vous souhaite le meilleur accueil à Alexandrie.

— Il n'a pas été des plus aimable, regretta César, et je déplore des morts et des blessés. J'ai pris les mesures de sécurité nécessaires, osant espérer que la présence du souverain maintiendra le calme.

— Le peuple aime son roi, affirma Théodote.

— Tu as rempli une partie de ta mission, constata le Romain ; as-tu également contacté la reine Cléopâtre ?

— C'est malheureusement impossible ! Nous ne contrôlons pas ses déplacements, et cette révoltée ne nous permettrait pas de l'approcher. Commandé par le général Achillas, le gros de notre armée stationné à Péluse empêche cette diablesse d'agresser Alexandrie et de répandre le chaos.

— La population la déteste, ajouta Photin, car elle a tenté un coup d'État en voulant imposer sa tyrannie et des réformes désastreuses ; seul Ptolémée est digne de régner et d'assurer la prospérité de notre belle cité.

César retourna s'asseoir, sans inviter le trio à l'imiter. Il était le juge, eux les accusés.

— Ptolémée le Douzième a confié son testament à Rome, rappela-t-il, et c'est à moi, après la tragique disparition du grand Pompée, de veiller au strict respect des dernières volontés du monarque défunt, notre allié ; piétiner ce devoir sacré serait une faute grave que ni les dieux ni les hommes ne toléreraient. Or, les clauses de ce testament sont claires : le pouvoir doit être partagé entre Ptolémée le Treizième et sa sœur Cléopâtre. Mon intention est de réconcilier les deux héritiers légitimes du trône et de rétablir ainsi un gouvernement stable.

— Nous le souhaitons tous, avança Photin, mais la reine est incontrôlable, dangereuse, et…

— Impossible de rendre un jugement tant que je ne l'aurai pas vue et interrogée, trancha César. Envoyez-lui un émissaire et priez-la de venir à Alexandrie en lui garantissant une parfaite sécurité. En attendant sa venue, le roi et ses deux conseillers ne quitteront pas la ville.

L'ordre ne souffrait pas de réplique.

— Détail important, ajouta l'*imperator* ; lorsqu'il a demandé l'aide de Rome[1] afin d'être reconnu roi, Ptolémée le Douzième a promis de lui verser trente-six millions de deniers si cette alliance produisait le résultat escompté. De fait, au terme de son exil et grâce à notre intervention, il est monté sur le trône ; avant de mourir, il n'a remboursé que la moitié de la somme. Au nouveau couple royal de me verser ce qui est dû à Rome dont je suis le représentant.

Photin fut au bord du malaise.

— Vous… vous ne parlez pas sérieusement ? C'est une somme gigantesque !

— Tel était le prix de la reconquête du pouvoir ; et c'est au gouvernement actuel de l'assumer. Ne pas

---

1. En – 59.

honorer cette dette serait un délit d'une extrême gravité, passible de sévères sanctions.

— Trente-six millions de deniers, balbutia Photin, en état de choc.

Tétanisé, le petit roi osait à peine regarder César, un monstre d'autorité à la parole tranquille.

— Cette première entrevue m'a paru constructive, conclut le Romain ; à présent, remplissez vos devoirs.

32

Ravi de retrouver son palais, ses appartements, ses jouets et son lit, le petit roi avait dîné d'un excellent appétit et, songeant à la prestance de César, un véritable chef, s'était vite endormi.

S'empiffrant de plats en sauce, Photin tentait de recouvrer son sang-froid, tandis que Théodote s'accordait une coupe de rouge corsé.

— Ce Romain se croit maître d'Alexandrie, pesta l'eunuque, et veut vider nos caisses ! Ne devrions-nous pas rappeler Achillas et montrer nos capacités militaires ? S'il prend peur, César quittera l'Égypte.

— Cet homme-là ne recule jamais, objecta le précepteur ; son passé le prouve. S'il se sent menacé, il réagira de manière brutale et causera des dégâts peut-être irréparables. Achillas empêche la bande de soudards de Cléopâtre d'attaquer Alexandrie, il doit rester à son poste.

— Cléopâtre… Il faut l'éliminer au plus vite ! Elle disparue, nous aurons les mains libres.

— Obéissons à César et envoyons-lui un émissaire qui lui garantira une totale impunité.

— Mordra-t-elle à l'hameçon ?

— Notre homme ne sera accompagné d'aucun soldat, Cléopâtre pourra disposer de sa garde personnelle ; qu'aurait-elle à craindre ? Je suis persuadé qu'elle désire rencontrer César, s'expliquer et le convaincre.

— Cette entrevue serait un désastre !

— Elle n'aura pas lieu, prédit Théodote ; nous attaquerons le bateau de la reine à mi-chemin entre Péluse et Alexandrie, et nous le coulerons. Il n'y aura pas de survivants. Soit cette sorcière périra noyée, soit son cadavre sera brûlé.

Imaginant la réussite de ce plan simple et décisif, Photin se détendit et avala une dizaine de figues.

— Trente-six millions de deniers… Ce Romain est un voleur !

— Il n'en réclame que la moitié, rappela Théodote.

— C'est beaucoup trop ! Je refuse de lui donner satisfaction.

— Utilise tes dons de négociateur et fais traîner l'affaire en longueur ; Cléopâtre disparue, nos troupes à nouveau disponibles, la population montée contre l'occupant, nous tenterons de pousser César hors d'Égypte. Ce stratège est sensé et préférera regagner Rome plutôt que d'essuyer un échec qui ternirait sa réputation et l'éloignerait du pouvoir.

Les arguments de l'habile Théodote ravirent l'eunuque ; il se félicita d'avoir nommé l'érudit au conseil de régence. Ses talents de précepteur et de lettré ne l'empêchaient pas de préconiser des actions radicales et de monter lui-même en première ligne.

— J'envoie immédiatement notre émissaire à Cléopâtre, décida Photin, réconforté.

*

Ne disposant encore que d'une connaissance super-
ficielle d'Alexandrie, César jugeait sa renommée justifiée. Oui, cette cité gérait d'énormes richesses et
méritait son qualificatif de « comptoir du monde » ;
tout s'y vendait, tout s'y achetait, et cette gigantesque
boutique abritait un nombre impressionnant de silos à
blé et d'entrepôts contenant des jarres de vin et d'huile,
des papyrus, des bijoux, et cent autres marchandises.
Les industries produisaient du verre, du papier, du
textile, des parfums, des poteries et des objets précieux.

À cause des guerres civiles, Rome, la puissante
Rome, souffrait de la faim ; l'Égypte n'était-elle pas
le grenier rêvé où César puiserait un blé abondant
qu'il offrirait à ses sujets ? En incorporant ce territoire
à la République, il apparaîtrait comme un bienfaiteur
et terrasserait les derniers partisans de Pompée dont
la capacité de nuisance n'était pas négligeable. La
gloire militaire ne suffirait pas pour conquérir l'élite
et le peuple de Rome ; César avait besoin d'argent et
de réussites économiques qui feraient de lui un chef
d'État incontesté. Et le vieux pays des pharaons lui
accordait une opportunité inespérée.

— Un notable désire vous parler, annonça Rufin.

— Les audiences sont terminées ; qu'il revienne
demain.

— Il se prétend porteur d'une proposition urgente.

— L'as-tu fouillé ?

— Bien entendu, il a l'air sérieux.

Se fiant à son instinct, César céda.

L'homme était carré et volontaire.

— Ton nom ?

— Antipatros, représentant de la communauté juive d'Alexandrie, à savoir le tiers de sa population.

Sans forfanterie, mais avec fermeté, Antipatros soutint le regard de César qui s'orna d'un demi-sourire.

— Un argument de poids, je le reconnais ; pourquoi cette visite ?

— J'irai droit au but : ma communauté ne supporte plus l'arrogance des Grecs. Nous travaillons dur, assurons leur prospérité et restons relégués au second rang ; aussi souhaitons-nous être respectés et acquérir davantage de droits.

— C'est à Ptolémée de décider.

— Ce petit roi n'est qu'un fantoche, manipulé par d'anciens domestiques devenus ministres ! En se vendant à Rome, son père, le flûtiste débauché, a brisé la dynastie qu'avait fondée Alexandre ; et cette bande de médiocres entraîne le pays à sa ruine. Son futur maître, c'est vous.

Un long silence s'instaura. Ou bien César renvoyait l'impudent, ou bien il acceptait la discussion.

— Me proposes-tu l'aide de la communauté juive ?

— En effet.

— À quelles conditions ?

— Respecterez-vous notre religion et nos coutumes ?

— Rome accueille toutes les croyances qui ne troublent pas l'ordre public et ne compromettent pas l'équilibre de la société.

— Nous accorderez-vous le statut de citoyens à part entière ?

— Pourquoi vous le refuserais-je ?

— Puis-je croire la parole d'un Romain ?

Le demi-sourire de César s'estompa.

— Oserais-tu en douter ?

— Offririez-vous votre confiance à un naïf ?

— Je satisferai tes exigences, Antipatros, à deux conditions : ne me mens pas et ne me déçois pas.

33

Alors qu'il semblait plongé dans un profond sommeil, Vent du Nord se dressa brusquement sur ses pattes et se dirigea vers les postes de garde, face à l'armée ennemie. « C'est pas bon, ça », marmonna le Vieux, lui aussi arraché à une sieste réparatrice ; en suivant son âne, il alerta des soldats assoupis, et Apollodore ne tarda pas à les rejoindre.

— Quelque chose se prépare.

— Rien ne bouge, constata le Sicilien.

— Vent du Nord ne se trompe jamais ; il est le premier à percevoir le danger.

— Là-bas, cria une sentinelle, un type seul !

Les archers bandèrent leurs arcs.

L'assaillant, un quinquagénaire bedonnant à la démarche hésitante, leva les bras en l'air.

— Il a l'air mort de trouille et désarmé, jugea le Vieux ; on pourrait peut-être lui demander ce qu'il veut, avant de l'abattre.

Apollodore acquiesça.

Le bonhomme était en nage et peinait à s'exprimer.

— Je suis porteur d'un message destiné à la reine Cléopâtre.

Le Vieux fouilla lui-même le diplomate et Vent du Nord le renifla, sans manifester d'animosité.

— Suis-moi, ordonna le Sicilien.

*

La reine lisait un étrange document que lui avait laissé Hermès ; il évoquait les mutations de l'âme, capable de devenir oiseau, feu, vent, étoile, et se terminait par : « Le fait de naître n'est pas la vie, mais la conscience. » Cléopâtre aurait aimé revoir le mage et lui poser mille questions ; nul ne saurait retenir cet être-là, insaisissable comme le souffle créateur. Leurs chemins se croiseraient-ils à nouveau ?

— Majesté, voici un messager, annonça Apollodore, serrant le poignet de l'émissaire, lequel s'inclina.

— Qui t'envoie ?

— Le régent Photin, sur l'ordre de Jules César ; le Romain désire vous voir.

— S'est-il entretenu avec Ptolémée ?

— En effet, Majesté, et il juge indispensable de vous entendre afin d'entamer un processus d'apaisement et de réconciliation. J'ai la charge de vous procurer un bateau qui vous conduira de Péluse à Alexandrie ; son équipage, restreint, sera composé de marins dépourvus d'armes, et votre garde rapprochée vous accompagnera. Ainsi votre sécurité sera-t-elle parfaitement assurée.

— Proposition alléchante, estima Cléopâtre ; quand ce bateau sera-t-il à ma disposition ?

— Dès demain ; César est impatient de vous rencontrer.

— Fais le nécessaire.

Apollodore ramena l'émissaire à la sortie du camp.

Le bonhomme s'éloigna en hâte et le Sicilien retourna à la tente de la reine.

— Majesté, c'est un piège ! César et Ptolémée vous font miroiter un accord impossible.

— Je n'en doute pas un instant ; ce bateau sera attaqué entre Péluse et Alexandrie, et les naufrageurs auront reçu l'ordre de m'exécuter.

Le Sicilien fut soulagé.

— L'essentiel, Majesté, est de préserver votre vie. Je vous propose de disloquer cette armée de fortune et de choisir un petit nombre d'hommes sûrs qui vous escorteront vers le nord ; une principauté vous accordera le droit d'asile, et vous serez hors de portée de vos ennemis.

C'était la meilleure issue à cette guerre perdue, mais la reine parut dubitative.

— J'ai encore besoin d'un peu de réflexion, Apollodore.

— Toute attaque est devenue impossible, Majesté ; puisque vous ne monterez pas sur ce bateau, César sera furieux, et ses légionnaires se joindront aux troupes d'Achillas pour vous écraser. À quoi servirait ce massacre ? Soyez raisonnable, je vous en supplie, le temps presse !

— Laisse-moi.

Le Sicilien n'était pas complètement rassuré ; rebelle, la jeune femme entretenait d'ultimes et vains espoirs. Le rôle de son chambellan consistait à les dissiper. L'intelligence de la reine la conduirait à regarder la réalité en face et à sauvegarder son avenir, fût-il décevant ; à son âge, on n'avait pas envie de mourir.

*

L'émissaire avait vieilli de dix ans et perdu plusieurs kilos. Habitué au luxe et à l'atmosphère feutrée du palais royal, il avait cru sa dernière heure arrivée en s'approchant du camp de Cléopâtre ; n'ayant jamais manié une arme et détestant les militaires, il avait vécu le pire moment de son existence ! Mais on ne désobéissait pas à l'eunuque Photin, sous peine d'être démis de ses fonctions, voire de disparaître de façon brutale.

Le chef du gouvernement le reçut dans son vaste bureau, à l'abri des oreilles indiscrètes.

— Résultat ? questionna Photin, agressif.

— Excellent, seigneur, excellent ! La reine Cléopâtre accepte votre proposition.

— Félicitations, mon ami ; as-tu observé son camp ?

— Une véritable horreur ! Des tentes misérables, des brigands d'origines diverses, des odeurs de cuisine, des hommes grossiers aux paroles vulgaires, un vacarme insupportable dû à l'entraînement de ces soudards… Un ramassis de déchets.

— La reine t'a-t-elle paru en bonne santé ?

— Elle est toujours aussi belle et séduisante.

— Prends un peu de repos, mon ami, puis prépare ton bref déplacement à Péluse et ramène-nous Cléopâtre ; tu auras bien mérité ta récompense.

L'émissaire n'osa pas demander de précisions : promotion, somme d'argent ou les deux ?

— Je ne sais comment vous remercier, seigneur !

« En disparaissant », pensa Photin, qui avait omis de dire à cet imbécile qu'il périrait lors de l'assaut du bateau de Cléopâtre ; il ne subsisterait pas un seul témoin de l'heureux événement mettant un terme à la dissidence de la sorcière. Ce problème réglé, demeurait l'épineuse question financière posée par César. Le Romain ordonnait, mais il ne connaissait pas Photin ; toucher à sa bourse le rendait plus féroce qu'un fauve.

34

Alexandrie semblait calme, aucune patrouille romaine n'avait été attaquée au cours de la nuit ; cependant, César ne se faisait pas d'illusions. Une bonne partie de la population lui conservait son hostilité ; et il devait à l'intervention du juif Antipatros la quiétude régnant dans le quartier du Bruchion où les légionnaires s'étaient installés. Les équipages des navires restaient en alerte permanente, redoutant que le port se refermât comme une nasse.

L'appui de la communauté juive lui procurait une aide inattendue, mais serait-elle durable ? Rien à redouter du petit Ptolémée, enfant perdu, incapable de porter le poids d'une couronne ; en revanche, ses deux conseillers, Théodote et Photin, étaient de redoutables manipulateurs attachés à leurs pouvoirs et à leurs privilèges. À Rome, César les aurait écrasés du talon ; sur leur terre, ils avaient la capacité de l'abattre.

À tout moment, la situation pouvait dégénérer, et les légionnaires, malgré leur courage, n'endigueraient pas le flot d'une foule déchaînée. Jamais César n'avait été aussi fragile, exposé à un destin qu'il ne maîtrisait pas ; tant de chemin parcouru, tant d'épreuves surmontées pour aboutir à cet élégant pavillon, une prison dorée, un mouroir… Non, les dieux ne lui infligeraient pas une telle humiliation !

L'*imperator* contempla son cachet à l'effigie de Vénus, sa céleste protectrice ; amant comblé, grand amateur de femmes, il n'avait pourtant pas rencontré l'amour, trop occupé à guerroyer et à conquérir le pouvoir. Au fond, peu importait ; seule comptait la grandeur de Rome que l'obstination de Pompée, manquant d'une vision d'avenir, avait mise en péril.

De ses voyages et de ses guerres, César avait retenu une leçon : la nécessité de fonder un empire qui imposerait la paix aux pays conquis et les rendrait prospères. Le succès de cette entreprise colossale impliquait l'annexion de l'Égypte aux richesses prodigieuses et si mal gouvernée. En l'attirant ici, Pompée lui avait ouvert un horizon insoupçonné.

Rufin interrompit sa méditation.

— Photin souhaite vous voir.

— Qu'il entre.

L'eunuque affichait une mine aimable.

— Vos souhaits seront bientôt exaucés, affirma-t-il, onctueux, et je me félicite de notre bonne entente ; mon pays aspire à la tranquillité, et je vous sais gré de contribuer à la rétablir. Hélas ! la tâche ne s'annonce pas facile ! Cléopâtre a fait exécuter notre émissaire, signifiant son refus de vous rencontrer et son désir de combattre.

César ne cacha pas sa contrariété.

— Cette jeune reine est devenue folle, ajouta Photin ; elle veut régner seule et répandre le chaos. Si nous ne lui brisons pas les reins, sa bande de brigands causera de graves dégâts.

— Avons-nous épuisé toutes les ressources de la diplomatie ?

— Ne songez surtout pas à envoyer un ambassadeur romain ! Le malheureux serait massacré. L'affrontement me semble inévitable, mais le général Achillas, militaire valeureux et compétent, évitera un désastre, et cette période difficile aura une issue favorable. Du moins à condition de ne pas plonger Alexandrie dans la misère ! Et vous serez l'auteur de cette catastrophe, si vous maintenez vos exigences financières, tellement excessives ! En tant que ministre des Finances et de l'Économie, je contrôle l'agriculture et l'artisanat, veille à la rentrée des impôts et des taxes, me vante d'une gestion rigoureuse et ne me sens pas redevable de dix-huit millions de deniers !

— C'est pourtant le cas, trancha César ; l'Égypte doit assumer les engagements du roi défunt, sous peine de provoquer la colère de Rome.

Le visage de l'eunuque se congestionna.

— Entre responsables, ne pourrait-on rechercher un arrangement ?

— Je t'en propose un : dix millions de deniers sur-le-champ, et je te fais grâce du reste.

L'eunuque prit le temps de la réflexion.

— L'Égypte est un royaume ancien, ses traditions sont complexes ; sauf votre respect, un Romain ne saurait en comprendre la totalité des aspects. Pompée est mort, mais ses partisans sont encore nombreux et continueront à vous barrer la route ; séjourner trop longtemps ici vous conduira à votre perte.

César demeura impassible.

— Disposerais-tu d'informations concernant mes adversaires ?

— En Orient, les rumeurs circulent vite ; votre victoire, à Pharsale, n'était qu'une étape. La conquête
définitive de Rome est plus lointaine que vous ne
l'imaginez ; à Alexandrie, vous perdez votre temps.

— Et mes dix millions de deniers ?

Photin eut l'air contrit.

— Je vous ai offert la tête de Pompée... Ne valait-
elle pas cette somme ?

— Je t'ai accordé une importante remise, et c'est
mon dernier mot.

L'eunuque passa l'index sur ses lèvres.

— Cette transaction est coûteuse, très coûteuse...
Néanmoins, je suis prêt à l'accepter.

— À quelle condition ?

— Vous quittez immédiatement l'Égypte et, quand
vous serez de retour à Rome, je vous enverrai ces
deniers. Là-bas, ils vous seront utiles pour asseoir
votre influence.

Le long silence de César était approbateur, et l'eunuque se félicita de ses talents de négociateur. En fin
de compte, le plus glorieux des héros avait son prix.

Lentement, l'*imperator* se leva.

Son regard exprimait une telle violence que Photin
recula d'un pas ; soudain, le Romain ressemblait à
un géant.

— Toi, un domestique, tu oses dicter sa conduite
à César et lui tracer son chemin en l'achetant comme
le dernier des voleurs ! Ton impudence et ta veulerie
n'ont pas de limites, et tu t'es cru capable de me
manipuler.

Les lèvres de l'eunuque tremblotèrent.

— Je... je ne voulais pas...

— En m'insultant, tu as insulté Rome, et je ne

l'oublierai pas ; tu paieras ton dû, Photin, assureras la subsistance de mes légionnaires et ne prendras aucune initiative sans m'avertir. Sois persuadé de mon mépris et ne m'accable pas de tes pitoyables conseils.

35

Loin d'Alexandrie la Grecque, Dendera accueillait le soleil naissant d'une belle matinée d'automne ; Hathor, la grande prêtresse de la déesse qui lui avait donné son nom, s'était levée avant l'aube pour célébrer, au nom de Pharaon, le rite primordial, celui de l'éveil en paix de la puissance divine au cœur de son sanctuaire. Encensée, ointe, vêtue, nourrie de l'énergie subtile des aliments, la statue divine répandrait la lumière victorieuse des ténèbres.

Et ce matin-là, la supérieure des prêtres et des prêtresses de Dendera ressentit une émotion particulière ; depuis le début de la construction du nouveau temple, qui serait d'une taille remarquable, le maître d'œuvre et ses équipes d'artisans avaient travaillé d'arrache-pied, inspirés par Hathor, souveraine des étoiles. L'édifice croissait beaucoup plus vite que prévu, sous le regard admiratif des habitants de la province, heureux de voir s'édifier une somptueuse demeure de pierre où résiderait leur divinité protectrice.

Les devoirs de la sexagénaire étaient écrasants ; grâce au nombre de salles terminées, elle pouvait organiser le quotidien d'un personnel abondant et qualifié, allant des servantes et des serviteurs de la déesse, cercle restreint apte à contempler ses mystères, aux desservants occasionnels chargés d'entretenir le temple et de préserver les objets rituels. Tous devaient savoir lire et écrire, et prêter le serment de respecter une Règle impliquant rectitude et dévouement. À la supérieure d'organiser la rotation des équipes et d'assurer au mieux l'exécution des tâches, grandes et petites.

Le rôle du temple ne se limitait pas à ses fonctions rituelles et sacrées ; il abritait aussi une école, un dispensaire et un centre d'assistance aux pauvres. Les prêtres devenaient souvent écrivains publics et rédigeaient, à l'intention des illettrés ou des gens simples, les contrats de vente, d'achat, de prêt et de mariage. Autour du sanctuaire se déployait une intense activité économique, créatrice d'emplois ; paysans, bouchers, pêcheurs, boulangers, brasseurs et artisans se réjouissaient de la présence de ce centre de vie unissant le ciel à la terre.

À l'heure du déjeuner, le maître d'œuvre proposa à la supérieure de partager son repas. Le bâtisseur n'était pas bavard ; intransigeant, respecté et admiré, il tenait tête aux autorités administratives et faisait preuve d'une capacité de travail hors du commun.

— Les nouvelles en provenance d'Alexandrie ne sont pas bonnes, révéla-t-il ; la capitale est au bord de la guerre civile, les armées de Cléopâtre et de Ptolémée sont sur le point de s'affronter près de Péluse. Ni l'un ni l'autre ne semblent prêts à partager le pouvoir, et je ne suis pas certain, cette fois, que la médiation des Romains aboutira. Les prochains courriers nous en apprendront davantage.

— Le financement des travaux serait-il menacé ? s'inquiéta Hathor.

— J'avais pris mes précautions en soumettant mes devis au stratège dont dépend notre province et en acheminant la quasi-totalité des matériaux ; quelle que soit l'issue du conflit entre Ptolémée et Cléopâtre, nous achèverons ce temple. Une seule difficulté à l'horizon : l'administration grecque pourrait refuser de verser les salaires de mes artisans.

— Ce serait une catastrophe !

— Ne vous souciez pas, je me débrouillerai.

— Le temple fournirait les nourritures et le logement, promit la supérieure, et la population nous soutiendrait.

— Je consulterai les autorités et les convaincrai de ne pas commettre une stupidité, précisa le maître d'œuvre ; le bon fonctionnement d'un temple de cette envergure est une source de profits, puisque les Grecs ne cessent d'inventer des taxes et de les empiler. Ils ont tout intérêt à l'achèvement de Dendera qu'ils accableront d'impôts.

— La déesse nous aidera à surmonter cette épreuve-là, estima la supérieure en souriant. Qui, de Ptolémée ou de Cléopâtre, nous serait le plus favorable ?

— Un Grec et une Grecque... Ils se cantonnent à Alexandrie, ne connaissent rien à l'Égypte et ne s'intéressent qu'à la prospérité de leur luxueuse capitale. Un jour, les paysans se révolteront. Trop de misère, trop d'injustice, trop de mépris... L'âge d'or de notre pays est bien loin.

— Néanmoins, tu bâtis un temple digne des

ancêtres, un être vivant qui rayonnera au-delà de nos existences.

Un instant, le pessimisme du maître d'œuvre se dissipa.

— Vous nous faites croire que tout est toujours possible, supérieure, et que reviendra le temps où l'épine ne piquait pas et le serpent ne mordait pas.

— Le temple ne ressuscite-t-il pas chaque jour la « Première Fois », la célébration des rites ne nous situe-t-elle pas à l'origine de la création, la pratique des mystères ne nous permet-elle pas de communier avec les dieux ?

Le maître d'œuvre regarda le ciel.

— Lorsqu'il faudra graver le nom d'un pharaon sur les murs de ce temple, ne laisserons-nous pas un vide ?

— Nous avons la chance de vivre la Règle transmise sans altération depuis la première dynastie, rappela la supérieure ; l'institution pharaonique demeure intacte, même si son représentant terrestre en est indigne. En construisant ce temple à l'aide de pierres vivantes, tu œuvres à l'image de tes pères ; et tu les couvriras des signes sacrés révélant nos rites et nos mythes, ces paroles des dieux qui transmettent la véritable connaissance. Nous disparus, elles continueront à diffuser leur message.

En retournant à son chantier, le maître d'œuvre eut le sentiment de sortir de son époque et de mettre ses pas dans ceux des anciens bâtisseurs. Dendera lui apparut comme la colline primordiale, issue de l'océan d'énergie, sur laquelle la vie avait pris forme. Il ne façonnait pas un simple monument, mais le réceptacle de la puissance lumineuse qui recréait le monde à chaque instant.

Le chant des outils le réconforta ; ses artisans avaient conscience de livrer un combat essentiel, destiné à préserver le trésor légué par les sages. Leur main était l'expression accomplie d'une spiritualité remontant à l'âge d'or des pyramides, ils étaient encore capables de transformer la matière en clarté.

C'était à une femme d'exception, cette supérieure à l'apparence fragile, que les bâtisseurs devaient ce miracle ; son inébranlable détermination avait suscité l'intervention de la déesse, et nul n'entraverait l'édification du temple.

36

Photin cessait enfin de vomir tripes et boyaux, reprenant difficilement sa respiration ; ses serviteurs s'empressèrent d'ôter les linges souillés et de parfumer la chambre, pendant que l'eunuque se plongeait dans un bain brûlant.

Théodote s'approcha.

— Est-ce César qui t'a rendu malade ?

— Jamais je n'avais été traité de la sorte ! Une minute de plus, et je vomissais sur sa toge, tellement il m'a retourné l'estomac… Ce Romain est une brute de la pire espèce, un fauve assoiffé de pouvoir et d'argent !

— As-tu quand même négocié ?

— Il ne descendra pas en dessous de dix millions de deniers et les exige sur-le-champ.

La glotte du précepteur s'agita.

— Ce serait de l'extorsion !

— Pas question de céder à ce voleur, affirma Photin.

— Il dispose d'un document officiel… En s'engageant, Ptolémée le flûtiste nous a condamnés à la ruine !

— César se croit en terrain conquis, il se trompe ; entre lui et nous, la guerre est déclarée. Et nous possédons deux avantages majeurs : le nombre et le terrain.

— Méfions-nous de ce général, recommanda Théodote ; il me semble particulièrement retors, et le cas de Cléopâtre n'est pas résolu.

— Il le sera demain ! Ensuite, nous nous occuperons de César.

— Comment comptes-tu agir ?

— En pourrissant son existence et celle de ses légionnaires, de manière à le contraindre à quitter l'Égypte. Il n'a pas assez de soldats et de marins pour s'emparer d'Alexandrie et devra tôt ou tard accepter l'évidence. Nous lui préparerons un retrait honorable et promettrons un paiement étalé ; s'il s'obstine, nous lui réserverons de mauvaises surprises et, tout *imperator* qu'il est, nous réussirons à l'user !

Cette stratégie ne déplut pas à Théodote ; Photin le pataud ne manquait pas d'intelligence, et ses ruses perceraient peut-être la cuirasse d'un militaire trop confiant en sa force.

*

En furie, la jeune Arsinoé força la porte des appartements du petit Ptolémée, occupé à jouer aux dés avec l'un de ses domestiques qui prenait soin de laisser gagner le gamin, volontiers colérique.

— Je dois te parler !

— Tu m'ennuies.

— C'est sérieux, très sérieux !

Ptolémée jeta les dés.

— Tu as encore perdu, reprocha-t-il à son partenaire, tu joues si mal ! Va-t'en, et toi aussi, Arsinoé.

— Moi, je reste.

— Je suis le roi, et mes désirs sont des ordres !

Le domestique s'éclipsa.

L'adolescente croisa les bras et considéra son petit frère d'un œil ironique.

— Tant que Cléopâtre vivra, tu seras son valet.

Le gamin sursauta.

— Tais-toi, tu es laide et stupide !

— Mais je dis la vérité ; quand toi et tes conseillers vous déciderez-vous enfin à la supprimer ?

Ptolémée adopta un air grave.

— Ce qui est décidé est décidé.

Un large sourire illumina le visage ingrat de la jeune fille.

— Merveilleux… C'est merveilleux ! Alors, je serai ta reine !

— Que racontes-tu ?

— Seul un couple peut régner, et tu m'épouseras.

— Non, non… Je ne veux pas !

— Tu m'épouseras et nous régnerons.

*

Proie d'insupportables aigreurs, les nerfs à vif, Aqaby s'était précipité chez sa prostituée préférée qui officiait dans un lupanar de la banlieue nord d'Alexandrie. Une matrone dirigeait l'entreprise d'une main de fer et discutait âprement le montant des taxes que lui imposait l'État. Elle appréciait le juif Aqaby, client régulier et bon payeur ; nerveux de nature, il paraissait surexcité en franchissant le seuil de l'établissement.

— Calme-toi, mon garçon ; bois une coupe de vin, je vais te chercher ta grande amie. Ah… d'abord l'argent.

Aqaby paya son dû et se passa de préliminaires. Après l'humiliation infligée par Antipatros, il avait besoin d'évacuer un trop-plein de hargne afin de recouvrer sa raison.

L'experte la lui redonna, et le vent frais de la nuit acheva de revigorer le petit homme joufflu ; comment supposer que l'ambitieux Antipatros tenterait un tel coup de force et que l'Ancien des anciens sortirait de sa torpeur pour lui offrir son accord ?

La parole du maître de la communauté ne se discutait pas, et les juifs d'Alexandrie allaient commettre une erreur fatale en se mettant au service de César ; le peuple détestait cet envahisseur, et ceux qui le soutiendraient subiraient ses foudres. Confronté à cette folie, Aqaby devait tenter de sauver les siens en avertissant les autorités grecques. Dénoncer Antipatros, son coreligionnaire… Un acte méprisable, un risque énorme qui lui vaudrait une condamnation de l'Ancien. Tuer l'insensé de ses propres mains ? Il n'en aurait pas le courage et redoutait la force physique de son adversaire. Remâcher sa rancœur et assister, passif, aux manœuvres d'Antipatros entraînant les juifs vers l'abîme ? Non, ce serait une faute impardonnable !

Avertir le gouvernement grec, mais de quelle manière ?

En approchant de la synagogue où avait eu lieu le grand conseil, Aqaby eut une idée. Porte-parole de l'Ancien des anciens, il était autorisé à utiliser le sceau du vieillard dont il rédigeait la correspondance officielle, soumise au contrôle de son secrétaire. Et ce sceau était conservé dans un coffre de la synagogue auquel Aqaby avait accès.

37

Des rumeurs contradictoires circulaient ; les uns parlaient d'une attaque imminente, les autres d'une dispersion des effectifs, à cause de l'offensive conjointe des soldats de Ptolémée et de César. Pourquoi Cléopâtre ne s'exprimait-elle pas ? Personne ne manquant de rien, et la bière coulant à flots grâce à l'excellente gestion du Vieux, l'optimisme prévalait. Achillas n'avait-il pas renoncé à lancer l'assaut ? Voilà bien la preuve que l'armée de Cléopâtre, formée de gaillards rudes et courageux, effrayait le général grec !

Éméché, un ex-esclave entonna un chant grivois de sa lointaine province, la Gaule cisalpine, et ses compagnons le reprirent en chœur. « Au moins, pensa le Vieux, l'ennemi constatera le moral des troupes ! »

— La reine désire te voir, dit Apollodore en lui tapant sur l'épaule.

— Moi, à cette heure-là ? J'ai envie de dormir !

— Suis-moi, le Vieux.

Les deux hommes enjambèrent des assoupis et des avinés pour atteindre la tente de Cléopâtre où régnait une senteur de jasmin. Inlassable, rêvant d'une propreté absolue, Charmion nettoyait nuit et jour.

Le Vieux appréciait le caractère indomptable de cette jeune souveraine, mais ne doutait pas de son échec ; cette folle équipée se terminait, l'armée serait dissoute et le calme reviendrait à Alexandrie.

— J'ai une nouvelle tâche à te confier, annonça la reine.

— À moi, vous êtes sûre ?

— Après mûre réflexion, je te considère comme l'homme de la situation.

Le Vieux redouta le pire et ne fut pas déçu.

— En mon absence, que j'espère brève, tu seras mon interprète auprès de mes soldats.

— J'en suis incapable, Majesté !

— Au contraire, tu t'es imposé au fil des jours, et ces mercenaires te respectent ; en cas de nécessité, rassure-les et annonce mon retour imminent, avec d'excellentes nouvelles et une solde augmentée.

Le Vieux baissa la tête.

— Et si… Vous ne reveniez pas ?

— Tu n'auras à tenir qu'un ou deux jours ; ensuite, impossible d'éviter la débandade.

— Cela signifierait…

— Ma mort.

— J'ignore ce que vous comptez faire, Majesté, mais n'existerait-il pas une solution moins dangereuse ?

— Malheureusement non.

— Le Sicilien ne serait-il pas plus efficace que moi ?

— J'ai besoin d'Apollodore et, à part lui et ma servante Charmion, tu es le seul en qui j'ai confiance.

« Et ça tombe encore sur moi, pensa le Vieux ; je n'aurais jamais dû quitter mon village natal. »

— J'agirai au mieux, promit-il, avant de se retirer et d'avertir Vent du Nord.

Les prochaines heures risquaient d'être chaudes.

Bras croisés, attentif, Apollodore ne s'était pas permis d'intervenir pendant ce stupéfiant entretien ; maintenant, il désirait comprendre. Charmion était muette d'inquiétude.

— Puis-je connaître votre nouvelle stratégie, Majesté ?

— Rencontrer César, lui dire la vérité et le persuader de la justesse de ma cause.

Apollodore et Charmion en restèrent bouche bée.

— Ce général romain est devenu l'allié de Ptolémée, rappela le Sicilien, et vous ne parviendrez pas jusqu'à lui ! Les séides de Photin attendent cette démarche pour vous assassiner.

— Exact, reconnut Cléopâtre.

— Puisque vous l'admettez, intervint Charmion, inutile de tenter cette folie !

— J'ai trouvé un moyen d'éviter les assassins et de me présenter devant César. Une barque et tes bras me suffiront, Apollodore ; si tu acceptes, nous regagnons Alexandrie cette nuit même.

Le Sicilien crut avoir mal entendu.

— Nous serons interceptés, nous…

— Le ciel est sombre, les nuages nombreux, tu connais le parcours à la perfection et nous savons comment entrer au palais.

— Sauf votre respect, Majesté, ce projet me paraît dément !

— Partons-nous ?

Charmion s'effondra en pleurs, Apollodore se versa une coupe d'alcool de dattes.

*

Aqaby pénétra dans la synagogue endormie et, à pas feutrés, se dirigea vers le local où étaient conservés les doubles de la correspondance de l'Ancien des anciens et son précieux sceau. Nerveux, il ouvrit le coffret ; rédiger une missive en imitant l'écriture du vieillard serait un jeu d'enfant, et la présence du sceau lui conférerait une valeur officielle. Accusé de complot contre le conseil de régence, Antipatros serait arrêté et exécuté, la communauté juive sauvée.

La lueur d'une lampe alerta Aqaby qui se retourna et découvrit l'Ancien des anciens, peinant à tenir debout en s'appuyant sur une canne.

Figé, serrant le sceau entre ses mains, le petit homme joufflu n'osait pas regarder son maître en face.

— Pourquoi ce vol, Aqaby ?

— Je… je dois empêcher un désastre.

— Aurais-tu décidé d'intervenir à ma place ?

— Vous… Vous ne comprenez pas la situation !

— En te substituant à moi et en abusant de mon nom, tu t'apprêtes à dénoncer Antipatros au gouvernement grec. As-tu conscience de l'envoyer à la mort ?

— C'est indispensable !

— Qui pourrait te pardonner un tel crime ?

Les joues d'Aqaby tressaillirent ; jamais il n'avait imaginé être contraint de supprimer l'Ancien des anciens ; hélas ! le vieillard, en le surprenant, ne lui laissait pas le choix ! Il fallait le réduire au silence.

— Je suis désolé, je…

— Tu veux me tuer, moi aussi ?

— Me jurez-vous de vous taire ?

— Ce serait une lâcheté qui ne modifierait pas ta décision.

Aqaby abandonna le sceau et s'approcha, prêt à étrangler le vieillard.

— Ce sera rapide, ne tentez pas de résister.

— Je n'en aurais pas la force.

— Pardonnez-moi, je…

— Le Mal s'est emparé de toi, et tu n'échapperas pas au châtiment !

Aqaby hésita.

— Désolé, vraiment désolé…

— Quel démon te ronge l'âme ? Tu ne mérites plus de vivre.

Incapable de fuir, l'Ancien des anciens affichait une sérénité étonnante. Le terme de « châtiment » résonna dans la tête de son agresseur et l'obligea à reculer.

— Tu n'es qu'un vieillard !

— Lui, non.

— Lui…

Une seconde lampe frappa l'œil d'Aqaby.

À sa gauche, un homme de grande taille, au crâne rasé, au visage sévère creusé de rides profondes, vêtu d'une tunique ocre.

— Qui es-tu ?

— Sors de cette communauté que tu as trahie, ordonna Hermès, éloigne-toi d'Alexandrie et n'y reviens pas.

Le ventre en feu, Aqaby était incapable de réfléchir ; en supprimant ses deux ennemis, il sortirait de l'ornière. Aussi se rua-t-il sur son principal adversaire. Lui éliminé, le vieillard serait une proie facile.

Des paumes d'Hermès jaillit un rayon de lumière.

Frappé en plein cœur, le traître écarta les bras, tangua quelques instants, et s'écroula, foudroyé.

38

En cette nuit du sept octobre – 48, le vent était favorable et Apollodore le Sicilien sut l'utiliser pour raccourcir la durée du trajet séparant Péluse d'Alexandrie. Excellent marin, il prit plaisir à manœuvrer la voile d'une solide barque où Cléopâtre, impassible, se préparait à affronter son destin. Hermès aurait-il désapprouvé cette initiative ? Son absence prouvait le contraire. S'il avait considéré cet acte insensé, il serait intervenu.

D'un côté, la mer, immense, indéchiffrable, aux pulsations ininterrompues, pourvoyeuse de liberté ; de l'autre, la côte égyptienne, celle d'un pays que la reine désirait conquérir. Elle, seule face au plus puissant des Romains, allié de Ptolémée et de sa clique dont l'objectif prioritaire était de la détruire.

Tout aurait dû être si simple… Elle, la septième des Cléopâtres, symboliquement mariée au treizième des Ptolémées, de manière à former un couple royal régnant sur une ville opulente, aux richesses supérieures à celles de Rome ! La jeune femme aurait pu se contenter d'une existence fastueuse, une cohorte de serviteurs satisfaisant ses moindres désirs. Entourée d'amants empressés à vanter ses charmes, la reine aurait goûté mille et un plaisirs, partageant son temps entre de brèves liaisons, d'agréables promenades et la lecture d'ouvrages littéraires et scientifiques, sans oublier les banquets et les longues soirées qu'animaient chanteurs et danseurs.

Tranquilles et luxueuses, les années se seraient écoulées ; pourquoi Cléopâtre avait-elle eu le désir d'exercer le pouvoir ? D'instinct, elle s'était lancée dans cette aventure, ignorant qu'elle détruisait un avenir riant ; pourtant, elle ne regrettait rien, puisqu'elle avait découvert une autre réalité qu'occultait le théâtre d'Alexandrie. En elle s'était éveillé le souvenir d'une Égypte millénaire, aux trésors insoupçonnés ; les découvrir impliquait de remplir sa fonction de reine, quelles que fussent les circonstances.

Elle connaissait la faiblesse du petit Ptolémée, la veulerie de son précepteur Théodote et la perfidie de l'eunuque Photin ; mais qui était Jules César ? Un général ivre de batailles, un conquérant impitoyable, un ambitieux dépourvu de scrupules ? Le voile se lèverait si elle parvenait à lui parler.

— Bateau en vue, Majesté ; cachez-vous !

Hostile à cette expédition insensée, la servante Charmion avait étalé un tapis moelleux au fond de la barque et disposé quantité de tissus, afin d'assurer à sa maîtresse un minimum de confort pour ce dernier voyage. Persuadée de ne jamais revoir Cléopâtre, Charmion lui avait longuement embrassé les mains ; quand elle apprendrait la mort de sa maîtresse, la servante mettrait fin à ses jours.

Cléopâtre s'allongea et se recouvrit de plusieurs étoffes tandis que le Sicilien, adoptant l'attitude d'un simple pêcheur, tentait de voguer au large d'un bâtiment à l'ancre. Navire de guerre ou cargo ? Pas d'archers, une simple vigie qui se contenta d'observer le déplacement nocturne de cette barque. Prudent, malgré la présence du phare, le capitaine du bateau de commerce n'entrerait au port qu'au lever du soleil.

— Pas de danger, indiqua le Sicilien.

La reine se dégagea et contempla à nouveau la mer, d'un calme rassurant. Combien d'alertes semblables se produiraient-elles ? Seule une embarcation de taille modeste, longeant la côte de près, pouvait passer inaperçue et se glisser jusqu'au débarcadère du palais royal. Encore fallait-il ne commettre aucune erreur de navigation, échapper à d'éventuels guetteurs et accoster un endroit discret en échappant aux gardes ; autrement dit, une série de privilèges que même les dieux bienveillants n'accordaient pas aux mortels.

— Majesté, désirez-vous continuer ?

— En doutais-tu ?

Le Sicilien aimait naviguer ; il avait fait ses premiers pas sur un bateau et ne redoutait ni les vagues ni le gros temps. Un homme normal aurait été angoissé ; lui appréciait cette escapade nocturne, la voix du vent et les senteurs de la mer. Cléopâtre le fascinait ; les épreuves n'entamaient pas sa détermination, et sa jeunesse ne la privait pas de maturité. Fût-elle née dans une étable, elle aurait été reine. Croiser le chemin d'un être exceptionnel était un privilège qu'Apollodore n'entendait pas gaspiller ; mieux valait mourir au service d'une femme de cette trempe que périr de médiocrité.

Les heures s'écoulèrent, nonchalantes, effaçant les

craintes ; la souveraine déchue et son chambellan ne dominaient-ils pas le monde ?

Au loin, des lueurs.

— Nous approchons d'Alexandrie, Majesté.

— Déjà…

— Je ramène la voile et j'utilise les rames.

Les dieux leur sourirent. Contournant le cap Lochias, la barque s'insinua entre une jetée et des récifs afin de rejoindre le port des galères royales. Tous les sens en alerte, Apollodore redoutait une intervention de la police maritime.

Nul incident ne se produisit, et le Sicilien accosta l'extrémité du quai, déserte et obscure. Étonné de ce succès, il eut l'impression de sortir d'un songe.

— Les gardes du palais nous arrêteront, Majesté ; ne forçons pas notre chance.

— Nous ne sommes pas venus ici pour nous cacher !

Soudain désemparé, Apollodore lâcha les rames.

— Alors, que souhaitez-vous ?

— Enveloppe-moi dans les tissus et le tapis ; tu me porteras sur l'épaule et présenteras ce fardeau comme un cadeau destiné à César.

— Majesté… L'échec est assuré !

— Dépêche-toi.

Cléopâtre s'étendit sur les étoffes, le Sicilien l'en recouvrit, puis roula le tapis autour d'elle et ferma son précieux paquet avec une courroie.

Certain d'être au mieux refoulé, au pire arrêté, il se dirigea d'un pas hésitant vers le premier poste de garde fermant l'accès au quartier des palais.

Deux soldats sommeillaient, le troisième l'interpella.

— Tu vas où, mon gars ?

— J'apporte un cadeau pour César.

— Ah, le Romain… Il a besoin de tapis, on dirait. Passe, et attends ; un domestique te conduira.

Stupéfait de franchir l'obstacle, Apollodore aborda un domaine qu'il connaissait bien, où le danger pourrait être mortel ; l'endroit pullulait de créatures inféodées au conseil de régence, et l'une d'elles dénoncerait le chambellan de la reine haïe.

Un personnage ventripotent le repéra.

— Apollodore ! Que fais-tu ici ?

Par chance, le cuisinier préféré de Cléopâtre était un ami de longue date.

— J'apporte un cadeau à César.

— Je te conduis au pavillon qu'il habite, dans le jardin du palais. Hâtons-nous ! Si l'une des créatures de Photin te reconnaît, tu es fichu. Veux-tu un coup de main ?

— Non, ça ira.

Les deux hommes pressèrent l'allure.

— Pourquoi cours-tu de tels risques ? s'étonna le cuisinier.

— Une promesse.

— Voilà, c'est là… Ensuite, rejoins-moi, je te cacherai et t'aiderai à t'enfuir.

Deux légionnaires gardaient l'entrée du pavillon ; leurs lances se croisèrent.

— Cadeau pour César, déclara Apollodore.

Les soldats observèrent le tapis.

— Ça améliorera le confort ! Suis-moi.

Au milieu de la nuit, César continuait à travailler ; grâce aux informations de son allié juif, Antipatros, il apprenait à connaître Alexandrie et avait assuré la sécurité de sa modeste armée.

Il leva les yeux, le Sicilien déposa le tapis.

— Qui m'envoie ce présent ?

Le Sicilien dénoua la courroie, déroula le tapis et ôta les étoffes.

Ébahi, César vit une jeune femme se relever avec grâce ; sitôt debout, elle contempla l'*imperator* d'un regard à la fois ferme et charmeur.

— Je suis la reine Cléopâtre, déclara-t-elle d'une voix envoûtante, et je suis heureuse d'honorer ton invitation.

39

Cléopâtre avait choisi une robe longue de lin royal d'une exceptionnelle finesse, presque transparent, qui voilait à peine un corps magnifique.

— Laissez-nous, ordonna César à Apollodore et au légionnaire.

Ce dernier protesta.

— Cette femme pourrait être dangereuse et...

— Dois-je répéter mon ordre ?

Le soldat et le Sicilien s'éclipsèrent.

À l'évidence, Cléopâtre ne dissimulait pas d'arme. Fasciné, César ne détachait pas les yeux de cette reine aux formes parfaites et au visage d'une rare détermination.

— Quelle langue parlerons-nous ? demanda-t-il en grec qu'il pratiquait depuis son enfance.

— Celle-là me convient.

— Tu en connais une dizaine, paraît-il ?

— Une vingtaine.

César se leva.

— Moi aussi, je suis heureux de te rencontrer, mais je ne m'attendais pas...

— Ptolémée et sa clique avaient décidé de m'assassiner pour empêcher cette entrevue.

Le Romain hocha la tête.

— Les mœurs de la cour d'Alexandrie sont plutôt brutales !

— Celles de Rome la conquérante le seraient-elles moins ?

César sourit. Grand amateur de femmes, il croyait avoir croisé tous les caractères et déchiffré l'ensemble des subtilités des filles de Vénus ; cette jeune souveraine, alliant vivacité d'esprit, culture et beauté, le surprenait. Le charme de sa voix était si prenant qu'il avait envie d'entendre ses déclarations, fussent-elles polémiques ; de plus, Cléopâtre osait l'affronter sans frémir et s'adresser à lui d'égale à égal. Déplaisante d'un certain côté, son attitude méritait attention et respect ; cette adversaire-là serait à sa mesure, et le Romain comprenait pourquoi la reine, farouche et séductrice, suscitait la haine du médiocre clan des Ptolémées.

— Après un voyage inconfortable, désires-tu un peu de vin ?

— Volontiers.

César remplit deux coupes et en offrit une à son hôte ; en s'approchant de Cléopâtre, il contint un frémissement et redouta que la jeune femme ne s'en aperçût.

— Soyons honnête : les crus égyptiens sont d'excellente qualité, et je compte les importer.

— L'Égypte te réserve bien d'autres surprises.

— Agréables, j'espère ! Asseyons-nous, veux-tu ?

Cléopâtre choisit des coussins disposés sur le lit de camp du général, ce dernier une simple chaise à croisillons.

La reine n'imaginait pas ainsi le plus redoutable des

guerriers romains. Certes, il avait un visage émacié, un nez cassé, des rides au front et au menton ; néanmoins, ses traits n'étaient pas ceux d'un militaire grossier. En dépit de sa robuste constitution, César apparaissait comme un homme élégant, à l'élocution soignée et à l'indéniable prestance. Aristocrate fier de sa lignée, il jouissait d'une dignité naturelle, jointe au don du commandement. C'était la première fois que Cléopâtre rencontrait ce genre d'homme et qu'elle éprouvait un sentiment étrange. Dangereux, impitoyable, ambitieux ? Sans aucun doute, mais tellement attirant !

« Éblouissante à voir, suave à entendre », pensa César, qui décida de se reprendre en abordant l'essentiel.

— Les dernières volontés de ton père, le douzième des Ptolémées, doivent être respectées, et je suis ici pour y veiller. En conséquence, le trône d'Égypte est partagé entre toi et ton frère, Ptolémée le Treizième !

Le Romain prévoyait une réaction violente ; Cléopâtre but un peu de vin.

— Je n'ai rien d'autre à demander.

— N'as-tu pas cherché à te débarrasser du petit Ptolémée ?

— C'est l'inverse qui s'est produit ! J'ai pris en main les affaires du royaume, car des réformes urgentes s'imposaient ; en agissant, j'ai déclenché la haine de trois valets de chambre ravis d'exercer le métier de ministre, l'eunuque Photin, le précepteur Théodote et le général Achillas. En formant un conseil de régence, ils espéraient me soumettre ; irrités de ma résistance, ils m'ont contrainte à l'exil et n'ont aujourd'hui qu'un seul but : ma disparition. Je suis de sept ans l'aînée du petit Ptolémée, j'en ai vingt et un, lui quatorze ;

et j'ai prouvé mes aptitudes à diriger et à surmonter l'adversité. Réunir une armée de mercenaires ne fut pas une partie de plaisir ; néanmoins, j'ai survécu, et les troupes de Ptolémée craignent d'affronter les miennes.

— Une guerre civile est toujours une désolation, estima César ; si je parviens à vous réconcilier, renonceras-tu à combattre ?

— J'y renoncerai. Et toi, renonceras-tu à t'emparer de mon pays ?

— Rome a besoin des richesses de l'Égypte, notamment de ses céréales, et je compte entretenir d'intenses relations commerciales avec un pouvoir fort et durable.

— Autrement dit, Ptolémée et moi.

— Telles sont les exigences de ton père défunt, telle est votre loi ; de son respect dépendra une paix profitable à tous.

— Ces paroles de sagesse me comblent ! Ma coupe est vide… Célébrons notre pacte.

César déboucha une amphore à la panse trapue et au col cylindrique ; elle contenait un vin rouge du delta à l'arôme remarquable.

— Selon Photin, tu aurais fait exécuter son émissaire.

— Il ment, objecta la reine ; si j'avais accepté de monter sur le bateau qu'il m'a envoyé, j'aurais été assassinée.

— Ce désastre ayant été évité, buvons aux noces de Rome et de l'Égypte !

L'*imperator* s'assit à la droite de la reine, à distance raisonnable.

— Aimais-tu ton père, Cléopâtre ?

— Je le détestais ! À cause de ses vices, l'Égypte s'est affaiblie ; et Rome prétend nous gouverner.

— Je suis Rome, et tes propos pourraient te coûter la vie.

— Toi aussi, tu souhaites ma mort ?

— Bien sûr que non !

— Ton attitude prouve le contraire… Alors, n'hésite plus ! Utilise ton épée, et frappe.

César se redressa.

— Me prendrais-tu pour un barbare ?

— N'es-tu pas l'allié de Ptolémée ?

— Tu te méprends, Cléopâtre ! J'ai rencontré Ptolémée et ses âmes damnées, Photin et Théodote.

— Et…

— Et je les méprise. Ce sont des vermines ; toi, tu es une reine.

Il lui saisit la main, elle ne la retira pas.

— Aux yeux de ton peuple, tu seras l'épouse de ton frère Ptolémée ; ton intelligence te permettra de dompter ce gamin et de régner à nouveau. Et je ne m'y opposerai pas.

— Le soutien de Rome… N'est-ce pas un piège fatal ?

— Disposerais-tu d'une meilleure solution ?

— Je veux restaurer la grandeur de l'Égypte et toi, l'étouffer !

Irrité, César s'écarta et tourna le dos à la souveraine.

— Regagne tes appartements, Cléopâtre.

— Je n'y serai pas en sécurité ; c'est ici que je passerai la nuit.

— À ta guise.

L'*imperator* consulta les rapports de ses patrouilles qu'avait rassemblés Rufin ; il devait oublier cette femme et ne s'attacher qu'à l'équilibre politique de l'Égypte.

— Ne m'abandonne pas, César.

Quand il se retourna, la reine était nue ; et la beauté lumineuse de cette jeune femme au cœur de feu éveilla un désir dont la puissance l'embrasa.

— J'ignorais l'emprise de l'amour, avoua-t-elle, et tu me l'imposes.

— J'ai cinquante-deux ans, Cléopâtre.

— La passion dépend-elle des années ?

— Éloigne-toi, je te prie.

Lentement, elle s'approcha, lui prit la main et la posa sur ses seins ; une main douce, fiévreuse, amoureuse.

40

En cette matinée du 8 octobre – 48, l'eunuque Photin était d'excellente humeur. D'abord, il avait retrouvé son appétit et dévoré un copieux petit déjeuner composé de céréales, de laitages et de fruits ; ensuite, il imaginait les dernières heures de Cléopâtre, affolée lorsqu'elle verrait son bateau attaqué par des pirates. Bientôt, la sorcière aurait définitivement disparu de la scène, et le conseil de régence déplorerait la mort brutale de la reine, due à des éléments incontrôlés que la police rechercherait activement. Et l'on montrerait leurs cadavres à César afin de lui prouver le bon fonctionnement de la justice.

Restait à former un pseudo-couple royal et, là encore, la chance servait le chef du gouvernement puisqu'il disposait de la princesse Arsinoé ; le petit Ptolémée lui avait appris que l'adolescente désirait régner et devenir son épouse, après l'élimination de Cléopâtre. L'opportunité était exploitable à condition d'encadrer cette peste au physique ingrat et d'empêcher tout débordement ; à quatorze ans, Ptolémée commençait à manifester des velléités de mâle qui réduiraient Arsinoé au silence. Se prenant pour un roi, il n'autoriserait pas sa sœur à s'exprimer et demeurerait un pantin entre les mains habiles de Photin, possesseur de la clé du vrai pouvoir : la gestion des finances.

L'eunuque alla chercher le gamin que ses domestiques coiffaient, parfumaient et vêtaient ; impatient, il tripotait un char miniature.

— Votre Majesté a-t-elle bien dormi ?

— Cléopâtre est-elle morte ?

— L'annonce officielle ne tardera pas, cette triste issue est inéluctable.

Ptolémée démonta son char et piétina les débris.

— Maintenant, débarrassons-nous de César et coupons-lui la tête, comme celle de Pompée !

— Une stratégie plus subtile s'impose, estima Photin ; ce tyran bénéficie d'une protection rapprochée et se méfie de nous.

— Je déteste ce Romain, je veux qu'il s'en aille !

— Rassurez-vous, il partira ; Théodote et moi réunissons les conditions nécessaires.

Porteur de textes poétiques vantant les charmes d'Alexandrie, le précepteur Théodote rejoignit l'eunuque et le souverain.

— L'étude est remise à cet après-midi, indiqua Photin ; une tâche urgente nous réclame : apprendre à César le décès de Cléopâtre et le mariage du roi avec Arsinoé.

Le gamin trépignait de bonheur, et son précepteur éprouva des difficultés à ajuster son diadème.

Plein d'entrain, le trio se dirigea vers le pavillon du jardin royal. À l'entrée, les gardes croisèrent leurs lances.

— Ignorez-vous qui nous sommes ? s'indigna Photin.

— Laissez passer, ordonna Rufin ; l'*imperator* attend le roi Ptolémée et ses conseillers.

À peine le seuil franchi, le petit monarque, l'eunuque et le précepteur se figèrent, stupéfaits.

Vêtu d'une élégante tunique rouge, assis à son bureau, César consultait des documents ; à sa gauche, la femme qui ôtait la ficelle fermant les rouleaux de papyrus n'était autre que… Cléopâtre !

Cléopâtre vivante, une lueur nouvelle dans le regard, aux côtés de l'envahisseur !

— Comment… comment la reine est-elle arrivée ici ? s'étonna Photin dont les lèvres épaisses avaient blanchi.

— Peu importe, jugea César qui leva la tête et dévisagea ses interlocuteurs d'un œil froid ; Cléopâtre accepte de se plier à la légalité que j'incarne, en me réclamant à la fois de l'Égypte et de Rome. Et j'invite Ptolémée à se comporter de même.

Explosant de rage, le gamin arracha son diadème et le jeta à terre.

— C'est une trahison ! J'en appelle à mon peuple, il vous massacrera !

Échappant à ses deux conseillers, Ptolémée se rua hors du pavillon et courut en direction du palais, ne cessant de crier : « Trahison, trahison, le peuple à mon secours ! »

— Vous devriez le calmer, préconisa César ; la situation pourrait dégénérer.

— Il est le roi, rappela Théodote ; nous ne sommes que ses humbles serviteurs.

Le Romain se leva, écrasant de son mépris les deux hypocrites.

— En ce cas, nous affronterons le peuple.

*

Les vociférations du petit roi furent d'une remarquable efficacité ; en moins d'une heure, une foule nombreuse s'était rassemblée devant le palais, exigeant des explications.

— Je vais leur parler ! décida Ptolémée.

— Il suffit, intervint César.

Photin et Théodote encadrèrent l'enfant.

— N'intervenez pas, murmura l'eunuque à l'oreille de son protégé.

Bouillant de colère, Ptolémée serra les poings ; ses conseillers espéraient le déferlement d'une meute hurlante qui contraindrait les Romains à remonter sur leurs bateaux et à prendre le large.

César se présenta à l'une des fenêtres du bâtiment, en compagnie de Cléopâtre.

— Votre reine est vivante, proclama-t-il, la guerre civile est évitée ; selon votre tradition, elle est mariée à Ptolémée le Treizième et, conformément au testament de leur père, ils régneront ensemble sous la protection de Rome. Vos deux souverains sont à présent réconciliés, une fête et un banquet salueront la paix retrouvée ; et j'offre à l'Égypte l'île de Chypre afin de célébrer cet heureux événement.

— On veut voir Ptolémée ! hurla un manifestant.

— Venez près de moi, Majesté, pria César.

Photin poussa son maître ; rétif, il apparut néanmoins à la gauche de César, lequel se retira pour laisser le couple royal face au peuple d'Alexandrie.

Après un moment de flottement, le soulagement et la joie l'emportèrent ; grâce à un gouvernement stable, le comptoir du monde allait reprendre ses activités commerciales, bénéficiant des faveurs de Rome.

D'une seule poitrine, la foule acclama Ptolémée et Cléopâtre.

César ne manifesta aucune émotion, Photin ressentit d'atroces aigreurs d'estomac et Théodote se mordit les lèvres au sang.

41

Les voûtes lambrissées du palais royal d'Alexandrie[1] étaient chargées d'ornements ; des lames d'or dissimulaient les boiseries, des marbres à profusion illuminaient les salles, et s'y ajoutaient d'impressionnantes quantités d'agate et de porphyre, sans oublier la profusion d'onyx sur lequel on marchait. Pas de chêne vulgaire pour les portes et leurs jambages, mais de l'ébène et des revêtements d'écailles coloriées de la tortue indienne, des émeraudes enchâssées au sein de leurs taches. L'ivoire recouvrait les couloirs, le jaspe donnait aux meubles des reflets fauves, des gemmes rendaient étincelants les divans, et les tapis, au terme d'un long bain de pourpre, étincelaient.

Capable d'affronter les conditions extrêmes d'une guerre, César était sensible au luxe, et celui de la demeure des Ptolémées paraissait inégalable. Les invités au banquet d'État, qui ferait date dans les annales, s'étaient parés de leurs plus beaux atours, et les femmes, couvertes de bijoux, rivalisaient d'élégance, à commencer par la reine Cléopâtre et la princesse

_____
1. Nous suivons la description de Lucain.

Arsinoé. Tous les principaux courtisans assistaient à cette fête de réconciliation ouvrant une ère nouvelle et assurant de longues années de prospérité à Alexandrie ; puisque César ne se présentait pas en dominateur mais en conciliateur, nul conflit ne menaçait et l'on se consacrerait de nouveau au commerce en négociant dur avec les Romains.

Les cuisiniers du palais avaient déployé leurs talents afin de régaler les illustres convives ; pâtés, viandes en sauce, poissons de mer et du Nil, légumes variés agrémentés d'épices, fromages, desserts à profusion, l'ensemble accompagné de grands crus du delta portant la mention « trois fois bon ».

À la droite de César, Ptolémée s'empiffrait ; à sa gauche, Cléopâtre mangeait du bout des doigts. Le gamin de quatorze ans avait changé ; comprenant que ses conseillers ne parviendraient pas à éliminer sa sœur aînée sans provoquer les foudres de l'*imperator*, il commençait à douter de leur efficacité. Et s'il transformait en réalité le titre de roi dont le destin l'avait affublé ? S'il exerçait un pouvoir qu'il serait contraint, au moins un certain temps, de partager ? La personnalité de Jules César l'impressionnait et l'arrachait à sa gangue protectrice ; c'était à lui, et non à Théodote ni à Photin, qu'un monarque devait ressembler. Quant à Cléopâtre, outre le fait accablant d'être une femme, elle se nourrissait d'une ambition injustifiée, condamnée à se briser.

— Appréciez-vous ce dîner ? demanda le petit roi à César.

— Vos cuisiniers sont des artistes.

— Cette réconciliation… La souhaitez-vous vraiment ?

— En douteriez-vous, Majesté ?

— Il me faudrait une preuve, supérieure aux belles déclarations.

La soudaine maturité de Ptolémée étonna le Romain.

— Laquelle ?

— Ma sœur et épouse Cléopâtre a-t-elle donné à sa bande de mercenaires l'ordre de se disperser ?

— Ce matin même, répondit la reine ; ils ont reçu leur solde et quitté la région de Péluse.

L'adolescent hocha la tête.

— Il n'y aura donc pas de guerre civile… Peut-être devrais-je te remercier.

— Je ne t'en demande pas tant ; le calme rétabli, il convient de procéder à des réformes administratives et d'assurer la vigueur de notre monnaie.

— Ces sujets m'intéressent autant que toi, ma chère sœur, et nous aurons à en discuter.

— Irais-tu contre l'avis du conseil de régence ?

— Son existence se justifiait en raison de mon âge et de mon inexpérience ; bientôt, ces défauts seront effacés. La connaissance de la poésie ne suffit pas pour gouverner, et j'ai déjà commencé à étudier le monde de la finance.

— Méfie-toi de Photin, recommanda Cléopâtre ; il ne songe qu'aux intérêts d'une petite caste.

— J'apprendrai à me forger ma propre opinion ; et ta présence m'y aidera beaucoup.

Composé de flûtistes, de hautboïstes et de harpistes, un orchestre entama un air joyeux, et des danseuses, légèrement vêtues, effectuèrent des arabesques qui ravirent les participants au banquet ; les échansons remplirent les coupes d'un vin doux et fruité, et les têtes se mirent à tourner. On plaisanta, on raconta des blagues égrillardes, on évoqua les orgies de Ptolémée le flûtiste… Cléopâtre se leva.

— Si notre hôte ne s'en offusque pas, dit-elle à César, j'aimerais me retirer.

— La journée a été longue, et je vais rejoindre mes quartiers.

Ayant abusé des nourritures et des grands crus, Ptolémée peinait à garder les yeux ouverts ; Théodote l'accompagna à sa chambre.

Soupçonneux, Photin avait observé le Romain et la sorcière, redoutant qu'ils ne fussent devenus amants ; leur froideur réciproque tout au long du repas semblait plutôt rassurante. Autre sujet d'inquiétude : le comportement du petit Ptolémée ; le gamin paraissait un peu trop sûr de lui. Aurait-il la vanité de se considérer comme un roi ?

*

Charmion embrassa les mains de la reine.

— Je suis heureuse, Majesté, si heureuse ! Enfin, nous voilà de retour au palais… Je désespérais de vous revoir vivante et ne croyais pas à l'apaisement. Vos appartements sont en ordre, je souhaite n'avoir rien oublié… En cas d'erreur, pardonnez-moi !

— J'ai une mission importante à te confier : accueillir en grand secret un visiteur de marque. Apollodore te l'amènera, il vous faudra éviter les curieux.

Charmion fut ravie.

— Un homme ?

— Jules César. Je dois m'entretenir avec lui.

— Ne courez-vous pas un grand risque ?

Cléopâtre sourit.

— Rassure-toi, ce Romain sait se montrer diplomate.

La reine se retira dans sa vaste chambre emplie d'odeurs de jasmin ; recouvert d'un brocart doré, son lit était un paysage où son amant prendrait plaisir à se perdre. Charmion avait disposé des bouquets d'iris aux angles de la pièce ; sur une table basse, deux coupes en argent et une petite amphore de vin blanc décorée de joutes amoureuses.

Comment la servante avait-elle deviné ? Depuis toujours, elle pressentait les désirs de sa maîtresse et trouvait les moyens de les satisfaire. Cléopâtre ôta sa lourde robe de cérémonie, défit son chignon et se vêtit d'un simple voile, flottant et diaphane.

N'était-elle pas victime d'un mirage ? Non, César, l'homme le plus puissant du monde serait bientôt auprès d'elle, attentif et passionné ; leur première nuit d'amour avait effacé leur différence d'âge, mais Cléopâtre devait se rendre à l'évidence : la tâche de César était terminée, il se préparait à regagner Rome pour y combattre des adversaires obstinés et y conquérir le pouvoir suprême. Avant de le perdre, elle désirait partager avec lui d'ultimes moments d'extase.

— Le voici, annonça Charmion, excitée.

L'*imperator* n'avait pas résisté à l'invitation, et le chambellan Apollodore avait su le conduire en parfaite discrétion.

En revoyant Cléopâtre, il éprouva de nouveau un attrait irrésistible ; quand elle se blottit dans ses bras, un intense sentiment de bonheur habita tout son être. Jamais il n'aurait imaginé vivre un amour d'une telle violence, au point d'effacer sa retenue naturelle et le contrôle de lui-même. Lui qui croyait connaître les femmes était subjugué par les mystères de cette reine qu'il avait une envie folle d'explorer.

Il la porta jusqu'à l'immense lit, lui ôta son voile et la contempla.

— Ce sera notre dernière nuit, n'est-ce pas ? interrogea-t-elle, la voix couverte d'une ombre de tristesse.

— Me fermerais-tu ta porte ?

— Non, bien sûr que non ! Toi, tu dois partir...

— Le ciel me retient ici. C'est la saison des vents étésiens, ces souffles du nord qui rendent la navigation trop dangereuse.

Ivre de joie, la jeune femme dévêtit son amant et s'abandonna à ses caresses, implorant en silence la déesse du ciel de faire souffler ces vents miraculeux pendant de longues semaines.

42

Accompagnés de légionnaires romains, les envoyés de Cléopâtre avaient payé les mercenaires, leur enjoignant de se disperser et de s'éloigner de Péluse. Autorisés à emporter les provisions accumulées par le Vieux, les soldats de fortune n'étaient pas mécontents de s'en tirer à si bon compte. Cette aventure-là aurait pu mal tourner.

— Que se passe-t-il à Alexandrie ? demanda le Vieux.

— Le calme est revenu, répondit l'un des délégués de la reine ; grâce à l'intervention de César, le conflit entre Ptolémée et Cléopâtre est terminé, et les deux souverains, alliés de Rome, ont célébré un fabuleux banquet pour fêter leur réconciliation. Le peuple est satisfait, notre belle cité revit. Très satisfaite de tes services, la reine souhaite t'engager comme adjoint de son chambellan ; excellent salaire, logement et nourriture offerts. Ta décision ?

— Moi, la ville…

Vent du Nord leva l'oreille droite.

— Toi, tu veux découvrir Alexandrie ?

L'âne confirma.

— Manquait plus que ça ! Bon, allons-y.

Le délégué était surpris.

— C'est cette bête qui te dicte ta conduite ?

— Mon âne, lui, sait où il va.

Les voyageurs montèrent à bord du bateau de la reine ; à la proue, Vent du Nord goûta le spectacle de la mer.

*

Le général Achillas repoussa la jeunette dont les charmes le lassaient ; il était temps d'en consommer une autre, moins godiche.

L'aide de camp du rugueux chef de l'armée à la tête carrée et au poil noir fit irruption dans ses appartements de la forteresse de Péluse.

— Ils s'en vont, ils s'en vont !

— Les soudards de Cléopâtre ?

— Ils quittent leurs positions, constatez vous-même !

Achillas se vêtit à la hâte d'une tunique grossière et grimpa au sommet des remparts.

Les mercenaires repliaient les tentes, deux colonnes de fantassins partaient déjà vers le nord, de petits groupes s'éparpillaient.

— C'est louche, estima Achillas ; à mon avis, simple manœuvre de diversion. Ils ont prévu de nous attaquer de plusieurs côtés à la fois et tentent de nous abuser ; que chacun reste à son poste.

La journée s'écoula lentement, sous le regard du général ; au couchant, pas de doute, il s'agissait bien d'une dispersion. Ces brigands comptaient-ils se réunir à bonne distance de Péluse afin de préparer une offensive d'envergure ? Peu probable. Méfiant, Achillas ordonna à ses éclaireurs de suivre leur piste et de s'assurer que ces rapaces ne préparaient pas un mauvais coup.

Irrité, Achillas dévora un canard rôti et vida une amphore de rouge capiteux. De qui se moquait-on à Alexandrie, et pourquoi Photin ne lui envoyait-il pas de consignes précises ? Il régnait sur les finances, mais lui, Achillas, disposait de l'armée ! Ses deux comparses, l'eunuque et le précepteur, oubliaient qu'il était le troisième membre du conseil de régence, seul capable de maintenir l'ordre ; être ainsi négligé commençait à lui déplaire.

Le lendemain matin, les éclaireurs confirmèrent la dispersion des mercenaires ; et le général reçut enfin une missive officielle portant le sceau de Photin. Les nouvelles étaient ahurissantes : réconciliés, Ptolémée et Cléopâtre avaient accepté de régner ensemble, et César se félicitait de cet accord !

« Ça ne tiendra pas », estima Achillas, persuadé que la reine s'empresserait de reléguer son petit frère au second plan et de reprendre seule les rênes du pouvoir. Les instructions étaient claires : en attendant le départ des Romains, l'armée demeurait cantonnée à Péluse, de manière à éviter un incident qui remettrait en cause l'accord obtenu.

Achillas déchiffrait l'habile stratégie de Photin : privée de l'appui de César, Cléopâtre serait isolée et deviendrait une proie facile. Alors, l'armée rentrerait à Alexandrie, la sorcière serait éliminée, et Ptolémée régnerait en adoptant une autre épouse, soumise et muette.

Le danger écarté, l'avenir prometteur, Achillas et ses

hommes pouvaient se consacrer au repos, à la bonne chère et aux filles. Et dès que Photin lui en donnerait l'ordre, il trancherait avec plaisir la tête de Cléopâtre.

*

L'un des valets de l'eunuque était formel : César et Cléopâtre avaient passé la nuit ensemble dans la chambre de la reine. Malgré les précautions du chambellan Apollodore, un domestique avait reconnu le Romain.

D'abord contrarié, Photin minimisa l'événement : ce tyran de cinquante-deux ans avait réclamé son dû à une jeune beauté, ravie de reprendre grâce à lui une partie de son trône et croyant qu'elle réussirait à évincer Ptolémée. Naïveté d'une ambitieuse !

Rasé, parfumé et vêtu d'une éclatante tunique orange dont l'ampleur dissimulait ses rondeurs, Photin avait hâte de se rendre au port. Au passage, il écarta quelques courtisans préoccupés du maintien de leurs privilèges et, entouré d'une petite cour, sortit du palais.

Un vent léger balayait les quais réservés aux bateaux de la marine royale ; à proximité avaient été amarrés ceux de César que l'eunuque s'étonna de trouver à leur place.

— Qu'on aille me chercher le surveillant principal, exigea-t-il.

Le responsable arriva d'un pas tranquille.

— César n'aurait-il emprunté qu'un seul navire ?

— Le Romain ? Il n'est pas parti ; tous ses bateaux sont là.

— En es-tu certain ?

— Je suis en poste depuis l'aube ; seuls trois bâtiments de commerce ont quitté Alexandrie.

Contrarié, Photin convoqua l'un des capitaines de la flotte de César ; buriné, le marin n'avait pas l'air commode.

— Quand partez-vous ?

— Pas de date prévue ; vous ne sentez rien ?

— Non, je…

— Les vents étésiens ! Impossible de naviguer. On doit attendre qu'ils se calment.

43

César courait des risques insensés. L'affaire égyptienne réglée, il aurait dû s'éloigner d'Alexandrie et se préoccuper des partisans de Pompée qui, avides de revanche, s'évertueraient à lui barrer le chemin de Rome et du pouvoir absolu, ce pouvoir dont il rêvait, non pour sa propre gloire, déjà bien établie, mais afin d'offrir à son pays la maîtrise du monde. Il fallait mettre fin aux conflits internes, aux querelles de personnes et aux crises économiques ; un travail de géant, ô combien exaltant, et un chemin tout tracé.

Un chemin sur lequel se dressait Cléopâtre.

Habitué aux combats et aux épreuves, César en avait négligé une : l'amour. Lui, l'*imperator* qui n'avait redouté ni les Germains, ni les Ibères, ni les Gaulois, ni les légions de Pompée, succombait devant une frêle jeune femme. Il ne pouvait pas s'éloigner d'elle et n'avait évoqué qu'un motif misérable, les vents du nord, susceptible de justifier son incompréhensible séjour à Alexandrie.

Un séjour dangereux… La modeste armée de César ne pèserait guère face aux troupes de Ptolémée, si le petit roi lui déclarait la guerre ! Après son éclatante réconciliation avec Cléopâtre, pourquoi adopterait-il une attitude agressive ?

Lorsque la main de la reine lui caressa la joue, César oublia ses appréhensions ; au charme de sa voix, s'ajoutait la magie de ses gestes, d'une telle douceur qu'ils l'envoûtaient.

— Puisque tu restes, murmura-t-elle, inutile de nous cacher.

— N'es-tu pas l'épouse de Ptolémée ?

— Simple fiction politique ! Rien ne m'interdit de t'aimer.

— Les Alexandrins n'en prendront-ils pas ombrage ?

— Les frasques de mon père les amusaient ! Les mœurs sont libres, ici, personne ne s'offusquera de notre liaison. L'alliance de l'Égypte et de Rome... N'est-ce pas une merveilleuse nouvelle ?

— Serais-tu le bonheur, Cléopâtre ?

— À toi de décider.

Elle se pendit à son cou.

— Je vais te faire découvrir ma ville ! À côté d'elle, Rome n'est qu'une triste bourgade.

*

César se recueillit longuement dans le mausolée abritant le sarcophage d'Alexandre le Grand, puis Cléopâtre le conduisit au Musée, le cœur culturel de la capitale. Consacré aux Muses, garantes des activités artistiques et intellectuelles, il occupait un vaste espace où avaient été édifiés un sanctuaire, une immense bibliothèque, un réfectoire, des locaux d'habitation et des salles d'études, consacrées notamment à l'astronomie et à la médecine ; les spécialistes de l'anatomie y disséquaient les cadavres et les pharmaciens préparaient les potions. Car le Musée était le haut lieu de la recherche scientifique, permettant à ses pensionnaires d'approfondir leurs connaissances et d'aboutir à de nombreuses découvertes.

Vivre au Musée était une position enviée et enviable ; nourris et blanchis aux frais de l'État, les savants ne payaient pas d'impôts et se consacraient entièrement à leur discipline, à l'abri des agitations du monde extérieur. Ils bénéficiaient d'appartements spacieux, d'une agréable salle à manger, d'un jardin, d'un promenoir sous des arcades, et d'une grande salle de conférences équipée de sièges confortables. Astronomes, chirurgiens, médecins, philosophes, rhétoriciens, spécialistes de l'hydrostatique et autres chercheurs se côtoyaient quotidiennement et s'enrichissaient de leurs savoirs.

Cléopâtre présenta à César le grand prêtre des Muses, directeur de l'établissement et l'un des hauts dignitaires de la cour ; accéder à ce poste exigeait de sérieuses compétences, et la bonne tenue du Musée était une tâche à la fois lourde et exaltante.

Le Romain éprouva un vif intérêt à converser avec les pensionnaires du Musée, et l'étendue de ses connaissances, tant en astrologie qu'en philosophie, en étonna plus d'un ; lui, qui écrivait l'un des meilleurs latins, donna d'utiles conseils à des prosateurs. Désireux d'apprendre, César assista à plusieurs conférences et passa de longues heures dans le jardin, en compagnie de sa maîtresse et d'érudits, ravis de leur exposer les résultats de leur quête incessante.

Et Cléopâtre ouvrit à César les portes de la Bibliothèque, fondée par le premier des Ptolémées auquel le premier bibliothécaire, Démétrios de Phalène, n'hésitait pas à dire : « Les livres ont davantage de courage que les courtisans pour exposer la vérité aux rois. » Soigneusement rangés sur des étagères, les *volumina* se composaient de feuilles de papyrus collées et enroulées autour d'un bâton ; étiquetés et dûment répertoriés, les sept cent mille volumes de la Bibliothèque d'Alexandrie étaient consacrés à de multiples sujets, l'histoire, la géographie, l'ethnographie, la mythologie, l'astrologie, l'astronomie, l'ornithologie, les merveilles du monde, la médecine, la magie, la littérature, et même les jeux et les recettes de cuisine ! Cette aspiration au savoir universel éblouit l'*imperator* qui traversa les salles où des scribes et des philologues recopiaient inlassablement des textes en les révisant ; des bibliothécaires inventoriaient les récentes acquisitions, l'État achetant des manuscrits aux souverains étrangers, aux villes et aux particuliers. Quantité de traductions de l'égyptien, du chaldéen, du perse, du latin et de langues diverses occupaient les étagères.

César s'intéressa à la traduction grecque de la Torah, que son ami juif Antipatros et ses coreligionnaires utilisaient, et à l'ouvrage du prêtre Manéthon, rédigé à la demande du premier des Ptolémées et dressant la liste des trente dynasties de l'Égypte pharaonique. Nul empire n'avait été aussi stable et prospère, traversant les siècles sans jamais renier ses institutions.

Un livre le fascina : le *Traité* d'Hermès le trois fois très grand, héritier du dieu égyptien Thot, maître des paroles sacrées. Personne n'avait écrit de plus profonds préceptes à propos de la naissance en esprit, de l'œuvre divine et des lois éternelles de la création.

— À présent, dit Cléopâtre, tu connais les lieux où j'ai passé mon enfance et mon adolescence.

Se moquant des regards par en dessous des érudits, César la prit dans ses bras.

— Je comprends mieux le charme de tes paroles, nourries de toute cette science.

— Aurais-tu préféré une ravissante idiote ?

— Tu es une reine, Cléopâtre, et tu mérites de régner.

44

Les rapports des espions de Photin concordaient :
César passait ses journées au Musée et à la Bibliothèque, et ses nuits dans le lit de Cléopâtre. Le Romain
écoutait des conférenciers, discutait avec des philosophes, lisait des textes de magie et d'astrologie, prenait part à des débats littéraires et scientifiques et ne
se lassait pas des envoûtements de sa jeune maîtresse.
César le guerrier, le conquérant, le futur maître de
Rome, devenu un étudiant amoureux !

Désemparé, Photin ne savait qu'en penser ; les vents
du nord étaient tombés, le vainqueur de Pompée s'in-
crustait à Alexandrie. Vu son comportement, dépourvu
d'agressivité, la population gardait son calme ; mais
comment évoluerait cette invraisemblable situation ?

— Le roi te convoque, lui annonça Théodote, dont
le front s'ornait d'une nouvelle ride.

— Plus tard, je suis occupé.

— C'est un ordre, Photin.

— Pardon ?

— Ptolémée a beaucoup changé, il s'endurcit et
s'estime capable de gouverner.

— Remets ce gamin insolent à sa place !

— Il me résiste ; faisons semblant de lui obéir.

Ptolémée le Treizième, Cléopâtre, Arsinoé... Par moments, Photin aurait volontiers envoyé aux enfers cette famille impossible, et manipulé son dernier membre, un tout petit garçon ; mais la réconciliation du roi et de la reine, liés à la bénédiction de César, le contraignait à louvoyer en affrontant cette réalité-là.

— Notre souverain a cessé d'engloutir des gâteaux, précisa Théodote, et se muscle chaque jour au gymnase où il perd sa graisse et recueille les confidences des dignitaires.

Photin fit la moue ; ces velléités d'indépendance lui déplaisaient. De son pas lourd, il gagna la salle d'audience que le jeune monarque avait décidé d'occuper ; un haut fonctionnaire venait de lui remettre un dossier.

— Tu as été long, Photin ; à l'avenir, hâte-toi de répondre à mes appels.

— Entendu, Majesté.

— Les poètes m'ennuient, avoua le roi, et je préfère les comptes de l'État ; quoique les réformes de Cléopâtre aient failli nous ruiner, la gestion actuelle n'est pas satisfaisante. Et tu es le principal responsable.

L'eunuque avala sa salive.

— C'est un domaine complexe et...

— Et je suis trop jeune pour le maîtriser ! Tel n'est pas mon avis. Du laisser-aller, de la corruption, des privilèges inadmissibles... Ignores-tu ces déviances ?

— Elles me préoccupent, Majesté.

— Insuffisant, Photin ! Nous allons ôter ces verrues, mais il y a plus urgent.

L'eunuque ne reconnaissait pas le garçonnet capricieux, indifférent aux affaires de l'État.

— D'après mes informateurs, au gymnase, César serait l'amant de ma sœur.

— Exact, Majesté.

— Ce Romain bafoue ma dignité ! Pourquoi n'a-t-il pas quitté Alexandrie ?

— À cause des vents du nord.

— Il se moque de nous et se comporte comme un tyran en pays conquis !

— À dire vrai, objecta Photin, il se contente de visiter la ville, de suivre l'enseignement des savants du Musée et de fréquenter la Bibliothèque.

— Une ruse ! César étudie le terrain et se prépare à me renverser ; mets tout en œuvre afin de le contraindre à partir. Si tu échoues, je rappellerai l'armée d'Achillas et j'emploierai la force.

Photin pâlit.

— Majesté, les légionnaires romains sont de remarquables soldats, et…

— Les nôtres ne sont pas des lâches, et nous jouissons d'une énorme supériorité numérique. Exécute mes ordres, Photin, et sois efficace.

*

« Pour en cracher, admit le Vieux, ça en crache ! », et Vent du Nord partageait son avis en débarquant au grand port d'Alexandrie, fermé à l'est par le cap Lochias ; à l'ouest, celui du « Bon Retour » accueillait de lourds navires de commerce. L'âne avait admiré le phare dominant ces deux bassins principaux que séparait la digue qui reliait l'île de Pharos à la rive ; un port intérieur, « la boîte », communiquait avec un canal menant au lac Maréotis et à la branche canopique du Nil.

Même si les temples et les bâtiments officiels n'égalaient pas ceux des anciens Égyptiens, ils ne manquaient pas d'allure, et le Vieux s'étonna de la largeur des avenues, notamment des trente mètres de l'artère principale, la voie canopique, orientée est-ouest et longue de cinq kilomètres. Les rues étaient disposées selon un quadrillage qui découpait la cité en cinq quartiers auxquels l'administration avait donné des noms correspondant aux cinq premières lettres de l'alphabet grec.

L'agitation semblait incessante ; des Égyptiens, des Grecs, des Juifs, des Chypriotes, des Asiatiques, et d'autres ressortissants de pays proches ou lointains couraient en tous sens ; marins, dockers, livreurs, négociants, petits commerçants, artisans vaquaient à leurs occupations sous le regard des citoyens appartenant aux cinq tribus détentrices de la culture grecque et dominant le reste de la population.

— Maintenant, tu as vu, dit le Vieux à Vent du Nord ; ils sont bien énervés, ici, et nous devrions rentrer au village.

L'âne, dont les passants admiraient la robustesse et la belle robe gris clair, ne l'entendait pas de cette oreille ; il suivit le délégué de la reine, lequel prit la direction du quartier des palais.

« Ça respire les ennuis », pressentit le Vieux qui avait toujours été incapable de prédire l'avenir.

Pourtant, l'accueil fut aimable, et le chambellan Apollodore en personne vint à la rencontre des arrivants.

— Heureux de te revoir ! Comment trouves-tu la capitale ?

— Superbe, superbe… Le voyage m'a desséché le gosier.

— Un problème facile à résoudre ! La cave du palais ne te décevra pas. Je t'ai réservé un logement agréable, et ton âne ne manquera de rien ; acceptera-t-il de porter le courrier privé de la reine ?

— Privé... Ça signifie confidentiel ?

— En quelque sorte.

« Et voilà, constata le Vieux, les ennuis débutent. »

— La reine Cléopâtre est-elle en sécurité ?

— Entre nous, je n'en suis pas certain ; sa liaison avec César est de notoriété publique, et je redoute qu'elle ne mécontente le peuple d'Alexandrie. Ne soyons pas pessimistes : ce Romain finira par quitter notre ville, et nous reprendrons nos habitudes. En attendant, ton aide me sera précieuse ; tu as si bien géré l'intendance de notre ramassis de mercenaires que ton travail au palais sera une partie de plaisir !

— En quoi consistera-t-il ?

— Surveiller les aliments destinés à Cléopâtre et à César.

— Ça signifie... Les goûter ?

— Non, non ! Des serviteurs seront à ta disposition ; toi, tu te préoccuperas de la qualité des produits, et choisiras les meilleurs fournisseurs. Cette noble tâche, grassement payée, te convient-elle ?

Le Vieux se gratta le menton ; à l'évidence, c'était trop beau.

— Bon, essayons...

Le Sicilien lui tapa sur l'épaule.

— Bienvenue au palais ! Ensemble, nous ferons du bon travail.

« Où les dieux m'ont-ils emmené ? », s'interrogea le Vieux.

45

Guidé par Cléopâtre, César se plut à découvrir les ateliers d'Alexandrie qui produisaient des richesses exportées dans de nombreux pays, notamment des vêtements de laine et de lin ; le Romain nota que les métiers à tisser étaient placés sous scellés et les ouvriers contrôlés, afin d'éviter des fabrications clandestines échappant à l'impôt. Même sévérité pour les parfumeurs et les verriers, d'une habileté stupéfiante et dont le travail rapportait une véritable fortune à l'État. La police était partout, de manière à éviter une économie parallèle ; les taxes, considérables, assuraient le train de vie des aristocrates grecs, seuls habilités à porter le titre de « citoyens d'Alexandrie », conformément aux principes de la démocratie qui assurait le maintien de leurs privilèges. Bien entendu, les femmes étaient considérées comme des mineures dépendant d'un tuteur ; en prenant le pouvoir, les Grecs avaient brisé le statut des Égyptiennes, égales des hommes, et n'avaient conservé que l'image de la reine, présente à côté du roi. À l'époque pharaonique, les maris s'appelant « frère » et les épouses « sœur », les Ptolémées en avaient conclu à la nécessité d'un couple royal unissant un frère et une sœur de sang.

César admira les bijoux en or ornés de pierres précieuses et ne manqua pas d'offrir à Cléopâtre un magnifique collier qui orna aussitôt son cou ; ensemble, ils s'amusèrent à détailler les fameuses figurines de terre cuite, au répertoire illimité. Elles représentaient le phare, les temples, les divinités, des acteurs, des musiciens, des danseurs, des porteurs de lampe, des animaux, des personnages grotesques, des mâles au sexe avantageux et des amants se livrant à de joyeux ébats.

Oubliant Rome, l'*imperator* pénétrait au cœur de la vie alexandrine, passait des journées exaltantes et des nuits enchanteresses, de plus en plus épris de sa jeune maîtresse. Lui, le nouveau Romulus, fils de Vénus et descendant du héros Énée, parla de sa longue carrière : tribun militaire, questeur, édile, consul, proconsul, général victorieux, mais aussi Grand Pontife, à savoir chef de la religion.

— Je te convie à une cérémonie célébrée au grand temple de Sérapis, annonça Cléopâtre.

Cent marches menaient au sanctuaire, bâti sur une colline dominant le quartier de Rhakotis, nom d'un ancien village égyptien ; une immense esplanade précédait l'édifice au toit recouvert d'or. À l'abri d'un portique, une bibliothèque comptant des milliers d'ouvrages.

Cléopâtre et César franchirent le seuil du temple aux murs ornés de lames d'or, d'argent et de bronze ; provenant d'une fenêtre à l'orient, la lumière éclairait la bouche de la statue colossale de Sérapis, vieillard barbu et chevelu, occupant un trône et tenant un sceptre ; près de lui, Cerbère, le chien des enfers. Couronné d'un boisseau orné d'épis de blé et de branches d'olivier, le dieu possédait des yeux composés de pierres précieuses qui brillaient dans l'obscurité.

— Sérapis est apparu en rêve au premier des Ptolémées, révéla Cléopâtre, et a demandé au roi de lui offrir une demeure à Alexandrie. En son être s'allient le très ancien dieu de la résurrection, Osiris, et le taureau Apis, symbole de la puissance vitale. Rendant la terre féconde, Sérapis s'unit à Isis, la souveraine des grands mystères, et protège le couple royal.

Des prêtres purs, vêtus de lin blanc, apparurent en procession et se disposèrent autour de la statue ; César et Cléopâtre s'en approchèrent.

— Acceptes-tu de vivre ce rite ? interrogea-t-elle à voix basse.

— Serait-il dangereux ?

— Sérapis rend la terre fertile, rappela la reine, émue ; et je crains de…

— Laissons agir le dieu, décida César.

Sortant de la pénombre, le supérieur des prêtres purs portait d'une main un vase d'eau lustrale et de l'autre une cassolette d'où jaillissait une flamme.

En reconnaissant Hermès, Cléopâtre contint une exclamation ; heureuse d'amener son amant au temple et de lui faire accomplir un pas décisif, elle percevait encore mieux l'importance de ce moment.

Habitué à croiser le regard d'hommes au fort caractère, César fut impressionné par celui du grand prêtre et se sentit incapable de le dominer.

D'instinct, la reine et l'*imperator* s'agenouillèrent.

Hermès versa l'eau purificatrice sur leur front et passa la flamme créatrice devant leur visage ; utilisant deux éléments majeurs qui avaient permis aux dieux de façonner l'univers, il éveilla l'âme des amants à d'invisibles réalités.

*

De l'esplanade du temple, César et Cléopâtre contemplèrent longuement Alexandrie, le port et le phare ; le soleil d'automne inondait la ville d'une lumière douce, et le bleu de la mer s'alliait à celui du ciel pour former un tableau idyllique, comme si rien ne pouvait troubler la paix de cette journée parfaite.

Cléopâtre offrait à César un monde insoupçonné, celui de l'amour, d'une capitale aux richesses surprenantes, d'un Orient source de prospérité ; vivre ici était exaltant, un nouvel horizon se découvrait. Et quel bonheur de fréquenter le Musée et la Bibliothèque, d'écouter les philosophes et savants, d'explorer des textes transmettant la sagesse des Anciens !

Excluant les mondanités, César dînait avec Cléopâtre dont la parole l'enchantait ; savourant son érudition et son humour, il aurait souhaité interrompre le temps et jouir à jamais du miracle de cette communion. Ces jours heureux à Alexandrie étaient-ils l'aboutissement des rudes conflits qu'il avait traversés, Cléopâtre était-elle son véritable destin ?

César s'interrogeait, la reine lui répondait par l'ardeur de ses sentiments ; prisonnier des désirs et des plaisirs, il n'éprouvait pas l'envie de s'enfuir et se persuadait d'avoir enfin atteint la contrée de ses rêves.

Cléopâtre évoquait l'âge d'or de l'école d'Alexandrie, le siècle[1] du mathématicien Euclide, du sculpteur Apelle et du poète Callimaque, lorsque la servante Charmion, gênée, osa déranger les amants.

— Un officier vous demande.

— Son nom ? questionna César.

— Rufin. Il prétend que c'est grave.

Le lieutenant de l'*imperator* n'était pas un plaisantin ; cette intervention devait être justifiée.

— Qu'il vienne.

---

1. IIIe siècle avant J.-C.

46

Incapable de maîtriser ses émotions, Rufin fulminait.

— C'est intolérable ! On se moque de nous, la situation ne peut plus durer. Ce Photin, ce serpent…

— Quel méfait a-t-il commis ? demanda César.

— Il a livré à nos soldats du vieux blé moisi, et de la bière imbuvable ! Ça provoque des fissures dans nos rangs ; et nos hommes s'étonnent que vous n'interveniez pas.

— Rassure-les, Rufin ; je réglerai ce problème dès demain.

Cette nuit-là, César dormit peu ; Cléopâtre déploya toutes les ressources de la séduction pour le retenir auprès d'elle et l'empêcher de réveiller l'eunuque. Les heures prochaines s'annonçant difficiles, elle l'entraîna au cœur d'un tourbillon de délices.

*

Photin s'attendait à la convocation de César, mais pas à l'endroit choisi : le petit palais de Cléopâtre sur l'île d'Antirhodos, à côté d'un temple d'Isis. La vue était superbe ; au loin, la mer scintillait.

Mains croisées derrière le dos, animé d'une colère froide, l'*imperator* ne s'embarrassa pas de formules de politesse.

— Que signifie, Photin ?

— De quoi voulez-vous parler ?

— Des nourritures pourries livrées à mes soldats.

— Je leur offre les stocks disponibles, et votre ingratitude me navre ; les Romains ne devraient-ils pas se montrer satisfaits d'être alimentés aux frais d'autrui ?

— Je n'apprécie pas ton ironie !

Le ton de l'eunuque se fit onctueux.

— Les Alexandrins vous remercient d'avoir évité un conflit meurtrier en réconciliant Ptolémée et Cléopâtre ; cependant, votre présence prolongée pourrait devenir source de discorde, et la sagesse consisterait, en ce qui vous concerne, à regagner Rome. Nos administrations respectives concluront des contrats commerciaux, et la meilleure entente régnera entre nous. Les vents du nord sont tombés, le voyage ne présente pas de risques.

Le bref silence de César laissa espérer à Photin une réponse raisonnable ; les arguments avaient du poids, et ce général ne songeait qu'à sa carrière. L'intermède Cléopâtre, si agréable fût-il, devait se terminer.

— Une fois encore, méprisable courtisan, tu oses me dicter ma conduite ! Je n'ai pas l'intention de quitter Alexandrie où j'ai beaucoup à découvrir, et mes seuls interlocuteurs seront le roi Ptolémée et la reine Cléopâtre. Toi, réunis rapidement les dix millions de deniers dus à Rome, et nourris mes soldats de façon correcte ; sinon, je demanderai ta tête et je l'obtiendrai.

Blême, Photin était à moitié mort de peur et fut heureux de sortir indemne de ce palais maudit.

*

Pendant plusieurs heures, l'eunuque ne décoléra pas, et son personnel subit sa mauvaise humeur et ses caprices ; la venue du précepteur Théodote lui permit de narrer en détail l'humiliation que lui avait infligée la brute romaine.

— Ce tueur m'a menacé, moi, Photin ! Il veut me couper le cou, s'emparer d'Alexandrie, destituer Ptolémée et mettre sa putain sur le trône ! Lui verser l'argent qu'il réclame ne servira à rien ; aujourd'hui, je vois clair dans son jeu !

— Tu partages donc mon opinion et celle de notre roi : il faut se débarrasser de César et de Cléopâtre. Sais-tu qu'ils se sont rendus au temple de Sérapis et qu'ils ont été illuminés par l'eau et le feu, tel un futur couple royal ?

— C'en est trop, agissons au plus vite !

— Utilisons les anciennes méthodes, préconisa Théodote ; si méfiant soit-il, ce Romain succombera.

*

Isis, détentrice des secrets de la résurrection et des formules magiques ; Isis, mère d'Horus, incarnation humaine du faucon céleste et protecteur de la royauté. En vénérant la déesse, dans son petit sanctuaire de l'île d'Antirhodos, Cléopâtre avait le sentiment de remonter le temps et de s'unir à l'esprit de la grande déesse dont le nom, en hiéroglyphes, s'écrivait avec un trône. C'était elle, son guide et son inspiratrice, qui lui enjoignait de franchir les frontières de la Grèce et d'Alexandrie pour retrouver les racines de l'Égypte pharaonique et faire refleurir l'arbre de vie.

Aimer César, être aimée de lui... Ce miracle-là ne suffisait pas à la jeune reine. En lui accordant ce bonheur imprévu, Isis ne l'incitait-elle pas à remplir pleinement sa fonction en régnant sur l'Égypte entière et pas seulement sur Alexandrie ? Cessant d'être une étrangère, Cléopâtre s'inscrivait dans la lignée des dynasties en recueillant l'héritage des pharaons et en le prolongeant.

— Si tel est ton désir, dit la voix grave d'Hermès, ne le dissimule pas à César et convaincs-le de t'aider à réaliser ton rêve.

La haute stature du mage emplissait le petit temple.

— Ce n'est pas à Alexandrie que ton grand dessein pourra s'accomplir, affirma-t-il ; loin d'ici, au sud, à Dendera, des bâtisseurs érigent un vaste sanctuaire dédié aux déesses Hathor et Isis. Il sera l'un des plus splendides du pays, et c'est là que tu vivras les grands mystères, à condition de ne pas oublier l'appel d'Isis, même pendant les pires épreuves.

Hermès ouvrit sa main droite ; elle contenait une pierre noire diffusant une lueur orangée.

— Quand les ritualistes rassemblent les parties dispersées du corps d'Osiris et le reconstituent, ils façonnent cette pierre divine qu'Isis utilise afin de redonner le souffle de vie à son époux défunt ; chaque année, lors de la célébration, la pierre meurt et renaît. Voici la dernière en date, Cléopâtre ; ne t'en sépare pas et manie-la à bon escient.

— Éclaire-moi davantage ! Comment...

— Gouverner implique de savoir affronter les assauts du destin ; lorsque la situation l'exigera, prouve ta qualité.

Hermès remit la pierre à Cléopâtre et sortit du sanctuaire.

47

La reine dormait nue, et César la contemplait ; les nuits étaient aussi belles que les jours, et la passion qu'il éprouvait à l'égard de Cléopâtre ne cessait de se régénérer. À ses talents d'amoureuse s'ajoutait le charme d'une conversation toujours renouvelée, tantôt légère, tantôt profonde ; ardente et tendre, enthousiaste et délicate, cette jeune femme était un être d'exception dont César était loin d'avoir percé tous les mystères.

Elle ouvrit les yeux, leurs regards se croisèrent.

— Je te dois la vérité, murmura-t-elle.

— Que m'as-tu caché ?

— L'essentiel.

Intrigué, César s'assit au bord du lit et lui prit doucement les mains.

— Comploterais-tu contre Rome ?

— Je t'aime, Jules César, et j'aime mon pays qui ne se réduit pas à Alexandrie. Un chemin s'est ouvert, il mène à l'Égypte des pharaons, présents au tréfonds de mon âme ; cette Égypte-là, je désire la ressusciter et lui redonner sa grandeur passée.

— Cet empire a disparu, son âge d'or est révolu.

— Alexandrie est un leurre ; pour la première fois,

la capitale de l'Égypte est un port, parce que les Grecs ont choisi de se situer à la frange du pays réel, entre la mer et un lac, oubliant le glorieux passé des Deux Terres ! Et ce passé n'est pas mort ; au contraire, il renaît sous la forme de temples immenses où la pensée des Anciens continue d'être enseignée et transmise. Je suis devenue égyptienne, et cette transformation oriente ma vie.

— Rêverais-tu d'être… pharaon ?

— Des femmes ont rempli la fonction suprême, et cette institution est restée en vigueur ; même Alexandre le Grand a dû se faire couronner pharaon afin que son pouvoir soit reconnu par le peuple égyptien ! Ses successeurs ont respecté la coutume, mais ont eu le tort de s'enfermer dans leurs palais et leur mentalité grecque. Toi, tu es sorti des limites de ton pays et tu as parcouru le monde ; demain, tu élèveras Rome au rang d'empire et tu peux comprendre mes ambitions qui ne s'opposeront pas aux tiennes.

Le discours de Cléopâtre était celui d'un chef d'État, et César ne le prit pas à la légère. Certes, cette vision insensée n'avait aucune chance de s'incarner ; cependant, la reine y consacrerait son énergie et ses capacités, et tenterait de lui donner un semblant de réalité. Une Égypte reliée à sa spiritualité et à ses traditions, une Égypte forte et fière de son prestige… César n'avait rien à craindre d'un tel partenaire. La femme qu'il aimait gouvernerait les Deux Terres avec l'intention de restaurer leur prospérité, et les richesses produites seraient, en grande partie, exportées vers Rome ; alliées, l'Égypte et Rome domineraient l'Orient et l'Occident.

Anxieuse, la reine attendait le jugement de l'*imperator* ; sans son appui, son rêve demeurerait lettre morte.

— J'ai de grands desseins pour Rome, tu en as pour l'Égypte, et nous nous aimons autant que nous aimons nos pays respectifs ; une femme à la courte vue et aux idées étroites m'aurait déçu. Et toi, tu aspires à renverser le cours du temps en reconstruisant les Deux Terres à l'image de tes ancêtres ! C'est impossible, Cléopâtre, mais seul l'impossible m'intéresse, et je n'ai cessé de l'affronter ; montre-toi à la hauteur de ton idéal, et nous resterons unis à jamais.

Remerciant Isis, la jeune femme étreignit son amant ; bientôt, ils se rendraient à Dendera, afin de vénérer la grande déesse et de s'imprégner de sa puissance.

*

Ravi de parcourir les avenues et les rues d'Alexandrie, Vent du Nord accomplissait à la perfection son travail de facteur et acheminait aux intéressés le courrier personnel de la reine ; artisans et commerçants recevaient des commandes qu'ils s'empressaient de livrer, le dernier en date étant le meilleur parfumeur de la capitale qui réservait à son illustre cliente une incomparable fragrance à base de jasmin. L'âne apportait aussi au juif Antipatros, favorable à César, de brefs rapports l'informant de la situation au palais. L'*imperator* prolongeant son séjour et affichant sa liaison avec Cléopâtre, d'inquiétantes réactions du clan de Ptolémée étaient à craindre. Ces événements confortaient l'opinion d'Antipatros et de sa communauté : Rome était appelée à jouer un rôle déterminant pour l'avenir de la très brillante Alexandrie, et s'opposer à César serait une erreur fatale.

Quant au Vieux, il s'acquittait de sa tâche à la grande satisfaction du chambellan Apollodore ; viandes, légumes et fruits étaient choisis de manière à régaler César et Cléopâtre, et le Vieux, explorant la cave du palais et s'imposant de goûter le contenu de chaque amphore, procurait au couple des vins de première qualité.

Ce matin-là, après le départ de Vent du Nord, il reçut les fournisseurs et, au terme d'un minutieux examen, détermina les ingrédients du déjeuner que préparerait le cuisinier de la reine : filets de perche, gigot d'agneau, fèves au cumin, fromage frais, raisin, gâteau aux pommes. Un repas léger qu'il fallait accompagner d'un blanc jeune et frais, puis d'un rouge charpenté provenant des vignes royales du delta.

À l'entrée de la cave, deux inconnus ; le front bas, mal rasés, ils n'appartenaient pas au personnel de la reine.

— Qui êtes-vous et que faites-vous ici ?

Les deux types sortirent un couteau et piquèrent le ventre du Vieux.

— Tu as les clés de la cave ?

— Oui, mais…

— Ouvre la porte, ou on te crève !

Contraint de s'exécuter, le Vieux utilisa deux grosses clés en fer ; les inconnus le poussèrent dans l'escalier.

— Le vin pour le déjeuner de César, exigea l'un d'eux.

Le Vieux désigna deux jarres ; à peine terminait-il son geste que le second voleur lui fracassait la nuque d'un coup de gourdin. Sa victime s'affala, inconsciente.

— Je le termine au couteau ? demanda son compagnon.

— Pas la peine de te fatiguer, il est déjà mort.

Les deux sbires remontèrent l'escalier, fermèrent à clé la porte de la cave et remirent les deux jarres à l'assistant du chef cuisinier, leur complice. Le trio avait perçu une somme considérable et, lorsqu'on retrouverait le cadavre du Vieux, la situation aurait radicalement changé, laissant de nouveau le champ libre à Photin et à son clan.

48

Au terme d'une matinée passée, en compagnie de Cléopâtre, à lire l'histoire des dynasties de l'ancienne Égypte qu'avait rédigée le prêtre Manéthon, César avait faim et soif. L'échanson lui servit une coupe de vin blanc frais qu'il savoura à petites gorgées.

Cléopâtre ressentait une joie nouvelle, celle de l'espérance ; désormais, ses rêves les plus fous ne se réduisaient pas à des mirages. L'expérience et le génie politique de l'*imperator* étaient des atouts majeurs, et leur couple irait en se renforçant et en s'imposant à leurs peuples. La reine avait hâte d'embarquer à destination de Dendera et d'y recevoir l'onction d'Isis ; alors, seulement, son règne débuterait.

César porta la main à son front.

— Une migraine subite... Elle me coupe l'appétit.

Des gouttes de sueur perlèrent à la racine des cheveux, le visage devint d'une pâleur inquiétante et la respiration se raccourcit.

Cléopâtre ne fut pas longue à comprendre ; naguère, la cour des Ptolémées utilisait volontiers le poison. Elle courut jusqu'à sa salle d'eau, ouvrit le coffret contenant la pierre noire d'Hermès et revint auprès de César qui commençait à défaillir, les yeux dans le vague.

Se fiant à son instinct, elle lui passa lentement la pierre sur les lèvres privées de sang ; le manque d'effet ne la découragea pas, elle s'obstina. Quand apparut une nuance de rouge, elle sut que sa persévérance sauverait son amant.

Peu à peu, la respiration de César revint à la normale, la sueur disparut, le regard cessa de chavirer ; il se redressa, épuisé.

— Cette douleur, cette terrible douleur... Elle s'estompe. Et toi, toi... Tu ne m'as pas abandonné.

*

— Empoisonner César ? s'étonna Ptolémée ; ma chère sœur, qui aurait été assez fou pour commettre un tel crime ?

— Ton entourage, mon cher frère ; ne déteste-t-il pas l'*imperator* ? Et je n'ose imaginer que tu aies donné l'ordre d'assassiner l'envoyé de Rome et l'exécuteur testamentaire de notre père.

— Tu divagues ! Je n'ai qu'un seul reproche à lui adresser : pourquoi ne quitte-t-il pas Alexandrie ?

— Parce qu'il m'aime et que je l'aime.

— Une liaison passagère et sans avenir ! Persuade ce Romain de quitter Alexandrie, et nous vivrons en paix.

— Qui a tenté d'empoissonner César ?

— Je l'ignore, ma chère sœur !

— Photin doit le savoir.

Le petit roi serra les dents.

— Soupçonnerais-tu le chef de mon gouvernement ?

— De *notre* gouvernement, mon cher frère ; il revient à Photin d'identifier au plus vite le coupable, sous peine de déclencher la légitime colère de César.

*

Vent du Nord demeurait accroupi au chevet du Vieux, la nuque bandée, et lui léchait les mains afin de lui transmettre sa force. Soigné par les meilleurs spécialistes du Musée, le blessé avait échappé de justesse au trépas ; dès qu'il ouvrit les yeux, il réclama une rasade de vin fort et décrivit de façon précise ses deux agresseurs.

L'enquête de Photin n'avait duré qu'une journée. À César, parfaitement rétabli, il avait présenté les cadavres des deux criminels et de leur complice, un aide cuisinier de Cléopâtre dont l'échanson était hors de cause. Les trois malfaiteurs s'étaient entre-tués, et rien ne permettait de supposer qu'ils dépendaient d'un commanditaire ; animés de sentiments antiromains, ces trois insensés avaient expié leur forfait, et l'affaire était close.

Le mutisme de César et de Cléopâtre n'abusait pas l'eunuque ; ni lui ni elle ne croyaient à cette mise en scène, persuadés qu'il était l'organisateur de ce complot avorté. Entre ce couple impossible et Ptolémée, l'apaisement n'était que de façade, et Photin se trouvait au milieu du champ de bataille.

— Ces trois imbéciles ont échoué, déplora Théodote qui avait fourni le poison ; César s'entourera de mille précautions et nous ne parviendrons pas à l'atteindre.

— Détrompe-toi, objecta Photin ; nous allons ruiner sa réputation et susciter la haine de la population.

Le préposé au trésor du temple de Sérapis n'en crut pas ses oreilles ; les fonctionnaires du ministère des Finances se payaient sa tête !

— Vous remettre les vases d'or et d'argent ? C'est une mauvaise plaisanterie !

— Ordre de César. Il réquisitionne les richesses de nos sanctuaires.

— Ce n'est pas ce Romain qui nous gouverne, que je sache !

— Nos souverains sont obligés de se soumettre à ses exigences. Inutile de discuter.

— Et si je refuse ?

— Tu seras condamné, et les légionnaires pilleront le temple ; la meilleure solution consiste à obéir.

La mort dans l'âme, le préposé ouvrit la porte du trésor aux fonctionnaires qui emplirent leurs sacs des objets rituels.

Sa triste besogne accomplie, il contacta ses collègues, chargés de gérer les biens des temples d'Isis, de Kronos, de Poséidon, de Pan et des autres divinités présentes à Alexandrie.

Partout, constat identique : le général romain pillait les trésors des sanctuaires de la capitale, afin d'enrichir Rome ! Se comportant comme un voleur, il devenait un profanateur et l'ennemi des dieux grecs. Les prêtres se réunirent d'urgence, et condamnèrent l'attitude de cet étranger.

Une délégation se rendit au palais, exigeant d'être entendue ; Photin accueillit les principales autorités religieuses de la cité et leur prêta une oreille attentive. Puisqu'elles le pressaient d'intervenir, il ne cacha pas son désarroi et leur avoua la vérité : amant de Cléopâtre, César préparait l'éviction de Ptolémée, et ne tarderait pas à installer sa maîtresse sur le trône, en proclamant sa toute-puissance. Alors, Cléopâtre, alliée de Rome, exercerait sa tyrannie, éliminerait les prêtres et les anciens dignitaires, mettrait des soudards à leur place et rançonnerait les riches. Prisonnier des légionnaires, Ptolémée avait les mains liées.

Seule solution : un soulèvement populaire, en accord avec le conseil de régence et l'armée.

Exaspérés, les prêtres approuvèrent cette stratégie et promirent de répandre la consigne.

49

Le petit Ptolémée adopta une attitude très digne et dévisagea ses deux conseillers d'un air hautain.

— On murmure que César pillerait les trésors des temples d'Alexandrie ; cette rumeur serait-elle avérée ?

— Malheureusement oui, répondit Théodote, atterré, et les prêtres sont effondrés.

— Je les ai reçus, ajouta Photin, et j'ai tenté en vain d'atténuer leur colère.

— Ces exactions sont des insultes intolérables à notre souveraineté ! estima le roi ; comprenez-vous que nous devons chasser ce Romain ?

— Vous avez raison, reconnut l'eunuque, mais il refuse de quitter la ville, tant il s'est attaché à votre sœur. À mon avis, ce couple maléfique a décidé de vous renverser et de prendre le pouvoir ; votre vie est en danger, Majesté.

— En ce cas, agissons !

— La diplomatie est devenue inutile, César et Cléopâtre ne reculeront pas ; c'est pourquoi une intervention militaire paraît indispensable.

L'adolescent sembla contrarié.

— La guerre contre Rome...

— Rome est loin, précisa Théodote ; il s'agira d'une guerre contre César, à Alexandrie, sur notre territoire, et même un *imperator* sera incapable de nous vaincre, car notre supériorité est écrasante. Nous étoufferons ce conquérant et le décapiterons, comme Pompée. Rome se choisira un nouveau chef et oubliera l'Égypte.

— César ne dispose que d'un petit nombre de bateaux et de légionnaires, rappela Photin ; l'attaque du général Achillas et la révolte du peuple d'Alexandrie le submergeront.

Le petit roi leva la tête.

— Moi, Ptolémée, vainqueur du grand César ! Quel triomphe fabuleux... Je piétinerai son cadavre et tuerai Cléopâtre de mes propres mains !

— Les siècles futurs chanteront votre gloire, assura Théodote, et les poètes célébreront vos exploits.

À cette idée, le monarque ressentit une joie sauvage ; enfin, il surpasserait Cléopâtre !

*

Photin était un ministre méticuleux et n'avait pas coutume de s'engager à la légère ; abattre César exigeait un maximum de précautions. Il ne faudrait frapper qu'à coup sûr, en terrassant l'adversaire dès le premier assaut ; or, un problème délicat se posait. Fin stratège, l'*imperator* était forcément conscient de la faiblesse de ses troupes et avait donc demandé des renforts ; ces derniers éviteraient le port d'Alexandrie, facile à fermer, et passeraient par Péluse où le général Achillas attendait des ordres. À supposer qu'un régiment fût en route, il l'intercepterait en lui barrant la route d'Alexandrie ; aussi Achillas devrait-il diviser ses troupes en laissant à Péluse une garnison suffisante.

Cet impératif impliquait une attaque provenant de l'intérieur de la capitale, et celle-ci n'était pas facile à organiser ; aidé de Théodote, Photin élabora un plan sans faille. Recevant les instructions, les prêtres serviraient d'agents de liaison, et les légionnaires, cantonnés dans le quartier du Bruchion, ne s'apercevraient de rien.

Les forces de sécurité remettraient des armes aux esclaves des aristocrates grecs et leur promettraient, la victoire acquise, de belles récompenses ; attachées à leurs maîtres, ces créatures seraient heureuses de combattre les Romains et de prouver leur vaillance. Jusqu'au déclenchement du conflit, elles seraient beaucoup mieux nourries qu'à l'ordinaire et dispensées de certaines corvées. Les soldats de César décimeraient cette meute, mais elle leur causerait des pertes et affaiblirait d'autant l'*imperator*.

Photin formerait plusieurs cohortes de vétérans, rassemblées à des endroits stratégiques de la capitale ; soldats expérimentés, ils sauraient mener de meurtriers combats de rue contre les Romains qui connaissaient mal la ville et n'étaient pas habitués à ce genre d'affrontement. Ces vétérans seraient appelés à barrer des rues et des ruelles en édifiant des murs, de manière à couper la retraite de groupes de légionnaires, pris au piège ; ils utiliseraient des machines de jet que l'on commençait à sortir de l'arsenal, en toute discrétion. S'y ajouteraient des tours munies de roues que tireraient des chevaux ; destinées aux archers, elles leur permettraient d'abattre un nombre considérable de légionnaires.

Satisfait de ce dispositif auquel César, malgré son habileté, ne trouverait pas de parade, l'eunuque le soumit à Ptolémée, fier de l'approuver.

— Il reste un point essentiel, Majesté.

— Lequel, Photin ?

— C'est au roi de donner au général Achillas l'ordre de marcher sur Alexandrie avec une partie de ses troupes ; j'ai préparé le message, il manque votre sceau.

L'adolescent tint à lire le document.

— Excellent... J'approuve ce message, et je le signerai.

Soudain, Ptolémée hésita.

— As-tu vraiment déployé un dispositif qui nous garantisse une victoire totale et définitive ?

— Je m'en porte garant, Majesté ; César a eu tort de prolonger son séjour à Alexandrie, de choisir Cléopâtre comme maîtresse et de fomenter un complot visant à vous abattre et à confier les pleins pouvoirs à cette sorcière. Il nous croit brisés, incapables de réagir ; quand la foudre le frappera, il constatera sa vanité et son aveuglement.

Le regard du petit roi se durcit.

— Ils m'ont méprisé, moi, le descendant d'Alexandre le Grand ! Ni César ni Cléopâtre ne doivent survivre.

— Soyez-en assuré, Majesté.

Ptolémée apposa son sceau ; Photin roula le papyrus, le ficela et apposa le sien. Ainsi, le général Achillas ne douterait pas de l'authenticité de ce message qui allait changer le cours de l'Histoire.

La guerre d'Alexandrie venait de débuter, et César l'ignorait.

50

Antipatros comptait s'offrir un copieux déjeuner. Au terme de rudes palabres, l'homme d'affaires juif avait vendu à un homologue chypriote une centaine de jarres décorées de première qualité, des plats en argent et une collection de bijoux dont les élégantes seraient folles. Cette petite fortune lui permettrait d'acquérir un nouvel entrepôt, proche du grand port, et d'embaucher du personnel.

Vent du Nord se présenta à son bureau à l'heure habituelle ; de sa sacoche en cuir, Antipatros sortit la lettre qui lui était adressée. Personne d'autre n'aurait pu accomplir ce geste, sous peine de recevoir une ruade de la part du puissant grison.

Émanant du chambellan Apollodore, la missive évoquait la tentative d'assassinat à laquelle César avait échappé de justesse.

— Mauvais, ça, murmura-t-il, très mauvais.

Un de ses employés l'alerta.

— Il se passe quelque chose de bizarre, patron ; vous devriez voir.

Antipatros caressa Vent du Nord.

— Attends-moi ici, j'aurai peut-être du courrier à te confier ; tu patienteras en dégustant des douceurs.

L'âne ne dédaigna pas le pain croustillant fourré aux dattes, tandis que le négociant suivait son guide.

Il s'immobilisa.

— Attention, patron, ne vous montrez pas ! L'immeuble, là-bas, au carrefour… Il se remplit de types armés. On jurerait une nouvelle caserne !

Une rapide observation suffit : les arrivants étaient des vétérans, obéissant à un officier supérieur.

— Ce n'est pas tout, ajouta l'employé.

Changeant de direction, il emmena Antipatros à l'intersection d'une avenue et d'une rue, d'ordinaire fréquentée ; des militaires du génie édifiaient un muret qui en barrerait bientôt l'accès.

— Jamais vu ça, patron… Qu'est-ce qu'on nous prépare ?

— Une guerre civile.

L'homme d'affaires n'avait plus d'appétit. Il retourna à son bureau, rédigea un rapport à l'intention de Cléopâtre et le glissa dans la sacoche de Vent du Nord.

— Mission urgente et dangereuse, précisa-t-il ; tu risques de rencontrer de sérieux obstacles avant de rejoindre le palais. T'en sens-tu capable ?

L'âne leva l'oreille droite et s'éloigna en trottinant. Si les milices de Photin avaient déjà isolé César et Cléopâtre, il n'existait pas de meilleur messager ; Antipatros, lui, se chargeait d'informer les membres de sa communauté et d'envisager les mesures à prendre.

*

Le général Achillas était d'une humeur massacrante ; l'abus de filles et de vin le fatiguait, l'inaction lui pesait. Pour se calmer, il inspectait la forteresse de Péluse, organisait des tournois de lutte dont il sortait toujours vainqueur, tirait à l'arc, et arpentait les fortifications en regardant la mer.

Lorsque son aide de camp lui apporta un message officiel, il espéra que cette situation insupportable allait enfin évoluer ; à la lecture du texte, il ne fut pas déçu ! Ptolémée, prisonnier de César à Alexandrie, réclamait l'intervention d'Achillas, tout en lui recommandant de maintenir à Péluse un verrou capable de bloquer une éventuelle armée de secours mandatée par l'*imperator*.

En clair, c'était la guerre ! En un instant, le costaud à la tête carrée et au poil noir recouvra son énergie et son envie d'en découdre. Massacrer du Romain et démontrer sa supériorité l'exaltaient ; Jules César avait eu tort de le mésestimer.

Sans nul doute, le vainqueur de la guerre des Gaules avait envoyé des émissaires pour lever une armée de secours et renforcer son maigre contingent de légionnaires stationné à Alexandrie. Vaine précaution, car la marine égyptienne et les braves d'Achillas stopperaient à Péluse ces éventuels intervenants de la dernière heure ; rien ne certifiait, au demeurant, que la prière de César serait exaucée.

Le général réunit son état-major et sollicita l'avis de ses principaux compagnons d'armes, inquiets à l'idée de combattre César ; Achillas les rassura, et l'on s'accorda à propos des effectifs nécessaires : deux mille cavaliers et vingt mille fantassins. Après une soirée de beuverie et une nuit de repos, cette armée partirait délivrer Ptolémée et terrasser ses ennemis.

— Mes amis, clama Achillas, célébrons notre prochain triomphe ; qu'on nous apporte à boire !

Le général ne prêta aucune attention aux porteurs de jarres de bière forte, réservées aux officiers ; parmi eux, un blondinet enrôlé de force alors qu'il était partisan de Cléopâtre. En entendant Achillas et son état-major se féliciter du départ imminent de l'armée à destination d'Alexandrie, le jeune homme comprit que la guerre était déclarée et que la reine courait un grand danger si cette attaque la prenait au dépourvu.

Son service terminé, le blondinet traîna des pieds en regagnant les cuisines de la forteresse.

— Tu n'as pas l'air bien, remarqua son supérieur.

— J'ai de la fièvre… Un coup de froid.

— Va te coucher ; tu iras mieux demain.

Au lieu de regagner son dortoir, le jeune homme sortit de la bâtisse ; connaissant l'emplacement des sentinelles, il profita du crépuscule pour se faufiler jusqu'à la rive, battue de vagues furieuses.

Bon marin, il ne redoutait pas le gros temps et les colères de la mer, à condition de ne pas s'éloigner de la côte et de disposer d'une embarcation solide ; seul endroit où en dénicher une : le chantier naval de Péluse.

La nuit tombée, deux gardes surveillaient les bateaux en réparation. Et le blondinet eut de la chance : une barque en parfait état était amarrée au ponton. Prudent, il observa les environs, redoutant une ronde.

L'obscurité, le vent… Le jeune homme tira avantage de ces éléments, conscient du caractère aventureux de sa démarche ; en cas de tempête, il n'éviterait pas le chavirage. Pourtant, un désir l'obsédait : prévenir Cléopâtre.

Parvenir ici sans avoir été repéré était bon signe ; puisque les dieux le protégeaient, le blondinet ne devait pas douter de son succès. Les monstres des profondeurs l'épargneraient, il réussirait à atteindre Alexandrie et empêcherait le général Achillas de commettre un crime.

L'espoir chevillé au corps, il empoigna les rames.

51

La tête bandée, souffrant de migraines, le Vieux avait néanmoins repris son travail, assisté d'un garde qui assurait sa protection. À la suite d'interrogatoires approfondis, le personnel des cuisines, innocenté, était demeuré à son poste ; désormais, trois goûteurs vérifieraient l'innocuité des aliments et des boissons.

— Ton âne, avertit le chambellan Apollodore ; viens vite !

Inquiet, le Vieux grimpa quatre à quatre les marches de l'escalier de la cave et rejoignit Vent du Nord dont le flanc gauche était ensanglanté.

— On l'a attaqué, constata le Sicilien ; sois tranquille, le vétérinaire du palais le soignera.

Haletant, le grison avait échappé de peu à la mort. Lisant dans ses yeux, le Vieux ouvrit la sacoche et y trouva la missive d'Antipatros.

— Apporte-la à Cléopâtre, dit le Vieux au Sicilien ; Vent du Nord a risqué sa vie pour nous la transmettre.

*

De la terrasse du palais de Cléopâtre, sur l'île d'Antirhodos, César contemplait la mer, le chemin menant à Rome, et sa flottille au repos. Voilà longtemps qu'elle aurait dû appareiller en oubliant ce pays... Mais il y avait Cléopâtre, sa vision de l'avenir, son esprit ouvert à l'impossible, et la puissance de ses enchantements. L'intensité de l'amour ? César ne la niait pas ; au-delà se profilait la résurrection de l'empire des pharaons, source d'inspiration pour la future Rome.

Ce séjour à Alexandrie et cette rencontre avec une reine d'exception modifiaient son destin ; à quelques reprises, l'*imperator* avait su qu'il bouleversait le cours inexorable du temps et imprimait sa volonté à des peuples, d'abord hostiles puis reconnaissants. Cette femme l'envoûtait et, à travers elle, des millénaires de grandeur l'incitaient à dépasser sa petitesse en fondant son propre royaume.

Cette ambition impliquait des risques considérables, et la tentative d'empoisonnement serait forcément suivie d'autres agressions ; conscient du danger, César ne reculerait pas. Ne pas tenter l'aventure serait une lâcheté.

Quand Cléopâtre vint à ses côtés et lui saisit le bras, il ressentit une force nouvelle.

— Rêves-tu de Rome ? lui demanda-t-elle.

— D'une Rome immense que j'espère voir naître.

Apollodore émit un toussotement, le couple se retourna.

— Message urgent pour la reine.

Sa lecture affligea Cléopâtre.

— Notre allié, le négociant juif Antipatros, est très inquiet ; des cohortes de vétérans se rassemblent dans divers quartiers d'Alexandrie, des soldats y disposent des machines de jet et commencent à barrer des rues.

César lut à son tour ce rapport alarmant.

— Ptolémée se prépare à m'attaquer et compte tirer profit d'une guérilla urbaine à laquelle mes légionnaires ne sont pas habitués.

— Là-bas, s'écria le Sicilien, une barque approche !

Le seul homme à bord éprouvait les pires difficultés à donner les derniers coups de rame ; deux soldats de la garde personnelle de César l'aidèrent à accoster. Déjouant les pièges de la mer, le blondinet n'avait pas échappé aux archers d'un bateau de guerre posté à l'entrée du port. Gravement blessé, il parvint cependant à parler aux Romains avant d'expirer ; et l'un des soldats se hâta de rapporter ses propos à l'*imperator*.

— Le général Achillas a reçu l'ordre de marcher sur Alexandrie, avec des milliers de cavaliers et de fantassins. L'assaut serait imminent.

César convoqua Rufin et l'informa.

— Tous vos hommes sont prêts à se battre jusqu'à la mort, déclara le rugueux lieutenant, mais le combat s'annonce trop inégal. Impossible, à la fois, de pacifier la ville et de repousser une telle armée.

— Aucune nouvelle d'éventuels secours ?

— Pas la moindre.

— Ton avis, Rufin ?

— Vous êtes le commandant suprême, et je me plierai à vos décisions.

— Ton avis !

— Embarquons pendant qu'il en est encore temps et gagnons le large au plus vite.

— Ptolémée fera fermer le port, annonça Cléopâtre.

— Nous avons une chance de forcer le barrage ; en restant ici, nous sommes condamnés à périr.

— Cette guerre n'est pas inévitable, jugea César ; je vais utiliser une arme secrète.

— Laquelle ? s'étonna Rufin.

— Ptolémée le Treizième.

*

— Sortez, ordonna l'*imperator* à l'eunuque Photin et au précepteur Théodote ; le roi et moi devons nous entretenir seul à seul.

Le ton ne souffrant pas de réplique, les deux conseillers s'exécutèrent ; tendu à l'extrême, le petit souverain se cramponna aux accoudoirs de son trône et tenta d'éviter le regard du Romain.

— Une guerre civile est la pire des calamités, déclara César d'une voix posée, dépourvue d'agressivité ; en attaquant Cléopâtre, tu attaques Rome et provoqueras un second conflit, si grave que l'Égypte entière en souffrira. Ta supériorité stratégique et numérique te garantit, semble-t-il, une victoire éclatante ; n'oublies-tu pas les qualités de mes légionnaires et l'arrivée prochaine d'une armée de secours ? J'ai vu mourir beaucoup d'hommes, et ce spectacle ne m'a jamais réjoui ; toi, à l'abri dans ce palais, tu imagines un simple jeu. Et ce n'en est pas un, Votre Majesté.

Le discours ébranla le petit roi, flatté d'être ainsi consulté.

— Je n'ai plus l'âge de jouer ! protesta-t-il, partagé entre la crainte d'un enfant face à un père autoritaire et la volonté de s'affirmer.

— Des centaines de cadavres jonchant les rues d'Alexandrie, est-ce vraiment le désir du treizième représentant de l'illustre dynastie des Ptolémées ? Son fondateur, Alexandre le Grand, avait rétabli la paix, et Rome n'a nullement l'intention de la détruire.

— Que propose César ?

— Aucun acte irrémédiable n'ayant été commis, négocier serait une excellente solution. L'urgence consiste à stopper l'offensive du général Achillas.

— De quelle manière ?

— Si des envoyés de son roi lui transmettent un ordre clair, Achillas obéira ; ensuite, nous rechercherons ensemble un accord satisfaisant.

— Inclura-t-il le départ de tous les Romains ?

— Nous en discuterons.

Ptolémée se redressa.

— Je suivrai ton conseil, et nous essaierons d'éviter l'affrontement.

À peine César quittait-il la salle d'audience que Photin et Théodote s'empressèrent d'y entrer, impatients de connaître la teneur de l'entretien.

— Le Romain a-t-il osé vous menacer ? demanda l'eunuque.

— César commence à nous respecter et redoute l'offensive d'Achillas ; il m'a prié de l'interrompre.

— Bien entendu, vous avez refusé !

Le petit monarque adopta un air supérieur.

— Nous nommerons deux émissaires chargés de révéler nos intentions à Achillas, en n'omettant pas de préciser que nous subissons toujours le joug du tyran romain.

Photin et Théodote sourirent ; malgré son jeune âge, Ptolémée ne manquait pas de sournoiserie.

— Choisissez des personnalités crédibles et présentez-les à Cléopâtre avant leur départ.

L'eunuque eut un doute.

— Croyez-vous à une conciliation, Majesté ?

Le rictus de Ptolémée le rassura.

52

Deux juristes, formés au Musée et appartenant à la cour de Ptolémée, s'inclinèrent devant César et Cléopâtre, qui avait eu l'occasion d'assister à leurs cours. Influents et respectés, ils n'appréciaient guère l'agitation des politiciens et préféraient se consacrer à l'enseignement. Amis de longue date, Dioscoride et Sérapion passaient l'essentiel de leurs journées à la Bibliothèque, en essayant d'oublier les turpitudes du monde extérieur.

— Soyons francs, dit Dioscoride, un quinquagénaire pincé ; mon collègue et moi-même n'avons pas approuvé vos réformes et les avons combattues. Trop de précipitation et d'imprécision... Réflexion faite, vous n'aviez pas tort. Notre monnaie est une arme décisive, et sa force garantit notre prospérité ; promulguer de nouvelles lois, cependant, exige de respecter les formes.

Sosie de Dioscoride, Sérapion approuva d'un signe de tête ; pointilleux, il détestait les impatiences de la reine, peu propices à l'exercice rigoureux du droit.

— Le roi vous a-t-il expliqué votre mission ? questionna César.

— Nous n'aimons pas outrepasser nos fonctions, confessa Dioscoride, mais notre souverain souhaite que nous intimions au général Achillas l'ordre d'établir son campement à bonne distance d'Alexandrie. Le seul moyen d'éviter une guerre civile, semble-t-il ; par les dieux, les militaires et les armes sont détestables ! C'est ton avis, Sérapion ?

L'interpellé confirma d'un regard appuyé.

— Néanmoins, reprit Dioscoride, nous remplirons cette tâche afin d'empêcher des troubles déplorables. La violence ne mène à rien.

Les deux diplomates se retirèrent.

— Crois-tu au succès de ces deux naïfs ? demanda la reine à César.

— Pourquoi Achillas transgresserait-il les directives de son souverain ? Son armée immobilisée, nous aurons le temps d'organiser notre défense.

Cléopâtre contempla son amant avec une intensité particulière.

— N'est-ce pas une illusion ? Ton lieutenant, Rufin, a peut-être raison ; pars, sauve ta vie !

— En t'abandonnant et en fuyant comme un lâche ? Mon honneur serait à jamais souillé et ton rêve détruit. C'est ici et maintenant que nous bâtirons l'avenir.

Éperdue d'amour, la jeune femme s'abandonna au désir de l'homme qui, au prix d'un courage insensé, lui offrait l'espérance.

*

En ce dernier jour du mois d'octobre – 48, le temps s'était gâté ; la température baissait, un fort vent d'ouest amenait des nuages. Le chariot transportant

Dioscoride et Sérapion avait été pourvu de coussins, mais ce confort sommaire ne déridait pas les deux juristes qui détestaient s'éloigner d'Alexandrie. Ils n'appréciaient pas la campagne, les routes tortueuses et les voyages, fussent-ils très courts ; leur monde, c'était le Musée et la Bibliothèque où ils préparaient des textes de loi qu'ils soumettaient au gouvernement. Depuis la brouille entre Ptolémée et Cléopâtre, quantité de projets étaient bloqués et d'indispensables réformes se faisaient attendre ; au moins, ce pénible déplacement déboucherait sur l'apaisement. Enfin, la capitale reprendrait son visage habituel.

Les roues du chariot et les sabots des chevaux produisaient un détestable vacarme ; comme les deux érudits regrettaient le silence des salles de lecture ! Le plaisir suprême consistait à dérouler lentement un papyrus contenant de précieuses informations, à le lire avec attention, puis à le ranger à sa bonne place. Cette mission terminée, Dioscoride et Sérapion se hâteraient de regagner Alexandrie.

Leur escorte se composait d'une dizaine de cavaliers expérimentés que commandait un vétéran ; parmi eux, un partisan de Cléopâtre dont son chef ignorait les opinions. La reine l'avait chargé d'observer le déroulement de la négociation et de lui fournir un rapport détaillé.

— Quelle horreur ! juga Dioscoride en apercevant l'avant-garde de l'armée d'Achillas ; je déteste ces manœuvres militaires.

Sérapion approuva.

Les cavaliers et le chariot s'immobilisèrent brutalement, les juristes furent projetés l'un contre l'autre.

— Ces imbéciles nous ont blessés ! protesta Dioscoride.

Bras écartés, le chef de l'escorte avait mis pied à terre ; les archers du général étaient prêts à tirer, surpris de rencontrer ce détachement, peut-être hostile.

— Mission royale ! cria-t-il.

Encadré de soldats vigilants, un officier s'approcha.

— J'amène deux ambassadeurs au général Achillas, expliqua le vétéran.

— Vous me remettez vos armes.

Sous l'œil inquiet des juristes, les membres de l'escorte obéirent, puis le chariot remonta une colonne de fantassins.

À cheval, coiffé d'un casque, Achillas se tenait au milieu de ses troupes.

— Quel personnage grossier, murmura Sérapion à l'oreille de Dioscoride ; à se demander s'il sait lire et écrire.

— Descendez, exigea l'aide de camp du général.

Endoloris, les ambassadeurs prirent leur temps.

— Qui êtes-vous ? interrogea Achillas.

— Dioscoride et Sérapion, envoyés de Sa Majesté Ptolémée le Treizième ; nous sommes chargés de vous transmettre un message urgent et confidentiel.

— J'ai entendu parler de vous, avoua le général ; à ce qu'on dit, vous êtes les meilleurs juristes de la cour.

Cette déclaration inattendue modifia l'opinion défavorable des ambassadeurs ; l'apparence brutale du militaire ne cachait-elle pas un esprit fin ?

— Suivez-moi.

Dioscoride et Sérapion marchèrent à bonne distance du cheval ; ils avaient peur des animaux, et particulièrement de ces énormes quadrupèdes aux ruades imprévisibles. Le général les emmena à l'abri d'un vieux figuier et les rassura en sautant de sa monture.

— Alors, ce message ?

— Ptolémée désire que vous stoppiez votre progression vers Alexandrie et que vous établissiez un campement loin de la ville.

Achillas crut avoir mal compris.

— C'est une plaisanterie ?

— L'arrêt des hostilités facilitera les négociations avec César et Cléopâtre.

— Des négociations, répéta Achillas, sceptique ; elles ne sont plus de saison !

— Telle est la volonté du roi, insista Sérapion, et tous ses fidèles sujets doivent s'y plier.

— La volonté du roi... Est-ce une certitude ?

— Il nous a parlé, précisa Dioscoride, et nous n'en doutons pas !

— Il vous a parlé... librement ?

— D'une certaine façon.

— Sois clair ! exigea Achillas.

— Ptolémée a rappelé qu'il subissait le joug du tyran romain et...

— Voilà la vérité ! trancha Achillas ; le malheureux a été contraint de répéter les instructions de César qui souhaite garder prisonnier notre souverain, retarder mon offensive et lancer une contre-attaque.

Interloqués, les ambassadeurs se sentaient perdus.

— Quel maître servez-vous ? interrogea Achillas.

— Ptolémée le Treizième ! s'exclamèrent ensemble les deux juristes.

— À mon avis, ce serait plutôt cette chienne de Cléopâtre, la servante de César.

— Non, non, tu te trompes !

L'épée du général jaillit de son fourreau et trancha la gorge de Dioscoride. Épouvanté, Sérapion regarda mourir son compagnon sans esquisser le moindre mouvement de fuite.

Calme et précis, le général lui infligea le même sort.

Après avoir essuyé la lame sur la tunique de Dioscoride, Achillas remonta à cheval et rejoignit son armée.

— En route ! Nous allons libérer notre roi et notre capitale.

53

Le récit du négociant juif Antipatros était aussi détaillé qu'effrayant, et chacune de ses descriptions frappait César et Cléopâtre à la manière d'un coup de poignard. Des dizaines de machines de jet avaient été disposées aux principaux carrefours d'Alexandrie, des vétérans et des soldats venus de province se répandaient à travers la ville, des esclaves armés formaient les premières lignes, nombre de rues étaient barrées au moyen de murs bâtis en pierres de taille. La cité entière se transformait en forteresse peuplée d'adversaires prêts à combattre les Romains.

Loin d'interrompre le développement de ce dispositif militaire, Ptolémée l'avait accéléré, prouvant sa volonté de déclarer un conflit d'envergure.

— Le port est encore accessible, ajouta Antipatros, et vos navires peuvent en sortir ; hâtez-vous avant que la marine de guerre égyptienne vous en empêche.

Le chambellan Apollodore introduisit le cavalier qui appartenait à l'escorte de Dioscoride et de Sérapion.

— Le général Achillas a tué de sa propre main les deux ambassadeurs, révéla-t-il ; dès demain, son armée atteindra Alexandrie.

— Le petit Ptolémée est plus rusé que je ne l'imaginais, constata César ; il a délibérément envoyé à la mort deux de ses dignitaires. Achillas le croit prisonnier de Rome et veut le délivrer, fût-ce au prix d'un carnage.

Cette fois, un affrontement sanglant était inévitable et la situation claire. Les forces de César comptaient 3 200 fantassins, 800 cavaliers et 34 vaisseaux ; celles de Ptolémée, les 20 000 fantassins et les 2 000 cavaliers d'Achillas, les réserves casernées à Péluse, et les troupes d'Alexandrie.

Quels que fussent le courage et l'expérience des Romains, une bataille urbaine perdue d'avance.

— Rendons-nous immédiatement au port, proposa le Sicilien ; la zone est sûre, le trajet court. En partant au crépuscule, nos bateaux éviteront une manœuvre adverse.

— Je reste à Alexandrie, décida Cléopâtre ; si je m'enfuyais, Ptolémée prendrait le pouvoir et je ne reverrais jamais mon pays.

— Majesté, c'est un suicide ! Vos partisans ne sont pas assez nombreux, ils seront réduits à néant en quelques heures, et le roi ne vous épargnera pas !

— Tu oublies mes soldats, intervint César.

Le chambellan fut étonné.

— Vous aussi, vous restez ?

— Face à l'adversité, je me suis toujours battu, et j'ai l'intention de remporter ce nouvel affrontement.

Le visage de César se modifia ; saisis, le chambellan Apollodore et le négociant Antipatros contemplèrent un faciès de rapace aux yeux à la fois brûlants et froids ; le charmeur à la parole aimable cédait la place à l'*imperator*, maître de guerre. Cette métamorphose réconforta Cléopâtre, animée d'une féroce envie de lutter.

— Le général Achillas semble persuadé que nous gardons prisonnier son petit monarque, rappela César ; eh bien, donnons-lui confirmation !

*

Au palais royal, l'atmosphère était au beau fixe ; le plan de Photin et de Théodote, aidés par leur protégé, le rusé Ptolémée, avait été appliqué sans erreur et leur procurait une victoire totale. Bientôt, César et Cléopâtre seraient massacrés, et le treizième des Ptolémées s'affirmerait comme un grand stratège, lui, le vainqueur du plus fameux des généraux romains !

Impatiente d'épouser son frère et d'être couronnée reine à la place de Cléopâtre, la princesse Arsinoé ne cessait d'interroger son fidèle eunuque, Ganymède, afin d'obtenir des informations. Le soulèvement de la capitale contre le Romain et sa maîtresse annonçait des heures magnifiques et le déferlement des troupes d'Achillas serait un superbe spectacle !

La porte du bureau de Photin s'ouvrit à la volée ; apparurent César, Rufin et des légionnaires.

L'eunuque et Théodote se levèrent.

— Que signifie…

— Vous êtes assignés à résidence, déclara César ; toute tentative d'évasion ou de communication avec l'ennemi sera punie de mort. Jusqu'à nouvel ordre, je vous accorde la vie.

Abasourdis, l'eunuque et le précepteur regardèrent la porte se refermer, désormais placée sous la surveillance de deux soldats qui n'hésiteraient pas à abattre quiconque essaierait de s'enfuir.

À grands pas, César et ses hommes gagnèrent les

appartements de Ptolémée ; comprenant qu'ils n'auraient pas le dessus, ses gardes lâchèrent leurs armes et furent aussitôt ligotés.

Un coiffeur lissait les mèches de l'adolescent ; à la vue de César, il interrompit son labeur et se tassa dans un angle de la pièce.

Ptolémée ouvrit des yeux effarés.

— Le petit manipulateur a montré une rare cruauté en condamnant ses deux diplomates, déclara César ; j'ai rencontré bien des êtres veules, mais toi, tu les surpasses.

L'accusé se rebiffa.

— Je t'ai terrassé, César ! Mon peuple et mes soldats te piétineront !

— Tu es mon prisonnier, Ptolémée, et ce palais devient ta geôle ; ne crois pas que l'éventuelle victoire d'Achillas, loin d'être acquise, te sauverait.

— Toi, pour te sauver, tu m'échangeras contre ton existence ! Maintenant, je suis ton trésor le plus précieux.

Le regard méprisant de l'*imperator* fit taire l'adolescent.

Des cris aigus résonnèrent ; deux légionnaires amenèrent une Arsinoé déchaînée, hurlant des injures peu dignes d'une princesse.

L'apparition de Cléopâtre rendit sa sœur muette d'indignation ; Ptolémée tenta d'agresser la reine, le bras de César brisa son élan.

— Vous êtes les ennemis de Rome et de l'Égypte, aujourd'hui empêchés de nuire.

— Cléopâtre, promit le petit roi, tremblant de haine, je te dépècerai vivante !

54

Une partie du palais royal transformée en prison, l'autre devint le quartier général de César ; sur une grande table en marbre fut déployé un plan d'Alexandrie.

— Êtes-vous conscient que vous risquez de perdre le bénéfice de vos victoires ? interrogea Rufin.

— N'est-ce pas le cas avant chaque bataille ? Celle-ci sera la plus difficile, je te le concède, mais aussi la plus exaltante.

Le lieutenant de l'*imperator* bomba le torse.

— Entendu, nous vaincrons.

Cléopâtre désigna un endroit précis du plan.

— Nous ne pouvons tenir qu'un seul quartier, celui du Bruchion ; le palais royal, le Musée et la Bibliothèque sont faciles à défendre. Et notre meilleur bastion sera le théâtre, d'où l'on accède aisément au port de l'est et aux chantiers navals.

— Excellente analyse, reconnut César ; il ne faut surtout pas disperser nos forces. En les concentrant aux lieux indiqués, nous opposerons à l'assaillant une ligne de défense difficile à rompre.

— Valable, jugea Rufin.

— Avertis immédiatement tous nos hommes ; que chacun se prépare à subir un assaut dès demain, à l'aube.

Cléopâtre continuait à fixer le dessin de sa capitale ; César la prit dans ses bras.

— Beaucoup d'hommes vont mourir, et cette ville sera défigurée, quelle que soit l'issue de cette guerre.

— Un cauchemar… Se dissipera-t-il ?

— Puissent les dieux guider nos actions.

— Peut-être notre dernière nuit…

— As-tu des regrets, reine d'Égypte ?

— Pourquoi en aurais-je, puisque nous vaincrons ? Confère l'énergie nécessaire à tes hommes ; moi, je dois implorer Isis. Ensuite, nous nous rejoindrons.

*

Mis à contribution, le Vieux et Vent du Nord s'acquittèrent au mieux de leur tâche, courant d'une maison à l'autre afin d'alerter les soldats et de les rassembler ; le négociant Antipatros et nombre de juifs leur prêtèrent main-forte, conscients que chaque minute comptait. La discipline des légionnaires leur fut d'un précieux secours et, peu après la tombée du jour, ils écoutèrent un bref discours de l'*imperator* qui leur parla depuis la scène du théâtre.

César ne leur cacha pas la gravité de la situation et la difficulté de leur tâche ; étant donné la hargne et la supériorité de l'adversaire, les combats promettaient d'être impitoyables, et plusieurs braves ne reverraient pas Rome. Seuls le courage et la cohérence leur permettraient de résister en attendant l'arrivée des renforts.

*

À proximité du port royal, un sanctuaire d'Isis célébrait la protectrice des marins ; la statue qui la représentait était un mélange des styles égyptien et grec. Couronnée d'un disque solaire entouré de cornes de vache, vêtue d'une longue robe plissée, le cou orné d'un collier d'or, la déesse tenait un sistre, instrument de musique formé de tiges métalliques dont les vibrations dissipaient les ondes maléfiques ; à ses pieds, des épis de blé et une corne d'abondance.

Le sourire de la déesse apaisa Cléopâtre ; la peur d'un désastre s'estompa, la vision d'une mer calme et baignée de soleil s'imposa. La reine saisit la main qu'Isis lui tendait et, en sa compagnie, eut la sensation de marcher sur l'eau, admirant une Alexandrie intacte, aux monuments éblouissants de blancheur.

Alors que la vision se dissipait, la statue pivota, laissant apparaître un escalier. La reine l'emprunta pour aboutir à une crypte où brillait une douce lueur provenant de lampes à huile ; elle éclairait une statuette du dieu Thot, homme à tête d'ibis auquel Hermès, revêtu d'une robe dorée, offrait de l'encens.

— Puisque tu n'as pas oublié Isis, affirma la voix grave du mage, elle ne t'abandonnera pas.

— La guerre d'Alexandrie a commencé, et nous n'avons guère de chances d'y survivre ; pourtant, César acceptait de se rendre à Dendera, et j'ai envoyé un message à la grande prêtresse en lui confirmant que, quoi qu'il advienne, les travaux se poursuivraient et le temple serait achevé.

— Vénère Thot, le maître de la langue sacrée gravée

sur les parois des sanctuaires ; le temps, la destruction et la folie des humains ne l'atteignent pas. Il inspire la pensée de ses fidèles, ouvre leur esprit, et leur procure la sève d'un grand arbre au feuillage luxuriant qui répand une ombre bienfaisante. Quand la barbarie et le fanatisme le couperont, la nature entière périra, et il ne restera que des humains affrontant des humains. Cette bataille-là est la tienne, Cléopâtre, et voici ton chemin, ô combien périlleux, vers les mystères d'Isis ; si la science et l'habileté de Thot guident ton action, l'horizon se déchirera peut-être.

*

Les os douloureux et les muscles fatigués, le Vieux termina une amphore de rouge ; un cru puissant et revigorant, aux arômes d'une finesse remarquable. Il caressa le cou de son âne, accroupi près de lui, les yeux mi-clos.

— Cette fois, mon gars, on est dans le pétrin jusqu'au cou ! Tu voulais voir Alexandrie et on va voir une guerre, et pas une petite ! Dis donc… Ce serait le moment de retourner au village, tu crois pas ?

L'oreille gauche de l'âne se leva.

— Comment, non ? Nous sommes coincés entre une ville entière qui se révolte contre nous et une énorme armée désireuse de nous anéantir, et toi, tu restes ici !

Bien dressée, l'oreille droite confirma.

— Sans toi, je ne trouverai jamais mon chemin ! Bon sang de bon sang, tu veux encore jouer les héros… C'est infernal, chez certains ânes, cette manie de conquérir le monde !

Vent du Nord ferma les yeux, signifiant la nécessité de dormir avant la rude journée qui s'annonçait ; dépité, le Vieux l'imita.

Les sentinelles romaines étaient à leur poste, guettant le moindre signe d'animosité de la part des Alexandrins ; retranchés dans le quartier du Bruchion, les hommes de l'*imperator* se persuadaient de pouvoir repousser un assaut massif. Leur chef n'était-il pas invaincu, sortant indemne des pires traquenards ?

Au palais, Cléopâtre décrivait sa vision à César ; la nuit était calme, le vent doux, la mer paisible, les étoiles brillaient et Alexandrie retenait son souffle.

55

Au milieu de la matinée, l'armée d'Achillas franchit la porte canopique, à l'ouest de la capitale ; à la vue du général, vétérans, hommes de troupe et renforts appelés par Ptolémée poussèrent des acclamations. La jonction des forces hostiles à César formerait une vague si puissante que rien ne lui résisterait.

Le général éprouva quelque peine à instaurer un ordre militaire au sein de la cohue envahissant la voie canopique, heureusement large d'une trentaine de mètres, et menant au quartier du Bruchion et aux palais où l'ennemi s'était réfugié, gardant prisonniers le roi et ses conseillers. Au terme des cinq kilomètres à parcourir, Achillas percerait les maigres défenses de l'*imperator* et lui infligerait une humiliante défaite dont parleraient les siècles à venir.

Un risque cependant ; César ne supprimerait-il pas Ptolémée, Arsinoé et ses autres otages avant de se suicider ? Malgré des déclarations rassurantes, Achillas espérait que le conquérant déchu exercerait cette vengeance radicale, lui conférant ainsi la totalité du pouvoir ; le général se forcerait à verser des larmes sur les cadavres et occuperait le trône en instaurant un régime fort.

Des chevaux halaient de hautes tours remplies d'archers, munies de roues et faciles à déplacer ; les fantassins et les cavaliers les suivaient, accompagnés des spécialistes chargés d'acheminer les machines de jet. On se bousculait, on chantait, on s'enivrait d'un triomphe rapide, avec une consigne : pas de quartier. À la tombée du jour, il ne resterait plus un seul Romain vivant à Alexandrie, et l'on brandirait au bout d'une pique les têtes tranchées de César et de Cléopâtre.

Soudain, la progression s'interrompit.

— Continuez d'avancer ! exigea Achillas.

— Impossible, cria un officier du haut d'une tour ; les Romains ont barré le passage !

Le général constata par lui-même. Imitant l'adversaire, les légionnaires avaient obstrué rues et ruelles, se barricadant à l'intérieur de cette forteresse improvisée.

Et la première flèche jaillit d'un arc romain pour transpercer la gorge de l'officier se tenant à la gauche d'Achillas.

La riposte fut immédiate, et les machines de jet bombardèrent les positions de l'ennemi. Volées de flèches et de pierres auraient dû causer des ravages, mais les légionnaires, s'abritant dans les immeubles et les maisons, ne subirent que de légères pertes.

Furibond, Achillas réitéra ses assauts pendant des heures sans réussir à briser les défenses de César dont les tireurs d'élite faisaient merveille ; à cause d'une fausse manœuvre, une tour à roues s'écroula, écrasant de nombreux fantassins et semant un début de panique.

Ayant besoin de réfléchir, le général ordonna une cessation des hostilités ; il se heurtait à plus forte partie que prévu et devait changer de tactique.

*

À peine le calme revenu, Vent du Nord, le Vieux et des infirmiers portèrent secours aux blessés. Apportant des jarres d'eau, l'âne reçut un accueil chaleureux, tandis que le Vieux essuyait les récriminations des légionnaires.

Rufin se présenta au rapport.

— Trente morts, vingt blessés graves, cinquante légers en état de combattre ; une seule barricade enfoncée. Pour le moment, l'ennemi se casse les dents et perd beaucoup d'hommes ; leurs attaques sont désordonnées et inefficaces.

— Le moral ? demanda César.

— Élevé.

— Ne relâchons pas notre vigilance ; à la suite de cet échec, la fureur d'Achillas sera décuplée.

— J'ai réquisitionné le personnel médical du palais, annonça Cléopâtre ; plusieurs salles accueilleront les blessés qui bénéficieront d'excellents soins.

— Te voici l'alliée de Rome, constata l'*imperator*. Elle lui sourit.

— N'est-ce pas l'inverse ?

César ne cessait de redécouvrir cette jeune femme aux perpétuelles initiatives ; en plein conflit, alors que son existence était menacée, elle gardait son sang-froid et paraissait inébranlable, tout en déployant le charme d'une magicienne.

— Que penses-tu d'Achillas ? lui demanda César.

— Un vrai chef de guerre, brutal, impitoyable ; il ne renoncera pas à nous détruire, car il se moque de l'avenir de la famille royale et s'imagine déjà en maître absolu d'Alexandrie.

— Une lutte à mort… Elle risque de l'aveugler ; s'obstinera-t-il à vouloir enfoncer nos barricades ?

— Achillas est un vicieux ; en cas d'échec répété, il cherchera une meilleure solution.

La reine et l'*imperator* se penchèrent sur la carte de la ville, tentant d'imaginer un nouvel angle d'attaque de la part de leur adversaire.

*

Effondré, Théodote ne parvenait même pas à relire les poètes alexandrins ; Photin, excédé, tournait en rond.

— Notre réclusion sera de courte durée, estima-t-il ; l'armée d'Achillas ne tardera pas à nous délivrer.

— Je ne partage pas ton optimisme, déclara l'érudit ; César est un redoutable stratège.

— Il n'est pas expert en guérilla urbaine, et succombera sous le nombre !

La porte de leur prison s'ouvrit ; Apollodore le Sicilien précéda deux jeunes serviteurs apportant des nourritures.

— L'attaque du général Achillas a échoué, révéla-t-il, et l'armée de César est intacte. En tant que prisonniers, et jusqu'à votre jugement, vos repas seront ceux des soldats.

Comme le chambellan lui tournait le dos, Photin glissa dans la poche de la tunique d'un des domestiques deux pièces de bronze et un bref message à l'intention d'Achillas, lui enjoignant de poursuivre le combat et de libérer Ptolémée.

L'eunuque huma un plat de fèves bouillies mélangées à des morceaux de viande douteux ; écœuré, il préféra jeûner.

*

La servante Charmion profita de la trêve pour coiffer la reine, la parfumer et l'obliger à changer de robe.

— Guerre ou pas guerre, vous devez rester belle et élégante ; être aimée de César exclut le laisser-aller. Quel maintien, ce général ! Son manteau rouge est impeccable, ses mains sont soignées, et il ne s'autorise aucune faute de goût. Au fond, je vous comprends ; malgré son âge, il est mille fois plus séduisant que les jeunes bellâtres de la cour ! À force de s'entraîner au gymnase, ils ont le cerveau vide et le sexe mou.

— Charmion !

— Vous les repoussiez parce que vous espériez un homme de la stature de César et vous avez eu raison ; vu votre caractère, il vous fallait un amant de cette taille-là. Tâchez de gagner cette guerre et d'épouser ce général ; à vous deux, redressez notre pays qu'ont tant abîmé Ptolémée et sa clique, et le peuple vous aimera. Moi, je me bats à ma manière, et j'ai supprimé toutes les pâtisseries dont ce petit monstre est tellement friand ; au moins, il maigrira ! Ah, ne bougez pas... Voilà, vous êtes superbe.

Charmion présenta un grand miroir à la reine ; il refléta les ors d'un tendre soleil d'automne qui commençait à se coucher. Anxieuse, Cléopâtre pressentait une nuit tragique et se rendit auprès de César.

Lui aussi paraissait soucieux.

— Nous avons renforcé notre ligne de défense,

indiqua-t-il, et nous résisterons ; Achillas le sait, il n'insistera pas.

Cléopâtre contempla la rade, les quais, l'île d'Anti-rhodos, la passe principale, le phare... Et elle acquit une certitude.

— Le port royal... Achillas va s'en emparer !

56

En écoutant les rapports de ses officiers, le général Achillas avait abouti à une conclusion : les barrages des Romains seraient difficiles à franchir. De plus, ils avaient profité de la trêve pour les renforcer, et les vagues d'assaut risquaient de se briser les unes après les autres.

Il devait donc trouver un point faible au système de défense de César, et Achillas finit par dénicher un angle d'attaque : le port de l'est où étaient amarrés soixante-douze navires de guerre alexandrins et la flottille romaine, laquelle se croyait à l'abri. Ptolémée n'avait pas eu le temps de donner à sa marine l'ordre de bloquer la sortie de la rade et César, refusant de quitter la ville, gardait en réserve ses bâtiments.

Un objectif précis : s'emparer des bateaux de Ptolémée, couper à César toute possibilité de fuite, et attaquer le palais depuis la mer ; les légionnaires ne réussiraient pas à défendre les quais bien longtemps.

Évitant le quartier du Bruchion, les soldats d'Achillas longèrent la rive en courant ; impossible d'utiliser les tours et les machines de jet, mais les fantassins n'en auraient pas besoin. Pris au dépourvu, les Romains n'opposeraient qu'une résistance désespérée.

*

César avait tenu compte de l'avertissement de Cléopâtre et déplacé une centaine de légionnaires qui s'étaient massés à la hauteur du port royal afin de défendre les trières romaines.

Ne s'attendant pas au déferlement d'une meute hurlante et compacte, ils reculèrent en tentant de s'abriter, et un officier réclama aussitôt des renforts ; postés sur les toits des palais, des archers ralentirent la progression de l'ennemi.

Rufin alerta César.

— Retraite impérieuse ! Sinon, nos hommes seront massacrés.

— Nos bateaux ?

— Perdus.

— S'ils sont perdus, nous aussi.

— Impossible de les défendre, affirma Rufin ; nous sonnons la retraite ?

L'*imperator* ne pouvait différer sa décision.

— Brûlons tout.

— Tout…

— Brûlons nos navires et ceux de Ptolémée.

— Vous êtes certain que…

— C'est la seule issue ; hâtons-nous.

Cléopâtre n'intervint pas ; en agissant ainsi, César se privait définitivement d'une fuite éventuelle et prouvait sa volonté de vaincre.

Commandant une escouade déterminée, Rufin obéit à son chef ; lançant des torches plongées dans la poix liquide, ils enflammèrent les cordages de chanvre et les planches des bateaux, suintant de cire. Bientôt s'embrasèrent les bancs des rameurs et les cordes fixant les vergues au sommet des mâts ; à demi consumés, les bâtiments coulèrent[1].

Ce spectacle effarant figea les combattants ; comment Achillas aurait-il pu imaginer pareille destruction ? Un vent violent s'étant levé, le feu se communiqua d'un bateau à l'autre avec une rapidité stupéfiante, atteignit les greniers à blé et un entrepôt de bois jouxtant la grande Bibliothèque.

Affolés, les gardiens étaient incapables d'entraver la marche des flammes ; les savants jaillirent de leurs logements, ne sachant quoi emporter. Les fenêtres éclatèrent, le feu trouva des éléments de choix, papyrus et étagères ; un vieil érudit voulut sauver quelques volumes, mais sa tunique s'embrasa et il s'affala au sein d'un brasier aux proportions gigantesques qui laissa pétrifiés César, Cléopâtre, les légionnaires et leurs adversaires.

En moins d'une heure, sous l'effet de rafales de vent attisant l'incendie, le Musée, la Bibliothèque et plusieurs autres bâtiments furent totalement détruits ; le quartier du Bruchion n'était plus qu'un magma fumant et seuls les palais, à la façade noircie, avaient en partie échappé au désastre.

César fut le premier à sortir de la torpeur générale.

— Il reste un passage entre le théâtre et le port, dit-il à Rufin ; utilisons-le.

Le petit nombre de soldats d'Achillas posté à cet endroit ne résista pas à la ruée des Romains, et l'*impe-*

---

1. Description de Lucain.

rator conduisit lui-même un détachement entier à son but : le phare. Il ne pouvait s'emparer de la totalité de l'île de Pharos, mais la conquête du célèbre monument, situé à sa pointe, lui assurerait la surveillance du port et le contrôle des chaînes que l'on tendait pour en clore l'accès.

Une fois encore, Rufin apprécia le génie stratégique de César et son sens de l'improvisation en des circonstances tragiques ; son instinct lui permettait de tirer profit de n'importe quel incident, fût-ce une catastrophe comme cet incendie géant. Un seul impératif comptait : reprendre l'initiative.

Les vigiles préposés à l'entretien du phare furent vite massacrés, et César s'engouffra dans l'escalier en spirale menant aux étages. De forme carrée, le premier atteignait la hauteur de 60 mètres ; le deuxième, octogonal, en ajoutait 26, et le troisième 19. La clarté de la flamme brillant constamment au sommet de cette tour de pierre de 105 mètres s'étendait jusqu'à une cinquantaine de kilomètres. Comportant de nombreuses pièces, le phare fournissait aux Romains un parfait poste d'observation, surplombant la ville et la mer.

— L'endroit est sécurisé, annonça Rufin, et sera facile à tenir ; nous n'avons que deux blessés légers.

César regarda Alexandrie brûler. En s'attaquant à Rome, le petit Ptolémée avait provoqué la destruction de sa capitale et de ses fleurons, la Bibliothèque et le Musée, incarnant le désir d'un savoir universel. Des milliers de livres et de rapports scientifiques achevaient de se consumer, d'innombrables journées de recherche étaient réduites à néant.

Pour la première fois, l'*imperator*, habitué aux atrocités des batailles, voyait périr un monde de savants, d'ingénieurs, de lettrés et de poètes à cause de la vanité et de la folie d'une dynastie décadente. S'il avait cédé à la hargne, il aurait étranglé le treizième des Ptolémées, pitoyable héritier d'un lâche, obsédé sexuel et corrompu ; mais le point de non-retour avait été franchi. À présent, un seul objectif : gagner la guerre d'Alexandrie.

57

Le regard de Cléopâtre était rempli de flammes.

— La Bibliothèque, le Musée, les trésors d'Alexandrie… Comment as-tu osé ?

— Je ne suis pas responsable de ce désastre, affirma César ; en brûlant mes bateaux et ceux de Ptolémée, je n'imaginais pas que le feu se propagerait de cette manière. La tempête s'est déclenchée en un instant, et le vent, d'une rare violence, a traduit la colère des dieux.

La reine serra les poings.

— Maintenant, tu accuses les dieux !

— Qui d'autre aurait décidé de décupler la puissance de cet incendie ? La stupidité de ton frère, indigne de sa fonction, a déclenché le châtiment du ciel. Mes intentions étaient claires : éliminer la flotte ennemie et sacrifier la mienne pour signifier que je ne m'enfuirais pas. À présent, je contrôle le phare, et notre système de défense est intact. Les offensives d'Achillas ont échoué, sa supériorité numérique ne lui offre pas la victoire rapide qu'il espérait. Oublie le passé, Cléopâtre, et ne songe qu'à combattre.

— Le Musée, la Bibliothèque…

— Si tu règnes, tu les reconstruiras.

La reine sembla dubitative.

— Restes-tu mon alliée, ou condamnes-tu mon action ?

Les yeux verts de Cléopâtre, d'une profondeur insondable, dévisagèrent l'*imperator*.

— Je t'aime, César, et je crois en nous.

Jamais le vainqueur de la guerre des Gaules n'avait reçu un tel encouragement ; au cœur de cette nuit qu'obscurcissaient des colonnes de fumée, il se sentit indestructible.

*

— Ben ça, marmonna le Vieux, ben ça…

Même Vent du Nord, d'ordinaire imperturbable, paraissait étonné par l'étendue des ruines, où des braises continuaient à rougeoyer. Beaucoup partageaient l'avis de César : d'origine humaine, l'incendie devait son intensité anormale à l'intervention des dieux. Qui désiraient-ils châtier, le petit Ptolémée ou le couple formé du conquérant romain et de la reine d'Égypte ? Les prochaines heures fourniraient la réponse.

Redoutant une nouvelle attaque, les Romains ne s'étaient pas relâchés ; dès l'aube, Rufin procéda à la relève et vérifia qu'il n'existait pas de brèche qui aurait permis à l'ennemi de s'infiltrer. À la tête de l'intendance, le Vieux et Vent du Nord distribuèrent des rations d'eau et de nourriture pendant que les hommes du génie, se servant des gravats et des débris divers, renforçaient les barricades ; en dépit de son triste aspect, le quartier du Bruchion demeurait un solide bastion.

Indifférents aux ravages causés par l'incendie, les légionnaires se félicitaient de la stratégie de leur chef ; ne cédant pas au désespoir, il avait renversé une situation compromise en prenant des initiatives inouïes. Ce succès inespéré effaçait la fatigue, et chacun occupait son poste avec une détermination intacte.

Du haut du phare, Rufin constata l'étendue des dégâts ; les fantassins d'Achillas ramassaient leurs morts, innombrables ; quantité de tours d'assaut et de machines de jet avaient été brûlées, et la perte de ce matériel amoindrissait les capacités offensives de l'armée favorable à Ptolémée.

Néanmoins, personne ne sous-estimait l'adversaire ; égratigné, Achillas ne renoncerait pas à écraser les Romains.

*

Le médecin militaire ausculta le général Achillas, victime d'un malaise lorsque l'incendie avait contraint ses soldats à reculer ; enveloppés de flammes, beaucoup avaient péri.

— Votre cœur est solide, jugea le praticien.

Le guerrier à la tête carrée se redressa.

— À boire, exigea-t-il.

Son aide de camp s'empressa de lui apporter de la bière ; la gorge sèche, le général but goulûment, écarta le médecin et sortit de la luxueuse villa où il avait été transporté.

La lumière l'éblouit, il vacilla et s'appuya au mur ; ses principaux lieutenants l'entourèrent.

— Je vais bien, très bien… Vos rapports !

— Pas fameux, reconnut un officier de cavalerie ; nous ne sommes pas parvenus à enfoncer les défenses des Romains. Tous leurs bateaux ont été détruits, tous les nôtres aussi. Et César s'est emparé du phare.

— Du phare… Vous en êtes sûr ?

— Impossible de s'en approcher, leurs archers sont d'une redoutable précision et leurs fantassins ont fortifié l'accès ; mais nous contrôlons l'île de Pharos.

— Nos pertes ?

Les membres de l'état-major formulèrent leurs estimations, et le lourd bilan ne réconforta pas Achillas ; cependant, sa supériorité restait écrasante. Encore fallait-il l'utiliser de façon efficace.

Fatigué, le rugueux général peinait à comprendre les véritables raisons de son échec ; sa déferlante aurait dû submerger les Romains, égarés en terrain inconnu, et ces derniers, au contraire, avaient manœuvré au mieux. La flotte de Ptolémée coulée, le plus beau quartier de la ville ravagé par le feu, la famille royale et ses conseillers prisonniers au palais, César et Cléopâtre indemnes… Ce début de guerre, qu'Achillas espérait brève, était déplorable.

Son aide de camp lui remit le message de Photin qui lui apprit que le roi et les siens étaient vivants et attendaient leur libération ; ainsi, l'eunuque disposait de complicités lui permettant de communiquer avec l'extérieur. Suffiraient-elles à provoquer un soulèvement à l'intérieur de leur résidence forcée ?

Rien ne s'était produit comme prévu, Achillas aurait eu besoin des conseils de Photin pour envisager une nouvelle stratégie, capable de surprendre les Romains ; un peu perdu, le général se rassura en songeant au petit nombre de légionnaires qui lui résistaient. À la longue, il obtiendrait la victoire... À moins qu'une armée de secours ne procurât à César les renforts nécessaires. Et Achillas ne pouvait pas interdire l'accès du port.

— Vos ordres ? demanda un officier.

— Brûler les morts, soigner les blessés, observer l'ennemi ; ce soir, réunion d'état-major afin d'envisager la suite des opérations.

Le dos voûté, Achillas se retira.

58

La nuit durant, Photin et Théodote, depuis la fenêtre grillagée de leur prison dorée, avaient observé la progression de l'incendie. Au petit matin, le vent étant enfin tombé, ils constatèrent l'étendue du désastre.

— Non, murmura Théodote, non, ce n'est pas possible... Pas le Musée, pas la Bibliothèque !

— Des décombres fumants... Ce maudit César a détruit notre capitale !

— Pas le Musée, pas la Bibliothèque, répéta le précepteur en vacillant.

L'eunuque l'empêcha de s'écrouler et l'aida à s'asseoir.

— Les œuvres de nos poètes et de nos savants, les milliers de volumes patiemment accumulés, des textes incomparables, inestimables...

Théodote porta la main à son cœur, il éprouva des difficultés à respirer.

— J'appelle à l'aide, décida Photin.

— Pas le Musée, pas la Bibliothèque...

L'eunuque frappa fort à la porte ; le garde ouvrit, méfiant.

— Le précepteur Théodote est souffrant, fais venir un médecin !

Alerté, le thérapeute de la famille royale accourut.

La tête inclinée sur l'épaule gauche, le précepteur de Ptolémée le Treizième avait cessé de vivre.

Lorsque des domestiques furent autorisés à déplacer le cadavre, Photin glissa une lettre à son complice habituel. L'eunuque suggérait à Achillas de lancer un nouvel assaut massif et d'user ainsi la résistance des Romains.

*

— Tout est prêt, Majesté, déclara l'eunuque Ganymède, mais les risques sont considérables ; désirez-vous vraiment tenter l'aventure ?

La princesse Arsinoé releva le menton.

— Sortons de cette geôle, décida-t-elle.

La jeune fille avait une totale confiance en Ganymède, son père nourricier, farouche ennemi de Cléopâtre ; rusé et violent, il rêvait d'un grand destin pour sa protégée.

— J'ai acheté l'un de nos gardes, un Gaulois ; il est chargé de nous ouvrir la voie, d'un instant à l'autre.

La princesse et l'eunuque fixèrent la lourde porte en bois d'ébène qui fermait les appartements d'Arsinoé, et leur attente leur parut interminable. Ne supportant plus cette réclusion et la passivité de Ptolémée, la jeune femme était persuadée qu'elle pouvait jouer un rôle décisif dans la lutte contre les Romains. Maîtresse de César, Cléopâtre avait trahi le peuple d'Alexandrie auquel Arsinoé redonnerait sa fierté.

La porte s'entrouvrit.

Le garde était un quinquagénaire fruste, ravi d'em-
pocher une belle somme ; cette gamine et son eunuque
ne représentant aucun danger, les laisser filer n'hypo-
théquerait pas la victoire finale de l'*imperator*.

— À cette heure-ci, indiqua le Gaulois, les cuisines
sont vides ; traversez-les, descendez l'escalier menant
au quai, et vous y trouverez une barque. Avec un
peu de chance, vous échapperez peut-être aux archers.

— Beau travail, reconnut Ganymède.

— Ne mériterait-il pas un petit supplément ?

— Je te l'accorde.

Les mains puissantes de l'eunuque serrèrent le cou
du Gaulois, tellement surpris qu'il eut à peine la force
de se débattre ; vite asphyxié, la langue pendante, il
s'effondra. Ganymède lui subtilisa son poignard, ins-
pecta le couloir et fit signe à la princesse de le suivre.

*

Les ombres étaient écartées, Cléopâtre tiendrait sa
promesse et ne reprocherait jamais à César l'incendie
de la grande Bibliothèque. En restant à Alexandrie,
conscient de la fragilité de sa position, l'*imperator*
avait prouvé la force de son engagement et l'ampleur
de son courage ; la reine en était persuadée : c'est lui
que les dieux couronneraient.

La journée s'écoulait sans incidents notables ; reprenant son souffle, Achillas devait reconsidérer sa stratégie avant de repartir au combat. Un assaut massif était
probable, le repousser coûterait beaucoup d'hommes.
Si une brèche s'ouvrait, le palais serait à la portée
de l'ennemi.

— Ce ne fut pas notre dernière nuit, dit Cléopâtre, et le général Achillas a reculé.

— L'effet de surprise passé, il n'en sera que plus acharné. Inutile de nous mentir, reine d'Égypte : notre situation est désespérée.

Accompagné d'un légionnaire tirant par le col de sa tunique un garçon entravé, le chambellan Apollodore interrompit César.

— Arsinoé et Ganymède ont réussi à s'enfuir, déplora le Sicilien ; l'eunuque a étranglé un garde, et ils ont emprunté une barque que nous n'avons pu intercepter. Au moins, on a identifié ce traître-là !

Le légionnaire força son prisonnier à s'agenouiller.

— Il dissimulait cette lettre, expliqua Apollodore.

César prit connaissance du document.

— Qui te l'a remis ? demanda-t-il au domestique.

— Le seigneur Photin… Je devais la transmettre à un cuisinier.

— Qu'on l'arrête et qu'il parle, exigea l'*imperator* ; Apollodore, je te confie le soin d'éradiquer ce réseau. Le palais ne doit compter que des hommes sûrs.

*

Photin sursauta, se leva et s'adossa au mur.

— Vous…

— Reconnais-tu être l'auteur de cette lettre ? interrogea César.

L'eunuque y posa un regard.

— On me l'a dérobée, on…

— Malgré ma mise en garde, tu communiquais avec ton complice Achillas, ennemi de Rome. Tu étais prévenu des conséquences d'un tel acte.

302

Photin se jeta aux pieds de l'*imperator*.

— Épargnez-moi, je vous en supplie !

— Nous sommes en guerre ; nourrir un serpent de ton espèce serait une faute impardonnable.

Deux légionnaires emmenèrent un Photin larmoyant dont personne ne pleurerait la mort.

Personne, sauf son cuisinier qui se jura de le venger.

59

Des cris de joie réveillèrent Achillas qui s'était assoupi avant la réunion de son état-major et que son aide de camp n'osait pas importuner. Il sortit de la bâtisse lui servant de quartier général et vit une foule hurlante célébrer l'arrivée de la princesse Arsinoé et de son père nourricier, l'eunuque Ganymède, un robuste gaillard de la taille du général.

« Arsinoé est notre reine ! » cria un officier, et ces paroles furent reprises à l'unisson.

Enfin, la princesse et son protecteur parvinrent à Achillas, victime de vertiges et le cœur au bord des lèvres.

— Vous… vous vous êtes échappés ?

La jeune fille au visage ingrat jeta un regard dédaigneux au chef de l'armée.

— Ptolémée subit sa détention ; moi, je prends les initiatives nécessaires ! Entends-tu mon peuple ? Il me reconnaît comme sa souveraine ! Désormais, tu m'obéiras.

— Pardonnez-moi, Majesté, mais vous n'avez aucune expérience de l'art militaire et…

— La tienne ne t'a pas procuré la victoire que tu

aurais dû obtenir ! Ta stratégie fut un échec lamentable, et je ne te juge plus digne de commander. Ganymède te remplace dès maintenant.

— Cet eunuque, ce…

Le père nourricier planta son poignard dans le ventre d'Achillas.

— Discuter les ordres de la reine est un crime de lèse-majesté ; en temps de guerre, il est puni de mort.

Ganymède se plut à fouiller les chairs du condamné ; un flot de sang jaillit de la bouche d'Achillas, ses yeux se révulsèrent, il s'effondra.

Le nouveau général en chef se tourna vers la foule, composée de militaires et de civils.

— Longue vie à notre reine Arsinoé la Quatrième qui nous conduira au triomphe !

Des clameurs saluèrent ce vœu, et la nouvelle maîtresse d'Alexandrie, ivre de ce pouvoir qu'elle désirait tant, prononça ses premières paroles officielles.

— Achillas est responsable de la perte de beaucoup de nos soldats, il a mérité son châtiment ; nous éliminerons le tyran romain et sa maîtresse, la sorcière Cléopâtre, et rétablirons Ptolémée sur son trône !

Ce programme enthousiasma l'assistance.

— Une attaque frontale serait inutile, déclara Arsinoé ; le général Ganymède m'a suggéré une bien meilleure manière d'abattre l'ennemi, et cette démarche ne nous coûtera pas une seule vie.

*

La fureur de Cléopâtre n'était pas feinte.

— Arsinoé, reine d'Égypte… grotesque !

— D'après notre allié Antipatros, indiqua César,

305

elle a été couronnée par acclamations, et sa première décision fut de faire exécuter le général Achillas et de nommer à sa place Ganymède. Connais-tu cet homme ?

— Il voue un culte à ma petite sœur et a veillé sur son éducation ; c'est un fourbe, au regard insaisissable, préparant sans cesse des coups tordus.

— A-t-il exercé des fonctions militaires ?

— Non, mais il est capable de commander ; au palais, il avait son réseau de serviteurs, et les autres le redoutaient.

César était dubitatif. Un assaut massif aurait enfoncé les lignes romaines, et le nouveau commandant en chef semblait y renoncer ; étant donné sa soif de puissance, cependant, Arsinoé ne rechercherait pas la paix. Seul l'intéressait l'anéantissement de l'adversaire.

Donc, une ruse ; quelle faculté de nuisance utiliserait l'agresseur ?

Sentant Cléopâtre ulcérée, César l'enlaça.

— Tu es l'unique reine d'Égypte, et l'usurpatrice paiera cher sa vanité.

*

César occupait le phare et le quartier des palais : le port de l'ouest et l'Heptastade, la chaussée reliant la terre ferme à l'île de Pharos, demeuraient aux mains d'Arsinoé et de son fidèle Ganymède.

Nul ne contestait leur prise de pouvoir, et ce succès étonnait l'eunuque qui redoutait la colère des officiers d'Achillas ; déçus du comportement de leur chef, ces derniers s'étaient rangés sous la bannière de leur nouveau général, heureux de recevoir des consignes astucieuses qu'ils s'empressaient d'exécuter. Méfiant,

Ganymède avait exigé un serment d'allégeance et sanctionnerait la moindre dérive ; la violence avec laquelle il avait tué Achillas témoignait de sa cruauté, et même les vétérans n'avaient pas envie de se frotter à ce guerrier râblé qui promettait de massacrer les Romains et de libérer Alexandrie.

Fière de sa réussite inespérée, Arsinoé organisait sa cour et ne supportait pas l'ombre d'une désobéissance ; le plaisir de gouverner était incomparable, et il ne s'agissait que d'un début.

— Notre offensive progresse-t-elle ? demanda-t-elle à Ganymède.

— Le grand César en personne n'y résistera pas.

— Quand constaterons-nous les résultats ?

— Bientôt, rassurez-vous ; et je souhaite vous montrer une arme que ce stupide Achillas avait oubliée.

Intriguée, Arsinoé suivit l'eunuque jusqu'aux arsenaux du port de l'ouest[1] où des charpentiers, observant les directives de Ganymède, travaillaient sans relâche.

La reine fut étonnée.

— Des bateaux... Ce sont des bateaux !

— César croit avoir coulé la totalité de notre flotte de guerre, il se trompe ; ces bâtiments sont certes plus légers que ceux détruits pendant l'incendie, mais ils nous offrent la possibilité d'attaquer les palais.

Éblouie, Arsinoé caressa plusieurs coques.

— Sont-ils prêts à naviguer ?

— Les artisans disponibles redoublent d'efforts et se relaient. César ne songe qu'à renforcer ses barricades, ignorant qu'elles sont devenues inutiles.

Les yeux de la jeune fille brillèrent d'excitation.

---

1. L'Eunostos (du « Bon Retour »).

— Ridiculiser l'*imperator*... Notre gloire s'étendra à travers le monde entier et nous reconstruirons une Alexandrie à faire pâlir d'envie son fondateur ! Quant à toi, mon fidèle général, tu seras honoré à la mesure de tes mérites.

60

Au moment de boire, Vent du Nord détourna le museau et gratta le sol du sabot de sa patte avant gauche, signe d'une irritation certaine.

— L'eau, ce n'est pas fameux, reconnut le Vieux, mais c'est vital ! Allons, pas de mauvaise tête.

Le refus de l'âne persista.

— Qu'est-ce qu'il y a... Regarde, j'en bois, moi, de cette eau !

Le Vieux la recracha aussitôt.

— Pouah, quelle horreur ! C'est saumâtre, imbuvable... Notre citerne est pourrie, tu as raison. Viens, on va chercher mieux.

L'âne et le Vieux se rendirent à la citerne voisine ; à proximité, on discutait ferme et l'on se plaignait du goût infect du précieux liquide. Et partout, dans la zone contrôlée par les Romains, le constat était le même.

L'angoisse se répandit à vive allure, et un officier se hâta de rendre compte à César qui, en compagnie de Cléopâtre, s'étonnait de la passivité de l'adversaire.

— Une catastrophe, *imperator* ! Nous n'avons plus d'eau potable.

— Cette peste d'Arsinoé veut nous chasser de la

ville, estima la reine ; elle a fait obstruer les conduites et boucher le canal souterrain passant sous la voie canopique.

Amenée aux palais, aux immeubles et aux maisons grâce à des canalisations aboutissant à des puits, l'eau douce était soigneusement répartie entre les habitants de la capitale ; et plusieurs citernes bénéficiaient de filtres.

— Arsinoé a ordonné de pomper l'eau de mer et de polluer les bassins dont dépend notre quartier, expliqua Cléopâtre ; nos réserves sont inutilisables.

— Il faut quitter Alexandrie, conclut l'officier.

— Rien n'est perdu, objecta la reine ; creusons des puits sur le rivage, et nous trouverons de l'eau douce.

— Si près de la mer ?

— Hâtons-nous, décida César.

Quantité de petites équipes furent réunies, et le travail débuta en cette douce journée de novembre ; en plein été, l'habile manœuvre d'Arsinoé et de Ganymède aurait eu des effets rapides. La chaleur étant supportable, les soldats résistèrent à la soif ; le Vieux les soulagea en distribuant avec parcimonie son stock de jarres de bière.

Se déplaçant de groupe en groupe, César et Cléopâtre soutinrent le moral des creuseurs en les persuadant qu'ils ne s'échinaient pas en vain. On consomma du raisin et Vent du Nord, stoïque, montra l'exemple à ses congénères, aux chiens et autres animaux, eux aussi impatients de se désaltérer.

Et les heures s'écoulèrent, inquiétantes.

*

Arsinoé laissait éclater sa gaieté ; un ballet de servantes lui apporta des plats raffinés et des vins de fête, liquoreux à souhait. La souveraine mangeait et buvait trop, célébrant son accession au pouvoir, tandis que l'armée romaine mourait de soif. Comme prévu, César refusait d'accepter l'évidence et abreuvait ses hommes de vin et de bière, jusqu'à l'épuisement des réserves.

Le général Ganymède se présenta devant sa souveraine.

— Le travail progresse très vite, annonça-t-il ; notre flotte de guerre sera opérationnelle dès demain. Quand la situation des Romains deviendra intenable, il leur faudra s'extraire de leur repaire ; nos machines de jet et nos archers abattront ceux qui se dirigeront vers l'ouest de la ville, et nos marins couleront les rares barques qu'emprunteront César, Cléopâtre et leurs derniers partisans.

Arsinoé s'étendit sur le dos, proche de l'extase.

— Quelle merveilleuse vision ! Hier, je n'étais qu'une fillette méprisée et cloîtrée, et ma sœur se pavanait ; aujourd'hui, les habitants d'Alexandrie me vénèrent !

Les égarements de sa protégée ravissaient Ganymède ; à peine sortie de l'enfance, elle restait capricieuse tout en aspirant à exercer le pouvoir suprême. Il l'aiderait à se former et à résister aux vents contraires, et cette reine-là effacerait les fautes de la dynastie des Ptolémées. Après tant d'années d'errance et de dépravations, Arsinoé la Quatrième, victorieuse de l'illustre César, serait l'égale d'Alexandre le Grand.

— Ne serait-il pas temps de vous reposer, Majesté ?

— Pas ce soir ! Je désire savourer ces moments et les graver dans ma mémoire.

Le nouveau chef de l'armée alexandrine n'insista pas ; pendant qu'Arsinoé s'étourdirait, il inciterait les employés du chantier naval à redoubler d'efforts. Quand la flotte de guerre se déploierait, César, médusé, percevrait l'ampleur de sa défaite.

*

La nuit n'avait pas interrompu les recherches, mais pas une seule équipe n'avait trouvé de l'eau douce, et le découragement affaiblissait les bras. César feignait de croire encore au succès, et Cléopâtre, ne doutant pas d'une issue heureuse, lui interdisait de renoncer.

La pleine lune permettait à une dizaine d'obstinés de poursuivre leur labeur ; d'un sabot insistant, Vent du Nord creusa un trou, à une centaine de pas du rivage, en face du palais royal. Le Vieux demanda à deux solides gaillards de l'agrandir et de l'approfondir ; avant de dormir, ils acceptèrent cette ultime tâche.

Au fond de ce puits rudimentaire, de l'eau.

De l'eau claire, douce et potable !

À l'aube, et dans les parages, de nouvelles équipes réussirent à atteindre de nouvelles veines d'eau douce, et la rumeur se propagea : protégée d'Isis, Cléopâtre était une magicienne qui veillait sur l'armée romaine.

Et ses miracles ne s'arrêtèrent pas là.

Les yeux dessillés par la première gorgée de blanc sec de la journée, le Vieux observait le large en goûtant l'air frais du petit matin.

Soudain, une étrange vision, tellement surprenante qu'il se frotta les paupières, rebut une gorgée, et reprit son observation.

Au sommet du phare, les guetteurs s'agitaient.

— Pas croyable, marmonna le Vieux, une trentaine de bateaux ! Et si c'étaient des renforts ?

En signe d'approbation, Vent du Nord leva l'oreille droite.

61

Surexcité, Rufin réveilla César.

— Les renforts arrivent !

Cléopâtre, que Charmion avait vêtue et parfumée à la hâte, rejoignit son amant sur la terrasse du palais.

Selon les renseignements communiqués par les guetteurs du phare, les nouvelles étaient à la fois bonnes et mauvaises. Bonnes, parce que ces trente-quatre bateaux, chargés de machines de guerre, d'armes et de blé, appartenaient à la 37ᵉ légion ; mauvaises, car le violent vent d'est contrariait les manœuvres de cette flotte et la contraignait à dépasser le port d'Alexandrie.

— Nous utiliserons toutes les barques disponibles, décida César, et nous les remorquerons ; qu'on leur fasse signe de mettre en panne. Rufin, ma cuirasse.

Le lieutenant de l'*imperator* ne cacha pas sa surprise.

— Vous ne comptez pas y aller vous-même… C'est trop dangereux !

— Pas une seconde à perdre.

César regarda Cléopâtre.

— En mon absence, prends les initiatives nécessaires ; en cas d'attaque terrestre, donne à mes hommes la force de résister.

*

La tête lourde, Arsinoé se contenta d'un peu d'eau fraîche, cette eau dont l'absence causerait la perte de Jules César. Cette journée venteuse dessécherait la gorge des Romains, forcés de fuir à bord de misérables barques que couleraient aisément les vaisseaux de guerre alexandrins.

Bousculant des servantes, le général Ganymède pénétra dans la chambre de sa souveraine.

— Comment oses-tu !

— Une armée de secours vient appuyer César.

Arsinoé se leva d'un bond.

— Un nombreux contingent ?

— Au moins trente lourds navires.

— Attaquons-les immédiatement !

— La chance nous sert, révéla l'eunuque ; à cause du violent vent d'est, les bâtiments des Romains ne sont pas parvenus à gagner le port d'Alexandrie. Seule solution : les remorquer. Les rameurs de César sont déjà partis à la rescousse, et nous disposons d'une information incroyable ; nos cavaliers ont capturé des fantassins imprudents qui étaient de corvée de ravitaillement, au-delà d'une barricade, et ils leur ont appris que César en personne se trouvait sur la barque de tête !

Arsinoé eut un sourire carnassier.

— L'*imperator* est devenu fou ! Cette fois, il a signé son arrêt de mort.

— Les prisonniers nous ont également révélé que,

grâce à Cléopâtre, les Romains avaient découvert de l'eau potable.

Un rictus de haine déforma le visage ingrat de la jeune fille.

— Je lui arracherai les yeux et lui couperai la langue ! Va tuer César, mon fidèle général, et ramène-moi son cadavre.

*

Stimulés par la présence de leur chef suprême, les rameurs avaient parcouru en un temps remarquable la distance les séparant de la flotte de secours qui avait dérivé à une dizaine de kilomètres d'Alexandrie, jusqu'au cap Chersonèsos.

À de brèves et joyeuses salutations, succédèrent aussitôt les manœuvres de remorquage, sous l'œil attentif de César et de Rufin, dont la voix puissante incitait les marins à se presser ; nul incident ne se produisit, et le convoi se dirigea vers Alexandrie.

L'*imperator* espérait d'autres renforts, plus importants, mais ceux-là lui permettraient de consolider ses positions et raffermiraient les espoirs de victoire. Un tel apport d'hommes et de matériel soulagerait les braves qui avaient tenu bon malgré d'épouvantables conditions.

À la proue du navire amiral, César suscitait, une nouvelle fois, l'admiration de ses légionnaires appréciant sa lucidité, sa détermination et son courage physique. Sans un chef de cette carrure, la guerre d'Alexandrie se serait transformée en désastre.

La période de relatif relâchement fut de courte durée.

À la hauteur du grand port, en pleine mer, de nombreux navires de guerre ennemis.

— Je croyais leur flotte anéantie, murmura Rufin, décomposé.

— Le port et les arsenaux de l'ouest ont échappé à l'incendie, rappela César.

— Sommes-nous de taille à les affronter ?

— Notre marine a fait ses preuves.

Communiquant par signes, les capitaines enregistrèrent les ordres de César : former un large front en exposant, au centre, le vaisseau amiral. Si les Alexandrins n'avaient d'autre but que d'éliminer l'*imperator*, ils repéreraient son manteau rouge et fonceraient sur lui.

La moindre fausse manœuvre retournerait le piège en faveur d'Arsinoé.

Rufin se prépara à l'impact ; une épée dans chaque main, il empêcherait les assaillants d'atteindre le héros auquel il avait voué son existence.

Et l'appât fut irrésistible ! Surexcité, Ganymède envoya dix de ses bateaux à l'assaut du navire amiral. Les mâchoires de l'étau se refermèrent, les Romains éperonnèrent les flancs des Alexandrins et se ruèrent à l'abordage.

Alors que le vent se calmait et que le soleil se couchait, la victoire de César prenait une ampleur inattendue ; la rage au cœur, Ganymède fut obligé de battre en retraite afin de sauver ses derniers navires. Il suffisait à César d'interrompre cette fuite pour anéantir son adversaire, mais un bâtiment rhodien, à la suite d'une erreur de trajectoire, était encerclé ; l'*imperator* vola à son secours avec la totalité de ses forces et préserva un équipage entier.

Tout en appréciant l'intervention de son chef, Rufin regretta d'en rester là.

— Achevons-les !

— La nuit rend la navigation hasardeuse, jugea César.

— Le phare nous éclairera !

— L'irruption de leur flotte nous a surpris ; sans doute Arsinoé désire-t-elle nous attirer dans un traquenard. Du port de l'ouest, que nous ne contrôlons pas, peuvent jaillir de nouveaux bateaux.

Rufin hocha la tête ; César n'avait pas usurpé son titre d'*imperator*.

62

Cléopâtre savait se montrer expansive, mais préférait cacher ses sentiments profonds ; face à César, elle n'y parvint pas, tant son amour était ardent.

— Tu as pris des risques insensés !

— Ce conflit l'exigeait.

— As-tu pensé à moi ?

— J'en ai peur.

— Peur… peur de m'aimer ?

— La guerre et l'amour ne font pas bon ménage, paraît-il ; avec toi, tout est différent, si différent…

La fougue de leur baiser les emporta en un royaume où seule régnait l'ivresse de la passion.

Cléopâtre fut la première à rouvrir les yeux.

— Nous ne sommes pas au terme de cette guerre, n'est-ce pas ?

— Arsinoé nous a réservé une mauvaise surprise, et ce n'est probablement pas la dernière ; la meilleure solution consiste à attaquer sans délai le port de l'ouest.

— Tu devrais t'assurer le contrôle de l'Heptastade qui divise la rade, mais les bastions ne céderont pas facilement.

— Quelle stratégie recommandes-tu ?

— Ne laisse pas respirer Arsinoé.

*

Originaire de l'île de Rhodes, le capitaine Euphranor avait passé davantage de temps sur son bateau que sur la terre ferme ; basané, les épaules larges et les jambes courtes, il était un marin d'exception et vénérait César. Combattre pour lui l'enthousiasmait, et nulle action ne lui semblerait insensée si l'*imperator* la dictait.

César lui montra le plan de la rade, Cléopâtre désigna le principal danger.

— Entre nos deux flottes, l'une à l'est et l'autre à l'ouest, il y a un banc de sable qui protège les navires d'Arsinoé, et la passe est très étroite.

— Je m'en arrangerai ; quatre navires me suffiront. Pendant que je bloquerai l'adversaire, le reste de notre marine envahira son domaine.

— Tu pourrais te heurter à une forte résistance, objecta la reine.

— Je m'attends au pire et au meilleur ; manœuvrer dans un espace étroit nécessite de rares compétences, et vos Grecs pataugeront !

— Nous engageons la totalité de notre flotte, décida César.

*

Ganymède ne cacha pas la réalité à sa souveraine.

— César possède trente-quatre vaisseaux, nous, vingt-sept ; cette légère supériorité ne doit pas nous inquiéter. Ces bâtiments sont lourds et s'échoueront sur le banc de sable qui protège notre port.

— Pourquoi n'as-tu pas réussi à tuer ce Romain ?

— Il nous a tendu un piège diabolique ! Par bonheur, nous nous sommes repliés à temps, et nos capacités de vaincre sont intactes.

Nerveuse, Arsinoé tâta les perles de son collier.

— En es-tu certain ?

— J'ai laissé croire à César qu'il n'aurait aucune peine à nous écraser ; en essayant de conquérir le port de l'ouest, il se cassera les dents. La population vous soutient, et je prépare un bel accueil à l'*imperator*.

L'assurance de son général apaisa la jeune fille ; quelle que soit l'intensité de l'assaut des Romains, il échouerait.

*

Le Vieux et Vent du Nord assistèrent à l'embarquement de soldats expérimentés, formant l'élite des troupes à la disposition de César. Les trente-quatre vaisseaux sortirent du port de l'est, contournèrent l'île de Pharos et se disposèrent à l'entrée du port de l'ouest, prêts à affronter la flotte adverse, qui s'estimait à l'abri en raison du banc de sable rendant l'accès étroit et difficile.

C'est alors que le capitaine Euphranor et ses quatre bateaux tentèrent une manœuvre aux allures suicidaires. D'une part, il n'était pas certain de franchir l'obstacle sans casse ; d'autre part, en cas de succès, il ne résisterait pas à un assaut des Alexandrins, et ses hommes seraient vite massacrés.

Euphranor ne mésestimait pas les risques, mais avait

confiance en ses qualités de marin et savait que cette stratégie était la bonne. Observant ses directives, les quatre navires évitèrent le banc de sable et se regroupèrent à faible distance de l'ennemi dont l'offensive se déclenchait.

Contre toute attente, marins et archers parvinrent à contenir les Alexandrins, tandis que le reste de la flotte romaine, suivant les traces du Rhodien, pénétrait dans le port de l'ouest. Dès lors, le manque d'espace empêcha les bâtiments de manœuvrer ; ils se percutèrent, s'entremêlèrent, et débuta un corps à corps d'une extrême violence. Habitués à ce genre de combat et parfaitement entraînés, les légionnaires prirent le dessus, et les Alexandrins, battant en retraite et abandonnant leurs bateaux, se réfugièrent au cœur des quartiers voisins où s'étaient massés des fantassins. Ils espéraient y attirer les Romains mais, la victoire acquise et le port de l'ouest conquis, César ne se hasarda pas plus loin.

— Demain, annonça-t-il à Rufin, nous surprendrons l'adversaire en nous emparant de l'île de Pharos puis de l'Heptastade, la chaussée qui la relie à Alexandrie. Quand nous en serons maîtres, la conquête de la ville sera facilitée. Et je ne désespère pas de voir arriver de nouveaux renforts, si nos messages ont réussi à atteindre les garnisons d'Asie Mineure ; pour le moment, ne comptons que sur nous-mêmes. Penses-tu qu'une nuit de repos sera suffisante ?

— Nos hommes auront récupéré, affirma le lieutenant de l'*imperator ;* ce succès leur donne une force supplémentaire.

Le soleil se couchait, César songea à Cléopâtre, à la tête d'un détachement chargé de protéger le palais ;

elle saurait repousser un raid adverse et ne céderait pas un pouce de terrain. Une simple maîtresse, une conquête supplémentaire s'ajoutant à la liste des femmes qu'avait séduites César ? Non, une véritable reine dont le rêve ouvrait un nouvel horizon.

Cléopâtre, magicienne d'Isis… Elle l'avait retenu à Alexandrie, l'obligeant à livrer une guerre qu'il souhaitait éviter. Une guerre à l'issue incertaine, le contraignant à s'adapter sans cesse, en fonction de conditions inattendues.

Cléopâtre était la première femme qui l'obligeait à se surpasser.

63

La manœuvre de César stupéfia les soldats alexandrins occupant l'île de Pharos ; les navires de guerre romains attaquèrent par la mer, pendant que des légionnaires, utilisant des barques, jaillirent du côté du port. Désemparés, manquant d'un chef capable d'organiser leur défense, les Alexandrins cédèrent à la panique, abandonnèrent leurs positions et se jetèrent à l'eau, espérant regagner à la nage le quai du quartier de Rhakotis.

Cette initiative malheureuse aboutit à un carnage ; les Romains tuèrent un maximum de fuyards et firent six cents prisonniers. À présent, César était maître du phare et de l'île de Pharos ; il lui restait à s'emparer de la chaussée la reliant à la ville.

But majeur de l'opération : empêcher toute communication entre les ports de l'ouest et de l'est, donc enfermer les troupes d'Arsinoé dans un réduit.

La grande digue comportait deux ponts ; César conquit aisément le premier et ordonna à ses hommes de combler avec des pierres le passage aménagé sous l'arche : trois cohortes suffiraient à la tâche.

*

— Un désastre, déclara un rescapé au général Ganymède et à la reine Arsinoé : les Romains ont massacré
la majeure partie de la garnison de l'île de Pharos,
exécuté les derniers résistants et pillé les maisons. Ce
César est invincible !

L'eunuque gifla le blessé.

— Toi, tu es un lâche et un incapable ! Qu'on me
débarrasse de ce déchet.

Arsinoé perdait pied.

— Ne faudrait-il pas s'éloigner d'Alexandrie ?

— Ces revers ne sont pas décisifs, Majesté ; nos
effectifs demeurent supérieurs à ceux des Romains et
nous sommes capables de leur porter un coup mortel.

Un officier accourut.

— Général, César occupe le premier pont de la
grande digue et fait combler le passage !

— Il veut nous couper tout accès à la mer et nous
assiéger… Combien de légionnaires au travail ?

— Au moins trois cohortes qui ont quitté leurs
bateaux.

— Quitté leurs bateaux ! s'exclama Ganymède ; et
César se trouve parmi ses légionnaires ?

— On le reconnaît à son manteau rouge.

— Cette fois, c'est l'erreur de trop !

*

La première passe était bouchée et les légionnaires
se réjouissaient de leur labeur lorsque se déclencha
une double offensive, au moment où César achevait

325

de dessiner un plan détaillé de la rade et des installations ennemies.

Ganymède avait envoyé tous ses navires qui ne rencontrèrent pas de résistance, puisque ceux de César étaient presque vides ; leurs archers envoyèrent une pluie de flèches sur les Romains, incapables de rejoindre leurs bâtiments. Et la digue, seule issue pour échapper aux tirs meurtriers, fut envahie par des fantassins qui interdirent cette retraite et massacrèrent bon nombre de légionnaires, obligés de reculer.

Voyant ses hommes tomber autour de lui, César était pris au piège ; ses soldats le protégeaient du mieux qu'ils pouvaient, Rufin tentait en vain de lancer une contre-attaque. Les marins encore valides escaladèrent la digue, décidés à délivrer l'*imperator*, mais se heurtèrent à des Alexandrins déchaînés, proches d'un triomphe total.

— Aux barques ! ordonna César.

Elles étaient le seul espoir d'échapper à l'anéantissement ; se frayer un passage exigea des légionnaires un courage et une volonté rares, tant la masse de leurs adversaires était compacte. Malgré la sévérité de leurs pertes, ils creusèrent une brèche où s'engouffra César.

Les survivants sautèrent dans les canots et agrippèrent les rames ; en quelques instants, ils furent surchargés et s'écartèrent si lentement de la digue qu'ils formèrent des cibles idéales pour les archers et les manieurs de fronde alexandrins.

La barque de César n'échappa pas au déluge et, lourde de cadavres et de blessés, chavira ; ôtant son manteau qu'il serra entre ses dents afin de ne pas abandonner ce symbole à l'ennemi, il maintint la main gauche levée, tenant le plan récemment tracé, et nagea avec une force surprenante.

— Abattez-le ! hurla Ganymède, constatant que cet athlète de cinquante-deux ans se dirigeait vers l'un de ses bateaux dont l'équipage était valide ; vu la distance à franchir, cette fuite était vouée à l'échec.

Des flèches et des billes de plomb frôlèrent le nageur, contraint de zigzaguer ; dérisoire, cette ultime parade ne lui permettrait pas de s'échapper. Frappé à mort, l'illustre conquérant périrait de façon misérable dans le port d'Alexandrie.

*

Apollodore ne savait comment apprendre à Cléopâtre la terrible nouvelle, mais l'informer était vital ; à la défaite des Romains succéderait la ruée des troupes d'Arsinoé, et les derniers légionnaires seraient exterminés. Les rêves de pouvoir s'effondraient, l'exil s'imposait.

La reine revenait d'une tournée d'inspection des barricades garantissant la sécurité du quartier des palais ; que signifiaient les clameurs montant du port de l'ouest ? César s'en était-il emparé ?

Le visage fermé du Sicilien inquiéta Cléopâtre.

— Que se passe-t-il ?

— Le capitaine d'un des bateaux romains vient de me relater les derniers événements.

La voix du chambellan s'enrouait.

— Eh bien, parle !

— César a conquis l'île de Pharos, puis a voulu boucher les accès entre les deux parties du port. Le succès semblait acquis…

— N'était-ce qu'une illusion ?

— Les fidèles d'Arsinoé ont profité d'un relâchement de leurs adversaires et les ont encerclés ; la digue est devenue un véritable cimetière. Nous sommes vaincus, Majesté, il faut quitter Alexandrie.

— César ?

Apollodore baissa la tête.

— Où est-il ?

— César est mort noyé, Majesté.

Cléopâtre demeura imperturbable.

— Non, il est vivant.

64

Les bras croisés, Cléopâtre contempla le port ; à l'ouest, un bateau romain brûlait.

— César est mort, Majesté, et vous êtes en grand danger, insista son chambellan.

— Tu te trompes ; si le destin m'avait arraché mon amant, je le saurais.

— Ganymède a brandi son manteau pourpre !

— Médiocre mise en scène, ce n'était pas le sien ! Personne ne capture César, personne ne lui vole l'emblème de son pouvoir.

— Majesté…

— Je vais à sa rencontre.

Sans prendre le temps de se changer, Cléopâtre sortit du palais et marcha vers le port royal.

Un navire en piteux état y pénétrait, des marins faisaient de grands gestes ; l'accostage fut brutal, on mit en place une passerelle, et il apparut.

Épuisé, gardant la tête haute, vêtu de son manteau d'*imperator* et son document préservé à la main, César était indemne.

Voir la reine, étreindre la femme qu'il aimait lui redonnèrent toute sa vigueur.

— Ordre de repli général, dit-il à Rufin qui, lui aussi, avait réussi à s'extirper de la mêlée sanglante.

*

Grâce à l'habileté du capitaine Euphranor, la flotte romaine n'avait pas été entièrement détruite, mais le bilan de la défaite de l'Heptastade était accablant. Huit cents légionnaires tués, de nombreux marins disparus, des milliers de blessés, la perte du port de l'ouest et de la maîtrise de la mer ; si proches de la victoire, César et les siens avaient failli périr.

Cléopâtre ne montra pas le moindre signe de pessimisme, et son énergie fut communicative ; ne baissant pas les bras, les Romains consolidèrent leurs positions, se sentirent en sécurité et reprirent leur souffle. Affaiblis, ils étaient encore capables de se défendre, et l'adversaire, dépité de n'avoir pas porté le coup de grâce, redouterait l'une de ces initiatives insensées dont César avait le secret.

Les Alexandrins et les Romains enterrèrent leurs morts, et le front se figea ; la grande cité était coupée en deux, chacune des armées campant sur ses acquis. Les partisans d'Arsinoé pansaient leurs plaies, reconstituaient leur marine et préparaient un assaut décisif.

Habiles bâtisseurs, les Romains avaient érigé de véritables bastions que même des troupes bien entraînées ne démantèleraient qu'au prix de lourdes pertes ; et César espérait en l'arrivée de nouveaux renforts. Alerté dès octobre – 48, son allié Mithridate de Pergame mettait du temps à lever une armée, mais lui prêterait assistance. Un seul impératif : tenir bon.

Cléopâtre émit un autre vœu ; malgré l'intervention

de son médecin personnel et de ses assistants, quantité de blessés déclinaient. Elle persuada César de se rendre à Canope afin d'y solliciter l'aide d'Isis, la grande guérisseuse.

*

Un canal reliait Alexandrie à Canope, naguère une cité de plaisirs où les Alexandrins célébraient des fêtes bien arrosées ; en bordure d'une bande sablonneuse, protégée des mauvais vents par le cap Zéphyrion, la petite agglomération s'enorgueillissait de la présence de deux sanctuaires dédiés à Sérapis et à Isis. Avant la guerre, ils attiraient une foule de pèlerins, et les malades séjournaient dans des chambres obscures ; là, pendant leur sommeil, les divinités les guérissaient.

Sur le seuil du temple d'Isis, Hermès présenta un grand vase dont le bouchon représentait la tête d'Osiris, ressuscité lors de la crue.

— Vous avez tardé, déclara-t-il de sa voix grave, mais la déesse ne vous refuse pas son aide puisque la reine d'Égypte ne l'a pas oubliée. Cette eau salvatrice, née des larmes du soleil, effacera les souffrances. Quand son rôle sera terminé, le vase sera vide.

Hermès le remit à Cléopâtre, tourna le dos au couple et regagna le sanctuaire.

— Avec cette eau sacralisée, assura la reine, nous restituerons la santé aux blessés.

— Ce prêtre refuserait-il de venir à la cour ?

— Hermès est insaisissable ; lui seul décide de ses interventions.

César se souvint d'avoir lu ses écrits à la Bibliothèque d'Alexandrie ; comme l'affirmaient les Anciens, l'Égypte était la terre aimée des dieux et la patrie de leurs secrets.

*

Le général Ganymède enrageait. Échouer ainsi, à deux doigts du triomphe ! L'attaque surprise de la digue était pourtant une idée de génie, et l'eunuque ne comprenait pas comment César avait réussi à sortir de ce piège ; une puissance surnaturelle animait-elle ce diable d'homme ? Son exploit de nageur avait tellement impressionné les Alexandrins que certains redoutaient de retourner au combat.

Respecté et jugé compétent, Ganymède s'était employé à remonter le moral de ses soldats et celui d'une population qu'affligeait le nombre de morts et de blessés ; une partie des cadavres avait été enterrée dans le cimetière de l'ouest, l'autre brûlée. Trop maquillée et parée de bijoux clinquants, Arsinoé manifesta son courroux.

— Pourquoi ne lances-tu pas l'assaut définitif ?

— Parce qu'il ne le serait pas, Majesté ! Nous nous exposerions à un échec cuisant.

— La peur te paralyserait-elle ?

— César n'est pas un ennemi ordinaire, et ses défenses ne seront pas faciles à briser ; il ne se laissera pas prendre par surprise une seconde fois. Le vaincre implique de reconstituer nos forces et de les augmenter ; puisque les Romains ont perdu la maîtrise du port et de la mer, nous allons construire des bateaux légers et rapides.

— Ne gaspilles-tu pas un temps précieux ?

— Je vous assure du contraire.

— Et si je changeais de général ?

La voix de Ganymède se couvrit davantage.

— À votre guise, Majesté.

Arsinoé rectifia une mèche rebelle et considéra l'eunuque d'un œil dédaigneux.

— T'accorder ma confiance est un immense privilège ; ne me déçois pas. Que mon armée et ma marine écrasent les Romains et cette vermine de Cléopâtre.

65

L'hiver alexandrin n'était pas dépourvu de rigueur ; le soleil était rarement absent, mais les vents du nord et de l'ouest soufflaient souvent avec force et rafraîchissaient l'atmosphère. De grosses vagues se fracassaient sur les digues et les îlots, rendant la navigation impossible.

Même les mauvaises journées ne ralentissaient pas l'ardeur des Romains qui continuaient à fortifier le quartier des palais en barrant chacun de ses accès ; postés au sommet des immeubles et des maisons, des guetteurs donneraient l'alerte en cas d'assaut.

À la stupéfaction du Vieux, l'eau d'Isis avait guéri les blessures des soldats de César, lesquels avaient attribué ce miracle à Cléopâtre, considérée comme une magicienne dont les pouvoirs repousseraient l'ennemi.

Une étrange quiétude s'instaura ; chaque matin, les légionnaires s'attendaient à une attaque qui ne se produisait pas. Et le temps, selon César, jouait en leur faveur, car l'armée de secours finirait par les délivrer.

Les Romains ne manquaient de rien ; exerçant une parfaite collaboration, le chambellan Apollodore et le Vieux assuraient la livraison de produits provenant de l'arrière-pays, sans oublier les jarres d'un excellent vin. Et Cléopâtre organisait de superbes banquets où étaient servis une dizaine de mets dans une luxueuse vaisselle aux tons bleu et vert ; vases, plats, assiettes étaient décorés de scènes de libation, de représentations de lierre, de lauriers, de rosettes d'animaux s'ébattant dans des paysages verdoyants, et d'anciennes divinités, tel Bès, le nain barbu, protecteur des naissances.

Gourmet, César appréciait un autre plaisir ; à la fin du repas, Cléopâtre jouait d'un instrument, flûte, cithare ou harpe, avec le talent d'une musicienne de profession ; subjuguée, l'assistance se taisait et goûtait des mélodies tantôt vives, tantôt langoureuses.

La reine savait faire oublier à l'*imperator* l'angoisse du lendemain ; la beauté du palais, l'élégance de ses sculptures, de ses peintures et de ses mosaïques, créaient un cadre trompeur, un monde artificiel, protégé des turbulences de l'extérieur.

Artificiel… À l'exception de Cléopâtre.

César aimait la regarder dormir ; si belle, si détendue, si loin des atrocités d'une guerre que ce couple improbable voulait tant gagner.

De terrifiantes visions hantaient les nuits de César. Des corps mutilés, des soldats hurlant de douleur, d'interminables agonies… Cléopâtre était la jeunesse et l'espérance. Elle ne refusait pas cette réalité-là, mais avait la certitude qu'un autre monde pouvait naître, un monde issu de cette Égypte ancestrale et lumineuse qui, aujourd'hui, nourrissait son âme.

Lorsqu'elle s'éveillait, son premier regard était pour son amant, et cette offrande élargissait son cœur. Jamais il n'avait imaginé vivre un amour fou, et la jeune reine à l'intelligence déliée lui accordait ce miracle.

Tant de combats, tant de souffrances, tant de cadavres et, la cinquantaine passée, l'inestimable présent de sa protectrice, la déesse Vénus, souveraine de l'amour céleste et terrestre incarnée en Cléopâtre.

En refusant de quitter Alexandrie, César avait failli tout perdre et ne regrettait pas sa décision. Être aimé au-delà de la passion, avoir confiance, partager des moments ineffaçables... Combien d'humains avaient cette chance ?

Un cauchemar l'assaillit : la Bibliothèque d'Alexandrie en feu, des milliers de livres devenant la proie des flammes, les légionnaires percés de flèches, les derniers braves cédant à la pression d'une meute hurlante, le palais royal envahi, Cléopâtre jetée en pâture à des soudards...

Trempé de sueur, César se redressa.

Elle était indemne, et ses merveilleux yeux verts le contemplaient.

Cléopâtre se lova contre lui, les courbes de leurs corps s'épousèrent.

— Ton mauvais rêve est dissipé, murmura-t-elle d'une voix aux tonalités envoûtantes ; te souviens-tu du mien ?

— Revivre l'âge d'or...

— Nous vaincrons, mon amour, et nous irons à Dendera.

*

La construction du temple de Dendera avançait à grands pas. Sous la conduite d'un maître d'œuvre vigilant, attentif au moindre détail, les bâtisseurs éprouvaient une joie profonde à ériger les murs d'un sanctuaire dont l'ampleur et la beauté séduisaient même les contrôleurs de l'administration alexandrine.

La province entière se réjouissait de posséder une telle splendeur, source de prospérité ; au fur et à mesure de son édification et des installations de bâtiments annexes allant d'ateliers à une brasserie et une boulangerie, Dendera devenait un centre économique attirant une population laborieuse.

Ne se laissant pas griser, la supérieure se souciait de la juste exécution quotidienne des rites ; le Saint des Saints et le temple couvert lui offraient un cadre exceptionnel pour célébrer la présence divine et maintenir son rayonnement sur terre. Les sculpteurs transformaient les plafonds en ciel de pierre où voguaient les barques du jour et de la nuit qui se transmettaient le soleil du soir afin de le ressusciter au matin ; les astrologues y révélaient le message des étoiles impérissables et infatigables, et le regard des ritualistes était emporté au-delà de l'horizon humain.

À l'occasion des fêtes célébrant la renaissance d'Osiris, la vieille dame organisa un banquet en l'honneur des artisans.

L'apparente sérénité du maître d'œuvre n'abusa pas la supérieure.

— Quel est ton motif d'inquiétude ?

— Les nouvelles en provenance d'Alexandrie sont mauvaises, très mauvaises.

— Pourtant, j'ai reçu une lettre officielle de la reine Cléopâtre ! Non seulement elle affirme sa volonté inflexible de financer l'achèvement de notre temple, mais encore souhaite-t-elle le voir de ses propres yeux, dès que possible.

— Ce rêve-là ne se réalisera pas et cette lettre n'est qu'une illusion. Maîtresse du général romain Jules César, Cléopâtre se heurte à l'armée de sa sœur Arsinoé. La guerre civile bat son plein, les Romains s'opposent aux Alexandrins, la capitale est divisée en deux, et nul ne saurait prédire l'issue de ce conflit, déjà responsable de milliers de morts. Quoi qu'il en soit, le vainqueur régnera sur un champ de ruines, puisque la Bibliothèque et le Musée ont été détruits par un incendie et que d'autres quartiers sont défigurés ; soyez-en certaine, Dendera sera oubliée.

— Le salaire de tes équipes est-il toujours assuré ?

— Conformément aux instructions du palais royal, le chef de province remplit ses obligations.

— Donc, Cléopâtre gouverne et tient ses engagements ! constata la supérieure.

— Elle a cru triompher, mais Ganymède, le général commandant les troupes d'Arsinoé, a retourné la situation en faveur de la nouvelle souveraine d'Alexandrie. César et Cléopâtre sont assiégés ; soyez prudente et détruisez cette lettre qui pourrait vous compromettre.

— Notre temple serait-il… menacé ?

Le maître d'œuvre ne cacha pas son pessimisme.

— Arsinoé hait sa sœur aînée et détruira tout ce qu'elle a construit. Symbole, dans le Sud, du règne de Cléopâtre, Dendera n'échappera pas à la tourmente ; bientôt, des milices d'Alexandrie surgiront du débarcadère.

Consternée, la supérieure ne prit pas à la légère les propos du bâtisseur.

— Grâce à des informateurs, je vous préviendrai la

veille. Vous et votre collège sacerdotal, vous devrez fuir.

— Et toi ?

— Je ne verrai pas mon œuvre anéantie sans me battre. Mes artisans auront le choix : ou partir, ou rester à mes côtés.

La vieille dame contempla le sanctuaire de la déesse Hathor.

— M'imagines-tu abandonner mon temple ?

66

À l'invitation du juif Antipatros, les principaux négociants d'Alexandrie se réunirent en grand secret dans une villa placée sous la protection de gardes n'appartenant pas à l'armée de Ganymède. Les participants s'exprimèrent librement, et le principal exportateur de blé fut le premier à prendre la parole.

— Cette guerre nous ruine : Alexandrie a subi d'effroyables destructions, trop d'hommes sont morts, et nos caisses sont vides. Cette absurdité doit cesser.

— Certains d'entre vous soutiennent César et Cléopâtre, d'autres Arsinoé, rappela Antipatros.

— Sortons de l'impasse, proposa un fabricant d'amphores ; si ce conflit perdure, ce sera la fin de notre ville. Oublions nos opinions partisanes et tentons d'obtenir la paix.

— Jamais Arsinoé et Ganymède n'accepteront la moindre négociation ! objecta le patron des parfumeurs ; ils veulent la mort de Cléopâtre et la défaite de César.

— Alors, contournons-les ! Que notre doyen rencontre le Romain et lui demande de libérer Ptolémée ; ainsi, les volontés du roi défunt seront respectées. Le couple royal légitime, formé de Cléopâtre et de Ptolémée le Treizième, régnera à nouveau, et l'ordre sera rétabli.

— César rira de cette proposition, affirma le propriétaire d'une grande fabrique de verreries.

— Ce Romain n'est pas un fanatique et craint de périr en terre étrangère ! Au contraire, il appréciera notre modération et se posera en médiateur.

Une discussion animée s'engagea ; Antipatros n'avait qu'un objectif : que l'assemblée ne se déclarât point hostile à César. Son vœu secret fut exaucé et, à l'unanimité, les négociants nommèrent ambassadeur leur doyen, un richissime armateur, en lui confiant une mission précise : obtenir la libération de Ptolémée, synonyme de retour à la paix et à la prospérité.

*

Faire passer le vieillard de la zone que contrôlaient les fidèles d'Arsinoé au réduit de César et de Cléopâtre était assez risqué ; disposant du réseau nécessaire pour informer ses alliés, Antipatros mena cette opération délicate.

Dûment escorté, le diplomate d'occasion fut amené devant César et Cléopâtre. D'une voix chevrotante, il exprima l'inquiétude des négociants d'Alexandrie et leur opposition à la poursuite des hostilités.

— Belles pensées, estima la reine, mais comment comptes-tu apaiser cette hystérique d'Arsinoé ?

Le vieillard s'enhardit.

— La solution vous appartient, vous, l'épouse officielle de notre roi Ptolémée. Que César et vous lui redonniez son pouvoir légitime, et l'insurrection de la princesse Arsinoé cessera.

— Voudrais-tu dire… Libérer Ptolémée ?

— Exactement, Majesté.

César posa sa main sur celle de Cléopâtre, frémissante d'indignation.

— Pourquoi courir un tel risque ? interrogea l'*imperator*.

— Le commerce a besoin de stabilité ; notre roi contraindra Arsinoé à déposer les armes, et la vie reprendra son cours normal.

— La reine et moi allons étudier ta proposition.

Le couple se retira, et le chambellan Apollodore servit de la bière au vieillard, heureux de n'avoir pas déclenché la colère de César.

*

— C'est un piège grossier ! s'exclama Cléopâtre ; ce vieux bonhomme est l'émissaire d'Arsinoé qui se sent incapable de briser nos défenses !

— Tu te trompes, il nous est envoyé par notre allié Antipatros.

L'argument désarma la jeune femme.

— Les négociants redoutent de s'appauvrir, estima César, et leur veulerie ne me surprend pas ; quant aux Alexandrins, ne pensent-ils pas d'une manière en se comportant d'une autre ? Tu es bien placée pour connaître l'hypocrisie des habitants de ta capitale !

La reine recouvra son calme.

— Enfermé au palais, ce petit roi de quatorze ans est un poids mort ; en le libérant, tu prouveras ta magnanimité et le respect de nos lois. De plus, sa réapparition sèmera le trouble dans le camp adverse et mettra la peste d'Arsinoé en porte-à-faux.

César sourit.

— Je n'en attendais pas moins de ta perspicacité.

— Utiliser le petit Ptolémée comme une arme… N'est-ce pas une stratégie à hauts risques ?

— En est-il de meilleure ?

*

Amaigri, fatigué, sorti de l'enfance, Ptolémée le Treizième paraissait égaré. Les deux légionnaires qui l'extrayaient de sa prison dorée ne le conduisaient-ils pas à la mort ? Désirant venger l'assassinat de Pompée, César ne lui couperait-il pas la tête ? Haineuse, Cléopâtre avait exigé la disparition de son frère !

Craintif, l'adolescent franchit le seuil de la grande salle de réception du palais. Assis côte à côte, sur de confortables coussins, Cléopâtre vêtue d'une élégante robe bleue, et César, d'une tunique rouge, dégustaient des pâtisseries en buvant du vin blanc.

Ni soldats ni menace apparente.

— Approchez, Majesté, recommanda César, aimable.

Hésitant, Ptolémée avança ; détendue, Cléopâtre ne manifestait pas d'hostilité.

— Cette guerre a trop duré, déclara l'*imperator*, et il n'est pas bon qu'un roi soit pris en otage. Ce malheureux événement a troublé l'esprit d'Arsinoé et de nombreux habitants d'Alexandrie ; l'heure est venue de vous rendre votre liberté et vos prérogatives.

— Vous… Vous vous moquez de moi ?

— Nullement, affirma Cléopâtre ; n'est-ce pas le seul moyen de restaurer la paix ?

— Si, si, j'en suis convaincu…

— Eh bien, décida César, proclamons-la !

Encadrant le petit Ptolémée, abasourdi, César et Cléopâtre l'emmenèrent à la salle du trône où s'étaient rassemblés les gardes romains et le personnel du palais.

Tenant ostensiblement la main droite du jeune roi à la manière d'un père, l'*imperator* fit une déclaration officielle.

— J'exhorte Ptolémée le Treizième à veiller sur le royaume de ses ancêtres, à rétablir la prospérité de son pays qu'a durement frappé ce pénible conflit et à ramener ses fidèles sujets à la raison. Ainsi pourra-t-il les protéger du malheur et renforcer son amitié avec Rome.

Les nerfs de l'adolescent lâchèrent, il versa des larmes ; et César lui-même sembla ému.

— Je préférerais rester ici, auprès de vous, bénéficier de votre sagesse et de votre protection, dit Ptolémée au Romain ; j'ai encore tant à apprendre !

— Cette modestie vous honore, Majesté, et j'éprouverai une grande joie à vous revoir après que vous aurez convaincu Arsinoé et son général de déposer les armes. Cette mission sacrée vous vaudra l'estime de votre peuple.

Séchant ses pleurs, le petit roi adopta une attitude digne, et César lui lâcha la main.

— Je remplirai cette mission, *imperator*, et vous serez fier de moi.

Accompagné d'une escorte, le souverain quitta le palais ; des hérauts annoncèrent sa libération, et cette nouvelle parviendrait vite aux oreilles d'Arsinoé et de ses troupes.

De la terrasse du palais, César et Cléopâtre regardèrent le cortège se diriger vers le camp adverse.

— Notre décision a bouleversé ton petit frère, estima-t-il.

— Ne sois pas crédule, recommanda la reine ; ce serpent n'a qu'une idée en tête : nous nuire.

— N'a-t-il pas pleuré ?

— C'étaient des larmes de joie ! Enfin libre, il entamera un combat à mort.

67

Une foule énorme salua l'arrivée de Ptolémée, et le
doyen des négociants, accompagné de ses principaux
collègues, lui rendit un hommage appuyé. Enthousiaste, le peuple d'Alexandrie acclama son souverain
qui jouit longuement de son prestige retrouvé avant
de pénétrer, avec une dizaine d'officiers supérieurs,
dans la luxueuse demeure où se terraient Arsinoé et
le général Ganymède.

Maquillée, parée et somptueusement vêtue, elle
s'inclina.

— Voici ma chère épouse, la reine d'Égypte !
s'exclama le petit roi ; désormais, elle m'obéira et se
tiendra à sa place.

La rage au cœur, Arsinoé n'osa protester ; la voix
de Ptolémée avait changé, son mordant était lourd de
menaces. Mieux valait ne pas le contrarier.

— Mon épée est à votre disposition, déclara Ganymède, et j'attends vos ordres.

L'adolescent jeta à l'eunuque un regard dédaigneux.

— Il n'existe qu'un seul général en chef : moi, ton
souverain ; et tu aurais dû me servir plus tôt. À cause
de ton incompétence, l'ennemi est indemne.

— Majesté, je…

— Tuez cet incapable, ordonna Ptolémée à ses officiers.

Sous les yeux affolés d'Arsinoé, ils massacrèrent Ganymède. Et le roi obligea son épouse à contempler le corps ensanglanté.

— Tel est le sort réservé à mes adversaires, ma chère ; souviens-t'en.

La jeune femme courut se réfugier dans ses appartements.

— Continuons-nous le combat, Majesté ? demanda le chef d'un régiment de fantassins.

— En doutais-tu ? En me libérant, ce Romain prétentieux et naïf a commis une erreur fatale ! Pendant ma longue captivité, j'ai eu le temps de réfléchir ; nous n'allons pas enfoncer ses lignes de défense, mais les contourner. Disposons-nous d'assez de navires ?

— Nous avons reconstitué une belle flotte de guerre, affirma un amiral.

— Nous attaquerons à Canope, indiqua Ptolémée, coulerons les bateaux romains et prendrons César à revers. Une belle surprise… S'il refuse de se rendre, qu'on lui tranche la tête ; je l'exposerai au peuple, et Rome tremblera ! À l'avenir, elle ne nous importunera plus. Cléopâtre, en revanche, je la veux vivante ! Elle a osé me trahir, moi, son roi, et je lui réserve les pires supplices. Elle mourra lentement, très lentement.

*

Le capitaine Euphranor appréciait les Alexandrines. Peu farouches, d'un tempérament alerte, elles se prêtaient volontiers à de multiples fantaisies et se félicitaient de la virilité inépuisable de ce guerrier basané aux larges épaules. Entraîné dans un tourbillon de plaisirs, le natif de l'île de Rhodes gardait sa lucidité ; persuadé que la libération du petit Ptolémée n'aboutirait pas à la paix, il redoutait une intervention de la flotte ennemie.

Le port d'Alexandrie ? Possible, mais un terrain difficile ; le point faible, selon Euphranor, c'était Canope. Une côte plate, un horizon bien dégagé permettant de déployer des vaisseaux, et un objectif : s'emparer de la branche canopique du Nil et déferler sur Alexandrie.

César était peut-être en grand danger ; aussi, avec son accord, le capitaine avait-il décidé de disposer une partie de ses navires devant Canope.

À peine la manœuvre se terminait-elle, en ce dixième jour de mars – 47, que la vigie lança un cri d'alerte.

La marine de Ptolémée préparait un assaut.

— Il nous faut des renforts, estima le second d'Euphranor.

— Envoie un messager à César ; nous, on n'a pas le temps d'attendre ! Depuis le début de ma carrière, j'ai toujours été le premier à engager le combat.

La réaction d'Euphranor surprit l'adversaire.

Rapide, son navire éperonna un bâtiment adverse et le coula ; effrayés, les Alexandrins battirent en retraite.

Exalté, Euphranor voulut confirmer ce succès initial et poursuivit les fuyards, sans attendre les renforts qui tardaient à le rejoindre ; et sa vitesse, source de tant de victoires, se retourna contre lui. Le Rhodien dépassa trois bateaux ennemis et en rattrapa un quatrième qu'il comptait également éperonner, mais se retrouva prisonnier d'une nasse.

Et ce fut la curée.

En dépit de son courage et de la résistance acharnée de ses hommes, Euphranor succomba sous le nombre des assaillants ; quand les secours les dispersèrent, le vaillant capitaine, la poitrine percée d'une pique, avait cessé de respirer.

*

— Euphranor nous a sauvé la vie, déclara César en célébrant les funérailles de ce fidèle serviteur ; s'il n'avait pas décelé la faille de notre système de défense, Ptolémée aurait pu obtenir la victoire.

Tirant les leçons du drame, l'*imperator* avait sécurisé l'accès à la branche canopique, empêchant toute tentative de raid ; et son lieutenant, Rufin, examinait quotidiennement barricades et fortifications.

— Merci de m'avoir mis en garde, dit César à Cléopâtre ; les larmes de ce petit scorpion m'avaient presque abusé.

— Sa captivité l'a mûri et transformé en chef d'armée ; quels que soient les obstacles, il ne renoncera pas. Quantité d'Alexandrins le suivront jusqu'à la mort.

Cette perspective ne réjouit pas César dont les effectifs demeuraient très inférieurs à ceux d'un petit roi, métamorphosé en fauve, et capable de commander une armée. L'eunuque Ganymède éliminé et la princesse Arsinoé réduite à un rôle de servante, Ptolémée s'imposait à la tête de fantassins et de marins qu'il convaincrait de se battre.

À brève échéance, une stratégie inspirerait le jeune guerrier, sûr de sa force : attaquer de tous côtés en jetant l'ensemble de ses troupes dans l'ultime bataille.

Ni les légionnaires ni les bateaux romains n'entrave-
raient cette ruée-là.

— Déchiffrerais-tu mes pensées ? demanda César
à Cléopâtre, au regard si perçant.

— Redouterais-tu la fin du chemin ?

Il l'emmena à l'extrémité de la terrasse ; ce soir-là,
le vent était faible et la mer paisible. Les rayons du
couchant doraient l'écume des vagues.

— Ta capitale semble assoupie, reine d'Égypte ;
pourtant, elle s'apprête à nous dévorer.

— Isis me guide, Vénus te protège ; et mon rêve
se réalisera.

68

Dans le camp de César, l'angoisse s'installait ; malgré ses qualités de stratège, l'*imperator* ne disposait pas des effectifs nécessaires pour briser une offensive générale de Ptolémée dont la rage dynamisait les Alexandrins. D'un jour à l'autre, la tempête se déclencherait, et le petit roi ordonnerait un massacre.

— Cette fois, dit le Vieux à Vent du Nord, il est temps de partir.

L'âne signifia son refus en dressant l'oreille gauche.

— Je ne comprends pas ton entêtement ! Nous n'avons aucune chance de nous en sortir, les ennemis sont trop puissants et trop nombreux.

Refusant la discussion, Vent du Nord porta le courrier aux officiers supérieurs répartis sur la ligne de défense. Résigné, le Vieux s'apprêtait à descendre à la cave, où il choisirait les crus servis à la table de Cléopâtre, lorsqu'il aperçut un messager courir en direction du palais royal, résidence de César.

Le Vieux n'en douta pas : un événement important venait de se produire ; il but une gorgée de blanc et se hâta à son tour. Une annonce officielle ne tarderait pas.

De fait, le palais se transforma en ruche, animée

de rumeurs diverses ; accompagné de Cléopâtre, César apparut.

— Message de mon ami et allié Mithridate de Pergame : son armée de secours sera bientôt en vue d'Alexandrie.

*

Le petit Ptolémée avait grandi et forci ; commander lui fournissait une énergie insoupçonnée, et nul officier ne contestait son autorité. Même si sa première attaque navale avait partiellement échoué, le fameux capitaine Euphranor avait perdu la vie au cours de l'affrontement, et César se voyait privé du meilleur de ses marins.

Une stratégie s'imposait : un assaut massif à la fois par la mer et par la terre. L'infériorité numérique de l'*imperator* le condamnait à la défaite.

— Message urgent, dit un aide de camp en remettant au roi un petit papyrus roulé et scellé.

Il émanait d'un poste de surveillance du delta, et son contenu fit bouillir le sang de Ptolémée : l'armée qu'avait levée Mithridate de Pergame volait au secours de César !

Impératif vital : détruire ce maudit étranger qui compromettait le triomphe de l'héritier légitime des Ptolémées.

*

Les dernières nouvelles étaient encourageantes : Mithridate de Pergame avait échappé à un régiment de Ptolémée et s'approchait d'Alexandrie ; mais le petit roi jetterait toutes ses forces dans la bataille afin d'empêcher la jonction avec César, lequel était obligé d'engager ses troupes. De cette ultime confrontation émergerait le vainqueur.

— Évite le combat sur l'eau, recommanda Cléopâtre ; les Alexandrins y sont trop habiles.

— Les soldats de Mithridate bivouaquent au bord du lac Maréotis ; comment les rejoindrais-tu ?

— Ptolémée empruntera un canal et t'y tendra un piège. Toi, choisis la voie de terre ; une marche forcée d'environ huit heures te permettra d'atteindre ton but.

Grâce à leur discipline habituelle, les légionnaires furent rapidement prêts à partir ; le soir tombait, la nuit les protégerait.

César ne cacha pas la vérité à Cléopâtre.

— Nous sommes tous deux en grand danger. Moi, je mène mes hommes à un combat difficile, face à un adversaire redoutable, et je ne reviendrai peut-être pas de ce champ de bataille ; toi, tu devras défendre nos positions avec une poignée de braves qui seraient submergés par un assaut.

— Ni Vénus ni Isis ne nous abandonneront ; nous nous reverrons, et mon rêve se réalisera.

César voulut croire aux paroles de cette magicienne, mais leur étreinte ressembla à celle de jeunes amants contraints de se séparer à jamais.

*

À la tête de l'avant-garde, Rufin lui ordonna de stopper. Alors que l'aube se levait, il distinguait un campement.

Amis ou ennemis ?

Prévenu, l'*imperator*, vêtu de son manteau pourpre, se porta aux côtés de son lieutenant.

— Envoyons un éclaireur, proposa Rufin.

— Inutile, déclara César, qui avança de plusieurs pas, formant une cible parfaite.

Une sentinelle poussa un cri, le campement s'agita. En sortit un colosse barbu, la chevelure ébouriffée.

— César ! s'exclama-t-il.

Pressant l'allure, les deux hommes se rejoignirent et se donnèrent l'accolade.

— Tu n'as pas changé, *imperator* !

— Et toi, Mithridate, tu me sembles en excellente santé.

— J'ai peiné à rassembler un ramassis de combattants qu'il faut encadrer à coups de botte ! Si on les nourrit bien, ils sont plutôt efficaces ; Ptolémée espérait les bloquer, il s'en est mordu les doigts ! Ton commandement nous offrira une victoire retentissante.

— L'ennemi ?

— Les troupes de Ptolémée sont arrivées hier soir et se sont installées sur une hauteur, bordée d'un côté par un marécage et de l'autre par un canal. Belle position stratégique, du genre imprenable ! À mon avis, le petit roi aurait dû continuer à m'attaquer, mais il a préféré établir un campement ; notre jonction et ta présence modifient le rapport de force ! À présent, nous pouvons passer à l'offensive.

Le soleil éclaira un paysage où l'eau dominait ; Ptolémée avait choisi un excellent emplacement, et le déloger ne serait pas facile.

— On traverse la rivière, on grimpe cette colline et on rase ce nid de vipères, proposa Mithridate.

Les méthodes expéditives ayant parfois du bon,

César approuva celle-là. Des cavaliers germains trouvèrent des gués, des légionnaires coupèrent des arbres et formèrent des ponts rudimentaires ; un premier assaut s'organisa, Ptolémée le repoussa aisément.

Déçu, Mithridate admit son échec.

— Nos hommes ont besoin de repos, jugea César ; que des éclaireurs examinent l'endroit sous tous les angles. S'ils détectent un point faible, nous l'exploiterons demain.

69

Terrorisée, Charmion tremblotait et peinait à coiffer la reine.

— Une bande de charognards va déferler sur le palais, violera les femmes et vous infligera d'atroces sévices !

— Bien sûr que non, rétorqua Cléopâtre d'une voix tranquille.

— Majesté, nous sommes presque seules !

— Jamais le peuple d'Alexandrie n'agressera sa souveraine.

Cette assurance apaisa la servante. Cléopâtre, elle, n'osait déplorer la pauvreté de ses forces : son fidèle chambellan Apollodore et moins d'une centaine de légionnaires ! Si ce serpent de Ptolémée ordonnait un assaut, la résistance serait dérisoire, et la reine serait livrée à la vindicte de son petit frère.

Non, il n'en serait pas ainsi ! Cléopâtre songea à Hermès qu'elle n'avait pas revu depuis longtemps ; puisqu'elle ne négligeait pas Isis, la protection du mage ne lui ferait pas défaut.

Apollodore lui apporta un message de César.

Nerveuse, la souveraine déroula le papyrus.

— D'heureuses nouvelles, Majesté ?

— L'*imperator* a rejoint l'armée de secours ! Leurs forces sont suffisantes pour affronter celles de Ptolémée.

— La confrontation finale, estima le Sicilien. Ayons confiance en César, Majesté ; il a déjà remporté tellement de victoires !

— Seule celle-là importe, murmura la jeune femme.

*

Ptolémée jubilait. En choisissant la hauteur où il avait installé son camp, il occupait une position imprenable ; connaissant mal le terrain, les Romains et leurs alliés s'épuiseraient à vouloir escalader les pentes abruptes. D'ailleurs, leur premier assaut avait été un cuisant échec ! Les fantassins riaient de la prétention de leurs adversaires dont l'obstination causerait la perte.

Certains officiers, cependant, désapprouvaient la stratégie du monarque ; n'aurait-il pas dû attaquer Mithridate avant l'arrivée de César, puis écraser ce dernier ? L'établissement de ce camp était une regrettable perte de temps, et l'avantage du nombre ne jouait plus.

L'adolescent de quatorze ans convoqua son état-major, composé de soldats expérimentés ; il ressentit leurs doutes, voire leur hostilité.

— Ma décision est la bonne ! En tentant de nous déloger, les Romains perdront des centaines d'hommes ; quand ils battront en retraite, nous les pourchasserons, et les exterminerons.

La force de conviction de l'adolescent étonna ses officiers ; leurs réticences effacées, ils approuvèrent sa stratégie.

Profitant d'une longue matinée de repos, les soldats de César et de Mithridate avaient recouvré leur énergie, et beaucoup étaient impatients d'en découdre ; la présence de l'*imperator*, au calme rassurant, ne leur garantissait-elle pas le succès ?

Le chef des éclaireurs rassembla les rapports de ses hommes et présenta le résultat à César.

— Nous avons décelé le point faible de l'ennemi, affirma-t-il ; nous devrons contourner les marais et attaquer le camp à revers. Là, la pente est faible et les défenses insuffisantes.

César organisa une manœuvre de diversion qui ferait croire à Ptolémée que les Romains s'acharnaient inutilement ; le gros des troupes, lui, suivrait le chef des éclaireurs, en évitant d'être repéré par les guetteurs.

— On tient le bon bout ! s'exclama Mithridate, réjoui à l'idée d'un beau massacre, et ce fichu pays chantera la gloire de l'*imperator*.

César songeait à Cléopâtre ; Isis la protégerait-elle d'une émeute des Alexandrins ?

*

Ptolémée s'impatientait ; pourquoi les Romains ne lançaient-ils pas un nouvel assaut ?

— Les voilà ! avertit une sentinelle.

— Les imbéciles, murmura l'adolescent ; ils réagissent comme prévu.

Même sous la protection de leurs archers et de leurs manieurs de frondes, les fantassins n'avaient aucune chance d'atteindre le sommet de l'éminence, et tous seraient abattus.

Ptolémée se félicitait de son succès lorsque des hurlements provenant de son propre camp le firent sursauter.

Un officier accourut.

— Majesté, ils nous ont pris à revers !

— Repoussez-les !

— Impossible, c'est déjà la débandade ; il faut fuir.

Incrédule, le petit roi vit ses hommes rompre le combat et dévaler la colline avec l'espoir de rejoindre le fleuve ; la plupart furent victimes de flèches romaines.

— Il faut fuir, insista l'officier.

Ne rencontrant qu'une médiocre résistance, les légionnaires et leurs alliés exterminaient l'armée adverse.

Hagard, Ptolémée se laissa entraîner : sa cuirasse dorée était lourde à porter, mais serait une protection efficace.

*

Rude guerrier, Mithridate eut le cœur au bord des lèvres, tant les cadavres mutilés étaient nombreux ; conscients de porter le coup fatal, les vainqueurs s'étaient livrés à un véritable carnage.

Et les fuyards n'avaient pas été mieux lotis ; se ruant sur des barques trop chargées, ils s'étaient noyés lors de leur chavirement. Les rares bons nageurs capables de traverser le fleuve avaient été abattus en touchant la rive.

De l'armée de Ptolémée, il ne restait rien.

— Je veux sa dépouille, exigea César.

Les recherches s'annonçaient difficiles, mais un étrange éclat de lumière attira l'attention d'un fantassin.

— Là-bas, une cuirasse dorée !

Aidé d'un camarade, il extirpa un corps de la vase, et les deux soldats le déposèrent aux pieds de César.

Il s'agissait bien de Ptolémée le Treizième, mort de haine et de vanité ; et l'*imperator* ne le pleura pas.

70

Le commandant de la milice chargé par Ptolémée d'assurer l'ordre à Alexandrie réunit ses adjoints.

— Nous pourrions accomplir un coup d'éclat, leur proposa-t-il ; seuls quelques légionnaires gardent le palais royal. Forçons un barrage, tuons-les et emparons-nous de Cléopâtre. À son retour, le roi nous félicitera et nous récompensera.

— C'est risqué, objecta un barbu.

— On envoie les esclaves en tête, avec la promesse d'une belle prime ; ils n'en réchapperont pas, mais élimineront l'essentiel des Romains, et nous finirons le travail. Ensuite, on met la main sur Cléopâtre, et on la ramène enchaînée ! Vous imaginez la joie de Ptolémée ? Et nous, on deviendra des héros !

Les arguments emportèrent l'adhésion des miliciens, et l'expédition se prépara dans la fièvre. À l'idée d'humilier l'indomptable reine, plusieurs soudards éprouvaient une intense excitation.

Alors que la meute se dirigeait vers le quartier des palais, elle se heurta à une foule de civils armés de bâtons et de lances.

— Les juifs ! s'étonna le commandant de la milice.

Antipatros sortit du rang.

— Où allez-vous ? demanda-t-il.

— Laissez-nous passer, ou bien…

— Ou bien quoi ? Lâches et stupides, vous comptiez vous emparer de Cléopâtre et lui infliger des outrages ! La colère de César eût été telle qu'il aurait rasé la ville.

— César est mort, Ptolémée triomphe ! Et toi, tu seras accusé de trahison.

— Ptolémée vaincre César… Ta bêtise est plus profonde que la mer.

— Dégage mon chemin, Antipatros.

— Hors de question.

— Tu vas mourir, comme ton ami César.

Ni les uns ni les autres n'acceptant de reculer, l'affrontement risquait d'être sévère. Antipatros craignait que ses partisans ne fussent incapables de résister aux miliciens, mais il les avait persuadés que l'avenir de leur communauté en dépendait.

— Il arrive, il arrive ! cria un milicien.

— César ou Ptolémée, murmura Antipatros, la gorge nouée.

Figés, les bras ballants, les miliciens et les juifs regardèrent ensemble du côté de la voie canopique.

À cheval, précédant ses soldats, l'*imperator* exhibait la cuirasse dorée du défunt Ptolémée.

Des milliers d'Alexandrins jaillirent de leurs demeures ; hommes, femmes et enfants se pressèrent pour contempler l'homme qui s'emparait de leur capitale.

César s'immobilisa, attendant qu'une foule immense fût suspendue à ses lèvres. Quand il éleva la cuirasse, le silence s'établit.

— Votre roi s'est opposé à Rome et votre roi est mort, causant la perte de son armée. La guerre d'Alexandrie est terminée. Souhaitez-vous saluer la paix retrouvée ?

Les juifs furent les premiers à lâcher leurs armes, les miliciens les imitèrent et le grand prêtre de Sérapis, fendant la masse de ses concitoyens, présenta un vase en argent au vainqueur.

— Voici l'hommage des dieux et de notre cité, déclara-t-il d'une voix puissante ; nous nous soumettons à ta volonté et implorons ta clémence.

On cessa de respirer ; combien d'exécutions le Romain allait-il décider, quelle serait l'étendue de sa vengeance ?

— Je vous accorde mon pardon, à deux conditions : livrez-moi la princesse Arsinoé et reconnaissez la souveraineté de Cléopâtre. C'est elle, et elle seule, qui régnera sur l'Égypte.

— Si nous acceptons, demanda le grand prêtre, épargneras-tu nos vies et notre cité ?

— Il y a eu beaucoup trop de morts, seule la paix rétablira la prospérité d'Alexandrie ; et César n'a qu'une parole.

— Je réunis immédiatement les autorités de la ville.

— J'attends votre réponse au palais royal.

*

Le Vieux fut le premier à voir l'*imperator*, à la tête de ses troupes, chantant ses louanges.

— Par tous les dieux, le Romain a gagné et cette fichue guerre est finie !

L'oreille droite de Vent du Nord se dressa.

— Pour une fois que tu m'annonces une bonne nouvelle… Ça se fête !

Le Vieux se précipita à la cave et choisit un rouge marqué « trois fois bon ». Doté d'un sens moral remarquable, il renonça à le goûter avant César et Cléopâtre. À peine remontait-il l'escalier que des clameurs saluèrent l'*imperator* descendant de cheval et contemplant Cléopâtre, vêtue d'une longue robe rouge et parée de bijoux somptueux.

Un long moment, leurs regards se croisèrent ; et le même sourire illumina leur visage.

— Ptolémée est mort, révéla César, et son armée anéantie.

— Alors, la victoire est totale !

— Pas encore.

— Que redoutes-tu ?

— La décision des notables d'Alexandrie. S'ils soutiennent Arsinoé et ne reconnaissent pas ta souveraineté, je l'imposerai par la force.

— Je refuse ! Trop de sang a déjà été versé.

— Tu n'as plus le choix, Cléopâtre ; si tu montres le moindre signe de faiblesse, ta chère sœur soulèvera la population et te dévorera. Ce rêve… Ce rêve qui t'obsède, désires-tu vraiment le réaliser ?

— Tu as raison, je n'ai pas le choix.

Chantant, buvant et se congratulant, les Romains célébrèrent leur victoire, ignorant qu'elle était peut-être le prélude à un nouvel affrontement dont l'ampleur effacerait les précédents.

Quand le Vieux apporta sa jarre, la salle à manger du palais était vide ; à l'évidence, ni banquet ni fête !

« Ça ne sent pas bon, pensa-t-il ; on croyait avoir gagné, et la tempête se relève. »

71

La journée du 27 mars – 47, qui s'annonçait si belle, se terminerait-elle en désastre ? À l'idée d'une révolte de la population d'Alexandrie que les légionnaires réprimeraient de manière brutale, Cléopâtre éprouvait une profonde tristesse, proche du désespoir. Arsinoé saurait-elle attiser la haine contre sa sœur et les Romains au point de prolonger d'abominables souffrances ?

Silencieux, César se préparait au pire. Après un long et rude conflit au cours duquel il avait perdu beaucoup d'hommes, il ne laisserait pas l'anarchie s'installer à Alexandrie. Et une seule femme possédait la capacité de régner : Cléopâtre.

Dans les rangs de l'armée victorieuse, la tension était perceptible ; grâce à la diligence du Vieux, personne ne manquait de bière fraîche, mais l'on ne s'y trompait pas : puisque César n'avait fait dégager qu'une seule voie d'accès au palais, la paix demeurait fragile. Simple trêve avant la reprise du conflit ?

Un imposant cortège approcha, Rufin prévint aussitôt l'*imperator ;* en habits de deuil, les notables portaient des statues de divinités. Ils s'agenouillèrent au pied de l'escalier monumental du palais, et le grand prêtre de Sérapis s'adressa à Cléopâtre et à César.

— Nous regrettons notre comportement et implorons votre pardon ; le peuple reconnaît votre souveraineté et condamne la révolte d'Arsinoé.

Deux soldats amenèrent la princesse, les mains liées ; les cheveux défaits, les traits creusés, elle n'osa pas soutenir le regard de sa sœur aînée.

À César de prononcer la peine.

— Arsinoé sera envoyée à Rome et enchaînée à mon char lors des cérémonies de mon triomphe.

Brisée, la prisonnière n'émit aucune protestation, et ses geôliers l'évacuèrent.

— Vous avez choisi votre reine, déclara l'*imperator*, et je vous en félicite ; c'est avec joie et une profonde satisfaction que je vous accorde le pardon de Rome et sa protection. Songeons tous au fondateur de cette brillante cité, Alexandre le Grand, et à sa prodigieuse vision de l'avenir ; cette guerre a durement frappé votre capitale, mais elle se redressera et, demain, sera encore plus belle. L'heure est venue de couronner Cléopâtre.

*

Alexandrie festoyait ; enfin, la guerre était terminée ! Tirés de peine, angoisse et danger, ses habitants ne contestaient pas l'autorité de Cléopâtre qu'appuyait César, à la tête d'une armée victorieuse. Hier détestée, aujourd'hui adulée, la reine de vingt-deux ans incarnait l'avenir du pays.

Savourant son succès, la jeune femme se remémorait son exil, sa traversée du désert, ses doutes, ses moments de désespoir, ses échecs… Et la frontière de l'impossible avait été franchie.

Gouverner les Deux Terres, la Haute et la Basse-Égypte, n'était plus une illusion ; l'amour de César lui offrait un présent inestimable dont elle devrait se montrer digne.

— En douterais-tu ? demanda une voix grave.

— Hermès !

— En douterais-tu ?

Cléopâtre osa faire face au mage.

— J'ai construit mon destin et je veux régner !

— Le destin n'est-il pas l'œuvre des dieux ?

— Si je n'y participais pas, m'accorderais-tu la moindre attention ?

— Alexandrie est un cadre trop étroit ; souviens-toi qu'Alexandre le Grand en personne n'a été couronné pharaon qu'avec l'agrément du dieu Amon. Recherche sa protection.

— Où le trouverai-je ?

— Au temple d'Héracléion.

*

Les notables avaient acclamé leur souveraine lorsqu'elle était apparue au gymnase avant de se rendre au sanctuaire de la cité côtière d'Héracléion, à l'est de Canope ; là régnait Amon, le dieu caché, vénéré par les illustres pharaons du Nouvel Empire, tel Ramsès le Grand.

César avait rassuré les autorités d'Alexandrie en leur promettant que leur souveraine, conformément à la tradition, associerait au trône un nouveau Ptolémée, son petit frère, quatorzième du nom, et que les institutions seraient préservées.

Sur une couronne de bronze avait été gravée une charte garantissant le droit de cité des juifs ; César remerciait ainsi Antipatros et ses coreligionnaires de lui avoir fourni un soutien précieux, même aux pires moments.

Accompagné de l'*imperator*, la reine franchit le seuil du temple d'Amon[1] ; deux ritualistes purifièrent le couple avec l'eau du Nil provenant de la crue précédente et symbolisant la puissance de régénération à l'œuvre lors de la résurrection d'Osiris.

Sortant de la pénombre du sanctuaire, Hermès apparut, porteur d'un étui en cuir contenant un papyrus roulé et scellé.

— Voici le testament des dieux qui lègue au pharaon la totalité de la terre d'Égypte et le rend responsable de sa prospérité. Pour remplir cette fonction écrasante, il doit observer la règle éternelle de Maât, justesse de la pensée, rectitude de l'action, harmonie de l'univers. Acceptes-tu ce testament, Cléopâtre, et les charges qu'il implique ?

— Je m'engage à les assumer.

— Ce serment est prêté en présence du dieu Amon, le principe caché qui confère le souffle vital à tous les êtres. Désormais, tu es la servante de l'Égypte et de son peuple, la dépositaire du double royaume, céleste et terrestre.

---

1. Il s'agit du temple d'« Amon du *Gereb* », « gereb » désignant le document qui établit l'inventaire divin remis au pharaon. Les vestiges d'Héracléion, cité disparue sous les eaux, ont été récemment retrouvés par F. Goddio.

En recevant le document transmis de génération en génération, les mains de Cléopâtre tremblèrent ; elle se reliait à la tradition de ses ancêtres en esprit, revivait l'élan de la première des dynasties et son désir de création.

Le sanctuaire était qualifié de « demeure de la joie », et celle qu'éprouvait Cléopâtre avait valeur de miracle ; une partie de son rêve insensé se réalisait, l'espérance prenait corps. Elle, la Grecque, était devenue un pharaon d'Égypte, s'inscrivant dans la lignée de ses légendaires prédécesseurs.

Pourtant, elle ne céda pas à l'euphorie, car la tâche qu'elle se fixait semblait irréalisable : restaurer la grandeur de l'empire évanoui, faire de son pays l'égal de Rome.

Rome, le futur royaume de César.

72

En ce délicieux printemps – 47, la cour s'était déplacée jusqu'au palais édifié au bord du lac Maréotis, au sud d'Alexandrie ; l'endroit était peuplé de luxueuses villas, implantées au cœur de vastes jardins arborés. L'été, l'eau fraîche du Nil en crue remplissait le lac d'où partaient de nombreux canaux ; un port accueillait une belle quantité de marchandises, et les vignobles déployés sur les rives fournissaient un vin de garde d'une qualité exceptionnelle.

Prudent, le Vieux avait tenu à vérifier par lui-même cette réputation et ne la jugeait pas injustifiée ; satisfait, il servirait à la table royale un rouge charpenté, âgé de dix ans. Le grand banquet offert par Cléopâtre en l'honneur de César méritait toutes les attentions.

L'annonce de ces festivités ne réjouissait pas Rufin, le fidèle lieutenant de l'*imperator ;* les nouvelles concernant Rome étaient inquiétantes, les pessimistes évoquaient une inéluctable guerre civile. Pourquoi César s'attardait-il ici, au lieu de regagner rapidement son pays et d'y rétablir l'ordre ? L'amour ne justifiait pas cette attitude ! Le vainqueur de Pharsale et d'Alexandrie était un homme à femmes, et Cléopâtre, fût-elle reine, ne serait qu'une passade ; le sens de l'État devait dicter à César sa conduite et l'arracher aux sortilèges de l'Égypte. Au risque d'essuyer de sévères remontrances, Rufin oserait parler à César et lui donner son opinion.

*

Le chambellan Apollodore, assisté du Vieux et d'une cohorte de serviteurs, avait organisé le plus somptueux des banquets. Et Charmion se sentait fière de son travail : jamais Cléopâtre n'avait été aussi élégante et aussi belle. Quand elle apparut, coiffée d'un diadème en or et de guirlandes de roses, vêtue d'une robe en étoffe de Sidon laissant deviner ses seins blancs, les convives furent éblouis, et César ressentit une profonde attirance pour cette femme dont l'intelligence n'avait d'égale que le charme.

Cléopâtre avait invité les philosophes et les savants rescapés de la guerre d'Alexandrie, reconstituant l'atmosphère du Musée où de brillants esprits échangeaient découvertes et hypothèses ; l'un d'eux, Acorée, astronome et hydrologue, capta l'attention de César.

Il lui parla d'une invention capitale, héritée des anciennes dynasties et régissant l'existence des Égyptiens depuis des millénaires : le calendrier. L'année de douze mois de trente jours naissait lorsque brillait Sirius, l'étoile du Chien, qui faisait monter les eaux du Nil et provoquait la crue ; entre deux années, une période de cinq jours redoutables, lesquels voyaient cependant la naissance de divinités comme Isis et Osiris. Ce calendrier était une œuvre sacrée, conçue par les sages de l'âge d'or, et ne pouvait être modifié ;

César demanda aux savants alexandrins de l'adapter à l'intention de Rome[1].

Un second sujet intriguait l'*imperator* : les sources du Nil. Acorée, prolixe, développa pendant des heures les multiples théories citant explorateurs et géographes. Nulle conclusion définitive ne s'imposant, seule solution : entreprendre un voyage pour résoudre cette énigme. Et qui, mieux que César, y parviendrait ?

Il se tourna vers Cléopâtre.

— Cette folie te plairait-elle ?

— Je comptais te convier à découvrir mon pays, au fil du fleuve ; disposeras-tu du temps nécessaire ?

— Comment résister à une telle invitation ?

La reine posa tendrement ses mains sur celles de son amant.

— J'attends un enfant, notre enfant. Acceptes-tu que notre fils porte ton nom ?

— Un fils...

— Les médecins de la cour sont formels, leurs tests concordent. Césarion naîtra à la fin du mois de juin.

— Césarion...

— Ton fils, le futur pharaon, auquel je transmettrai le testament des dieux afin qu'il gouverne une Égypte riche et puissante.

César était placé face à une réalité qu'il n'avait pas imaginée ; lui, le Romain, père d'un Égyptien promis au pouvoir suprême ! Un bonheur inédit se mêlait au vertige, le sourire de Cléopâtre continuait à l'envoûter.

*

1. Ce calendrier, dit julien, sera utilisé en Europe jusqu'à la fin du XVIᵉ siècle, et réformé par le pape Grégoire XIII.

À Dendera, le printemps était un enchantement ; aux alentours du temple en construction, tamaris, sycomores, perséas et arbres fruitiers exprimaient une vie nouvelle, s'alliant à l'épanouissement des parterres de fleurs. Malgré un dos douloureux, Hathor, la supérieure des prêtres et des prêtresses, appréciait ce bonheur-là et s'accordait une promenade après un déjeuner frugal. Ces moments de solitude et de méditation lui redonnaient l'énergie nécessaire pour affronter ses longues journées de travail et résoudre mille et un problèmes. Quelle que fût la difficulté, même minime, on remontait à la supérieure dont l'avis était indispensable.

Préférant en sourire, Hathor remerciait sa déesse protectrice de lui avoir accordé une existence privilégiée ; chaque matin, accomplir un rituel destiné à maintenir sur terre la présence divine, n'était-ce pas le plus grand des bonheurs ?

Les artisans mettaient toujours autant de cœur à l'ouvrage ; sous la direction attentive de leur maître d'œuvre, ils assemblaient les pierres qui formeraient le domaine de la déesse de l'amour, cet amour céleste dessinant la carte du ciel.

En revenant vers le temple, la supérieure marcha à pas très lents afin d'en savourer la beauté. Le maître d'œuvre l'attendait ; à son attitude, elle comprit qu'il était porteur d'une information essentielle.

L'administration alexandrine fermait-elle le chantier ?

Inquiète, Hathor s'approcha.

— Des nouvelles de la capitale, annonça le maître d'œuvre ; Ptolémée le Treizième est mort, César triomphe, Cléopâtre règne.

— Cette effroyable guerre est terminée... L'administration de la province a-t-elle reçu des directives inquiétantes ?

— La paye de mes équipes continue d'être assurée, et nous pouvons continuer à bâtir le temple.

— Cléopâtre règne ! Donc, elle respectera ses engagements.

— Croyez-vous vraiment qu'elle se soucie de Dendera ? Les Ptolémées n'aiment qu'Alexandrie.

La supérieure contempla l'édifice, baigné de soleil.

— Elle viendra... Je suis certaine que Cléopâtre viendra admirer la demeure de la déesse.

— Avez-vous lu les lettres envoyées par nos amis ? demanda Rufin à César.

— Bien entendu.

— La guerre civile menace... Seul votre retour empêchera ce désastre !

— Tu es trop pessimiste.

— Les partisans de Pompée s'agitent dans l'ombre ; perdre du temps vous sera fatal.

— Rassure-toi, j'interviendrai au bon moment ; avant de regagner Rome, je désire contempler les sources du Nil.

Rufin en fut bouche bée.

— Vous n'envisagez pas... des semaines de navigation ?

— La reine d'Égypte me fera découvrir les merveilles de son pays.

— Vous... Vous n'y songez pas !

— Ma décision est arrêtée, Rufin.

— Impossible d'assurer votre sécurité ! Les Alexandrins sont des hypocrites, ils feignent de se soumettre et ne pensent qu'à vous abattre ! Ce voyage leur offrirait une occasion inespérée.

— Je n'ai pas d'inquiétude, car tu prendras les mesures nécessaires.

*

Mithridate de Pergame avait quitté l'Égypte, mais il restait suffisamment de légionnaires, de marins et de mercenaires pour composer un impressionnant corps expéditionnaire. Rufin laisserait à Alexandrie des forces de police, alliées aux milices juives ; la cité était redevenue paisible, les activités commerciales battaient leur plein et, cette fois, les réformes monétaires et administratives de Cléopâtre n'avaient suscité aucune opposition.

Les notables approuvaient ce voyage qui, conformément aux anciennes traditions, permettait à un nouveau pharaon de faire reconnaître sa souveraineté par chaque capitale provinciale et chaque grand temple ; ainsi se tissaient des liens profonds entre le monarque, le pays entier et ses sujets.

Demeurait le problème de la sécurité de César, donc du nombre de bateaux chargés de l'accompagner ; le Vieux ayant été consulté, puisqu'il n'ignorait rien du trajet, il s'était adressé à Vent du Nord. Et l'âne avait été formel : pas moins de quatre cents !

Une telle escorte serait dissuasive, à condition de la réunir ! Grâce à la bonne volonté des Alexandrins et à l'efficacité des chantiers navals, Rufin disposa en peu de temps de cette flotte dont le passage marquerait la mémoire des Égyptiens.

Vint le moment où Cléopâtre, la veille du départ, présenta à César le navire amiral : trois cents mètres de long, quarante-cinq de large, soixante de haut. Comme les autres spectateurs, l'*imperator* céda à l'émerveillement. Le couple bénéficierait d'appartements luxueux, le chambellan Apollodore et la servante Charmion de chambres confortables, le Vieux d'une cave digne du palais royal. Soldats, domestiques, médecins, philosophes et savants compléteraient l'équipage.

Et le navire s'élança sous les acclamations du peuple d'Alexandrie.

*

Perpétuellement sur le qui-vive, Rufin ne profitait guère des paysages et des brèves haltes pendant lesquelles César et Cléopâtre rencontraient les notables locaux, écoutaient leurs doléances et visitaient les temples en rendant hommage aux divinités. Le fidèle lieutenant de l'*imperator* se méfiait de tout et de tout le monde, redoutant soit un attentat massif, soit un tueur solitaire : aussi la garde rapprochée du souverain était-elle formée de légionnaires expérimentés, prêts à se sacrifier pour sauver leur chef. Trop souvent, hélas ! le couple allait au-devant de la population, discutant même avec des paysans, soumis à une fiscalité insupportable et souffrant du poids de l'administration. Rufin ne se détendait qu'en le sachant à bord du navire de parade, et encore ! Il devait surveiller les tours de garde et s'assurer que nul intrus ne s'était infiltré. Et ce long voyage paraissait interminable ! Dans ses cauchemars, Rufin voyait César poignardé ; il ne parvenait pas à briser le bras de l'assassin, et son visage lui échappait. Au moins, cet avertissement l'incitait à maintenir un état d'alerte permanent et à ne pas relâcher sa vigilance.

César, lui, jouissait des plus belles heures de son existence ; loin de la guerre et des tourments du pouvoir, il aimait et était aimé, contemplait les palmeraies, les rives du Nil, buvait des crus incomparables, dégustait des nourritures délicieuses, débattait en compagnie de philosophes et de savants, étudiait les forces et les faiblesses de la politique des Ptolémées, écoutait une population négligée et, surtout, découvrait l'œuvre architecturale des pharaons. Grands temples, chapelles, oratoires de campagne... La terre aimée des dieux était parsemée d'édifices de tailles diverses, accueillant les puissances créatrices qui sacralisaient l'activité humaine ; un souffle particulier animait ces monuments, empreints d'une éternité sereine. Aux côtés de Cléopâtre, pénétrée de sa fonction, César apprenait à percevoir l'âme des anciens rois et se nourrissait de leur exemple. Demain, si Rome lui accordait sa confiance, il mettrait fin aux querelles internes, piétinerait les médiocres et créerait un empire.

Cléopâtre était radieuse ; son rêve ne se réalisait-il pas au-delà de toute espérance ? Prenant enfin la dimension réelle de son pays et de son héritage, elle partageait cette expérience incomparable avec un homme d'exception, père du futur pharaon. Isis lui offrait un bonheur aux dimensions du ciel et de la terre, un bonheur qui irriguerait l'Égypte et son peuple.

*

— Courrier royal, annonça le préposé en remettant à la supérieure de Dendera un papyrus scellé.

Était-ce la fin du chantier, le temple resterait-il inachevé ?

La vieille dame brisa le sceau et consulta le document. Sceptique, elle relut plusieurs fois le texte et rechercha le maître d'œuvre afin de lui en communiquer la teneur. Examinant son plan, il s'apprêtait à donner des instructions aux sculpteurs ; les textes devaient être gravés de façon rigoureuse, car les paroles des dieux survivraient à celles des humains. Quand ces derniers auraient disparu, les hiéroglyphes continueraient à célébrer les rites.

— Un message de la reine Cléopâtre, écrit de sa main, déclara la supérieure.

— Bonne ou mauvaise nouvelle ?

— Lis toi-même.

Le maître d'œuvre parcourut le texte.

— Ainsi, notre souveraine et César feront escale à Dendera ! C'est un immense honneur.

— Et nous n'avons que très peu de temps pour préparer leur accueil.

74

Ex-serviteur de l'eunuque Photin, le cuisinier était parvenu à se faire engager sur l'un des quatre cents bateaux d'escorte où il rôtissait de la volaille à l'intention des légionnaires. Depuis la disparition tragique de son patron, il n'avait qu'une idée en tête : se venger de Cléopâtre.

Mais comment l'approcher ? Profitant de quelques heures de congé à l'escale de Dendera, il descendit à terre en dissimulant un couteau bien aiguisé et se mêla à la foule, heureuse de saluer la souveraine et l'*imperator*. Si l'occasion se présentait, le cuisinier poignarderait cette sorcière et son amant.

Situé à une soixantaine de kilomètres au nord de Thèbes, Dendera voyait le Nil couler, de manière exceptionnelle, d'est en ouest et non du nord au sud ; quant au temple, faisant géographiquement face au nord, il était symboliquement orienté vers l'orient. Déjà, sous le règne de Khéops, le bâtisseur de la grande pyramide de Guizeh, un sanctuaire avait été érigé en l'honneur de la déesse Hathor ; entretenu au long des dynasties, il célébrait la royauté féminine. Et le 16 juillet – 54, avait indiqué Cléopâtre à César,

Ptolémée le Douzième avait autorisé la construction d'un nouveau temple aux dimensions colossales.

Ici, la déesse du ciel engendrait la lumière, incarnée dans le disque solaire dont le rayonnement animait toutes les formes de vie ; régulant le cours des astres et veillant à l'harmonie du cosmos, Hathor enseignait la voie droite à ses fidèles.

Entre le débarcadère et le temple, hommes, femmes et enfants formaient une haie bruyante et joyeuse qui ravissait César et Cléopâtre, et désespérait Rufin ; impossible, en de telles circonstances, de garantir une parfaite sécurité ! Un tueur pouvait se dissimuler, frapper, et profiter de la confusion pour disparaître.

Inconscient des risques encourus, le couple goûtait sa popularité et progressait avec une irritante lenteur. Essayant d'avoir des yeux partout, Rufin était prêt à bondir, et cette attitude découragea le cuisinier qui redoutait de manquer son coup.

Sur le parvis, s'étaient rassemblés les prêtres et les prêtresses, autour de leur supérieure, vêtue d'une ample robe de lin blanc ; à sa droite, le maître d'œuvre. Ils s'inclinèrent devant l'*imperator* et la reine, laquelle releva aussitôt la supérieure.

— Ne dit-on pas que tu es la femme la plus sage d'Égypte ? Je te dois le respect et te prie de m'ouvrir les portes de ton temple.

— Il est le vôtre, Majesté ; grâce à vous, le maître d'œuvre l'a édifié pour nous permettre d'y célébrer les rites qui suscitent l'amour de la déesse.

— Quel est ton nom ? demanda Cléopâtre à l'artisan.

— Imhotep, le descendant d'une longue lignée de bâtisseurs.

— Mène l'œuvre à son terme, Imhotep : puisse Dendera faire rayonner à jamais l'amour créateur de la déesse Hathor.

La supérieure conduisit la reine et l'*imperator* vers le temple.

« À l'intérieur, pensa Rufin, ils seront en sécurité. » Et le cuisinier estima que l'occasion était excellente ; la garde rapprochée de la souveraine restant à l'extérieur de l'édifice, il aurait le temps d'agir. Se faufilant tel un serpent, il emprunta une petite porte latérale donnant accès à la première grande salle.

Éblouis, César et Cléopâtre découvrirent le temple, le lieu de la naissance quotidienne de la divinité dont les multiples noms étaient révélés sur les parois, couvertes de hiéroglyphes ; des scènes décrivaient les rites de fondation et d'offrandes aux divinités accueillies dans le domaine sacré de la déesse.

— Ici sont révélés les secrets du ciel, indiqua la supérieure ; Hathor est l'amour qui régit le mouvement des étoiles et des planètes, et maintient leurs liens d'harmonie. Depuis les origines du sanctuaire, nous enregistrons les cycles du cosmos, comme celui de Sothis[1], d'une durée de 1460 ans, et nous avons décelé le phénomène de la précession des équinoxes ; les livres d'astronomie sont l'un de nos trésors les plus précieux.

César comprit à quel point les Grecs et les Romains n'étaient que des enfants, face à la sagesse et à la science des anciens Égyptiens ; et lorsque la supérieure amena l'*imperator* devant le Saint des Saints, entouré de onze chapelles où se dévoilaient, notamment, les

---

1. Sirius.

mystères du feu et de l'eau primordiale, le visiteur perçut, l'espace d'un instant, l'ampleur de leur vision.

— Vénérons Hathor, pria la supérieure, la déesse d'or, l'œil de la lumière divine, la maîtresse de l'océan primordial et des cieux, elle qui maîtrise la vie et la mort, elle qui accorde la pensée juste à ses fidèles.

Pendant que les hôtes d'Hathor se recueillaient, le cuisinier se préparait à frapper, serrant le manche de son couteau ; dissimulé derrière la porte de l'une des chapelles dédiée au dieu des profondeurs, Sokaris à tête de faucon, il profiterait de ces circonstances idéales. César mourrait le premier, et les deux femmes seraient incapables de résister à l'agresseur qu'animait une rage vengeresse.

Le cuisinier tournait le dos à la statue du faucon et ne la vit pas s'animer. Alors que l'assassin entrouvrait la porte, le bec du rapace jaillit à une vitesse fulgurante et transperça la nuque du profanateur ; les serres s'emparèrent de son cadavre et le jetèrent aux abîmes, hors de portée de la lumière.

*

Des ritualistes avaient revêtu Cléopâtre d'une robe dorée, recouverte d'un manteau à bordure frangée dont les pans étaient noués sur la poitrine ; ainsi apparut-elle comme la nouvelle Isis, issue de la butte sacrée de Dendera. Incarnation de la mère universelle, dispensatrice d'innombrables bienfaits, elle donnerait naissance à un nouvel Horus, protecteur de la monarchie pharaonique, et ressusciterait l'antique puissance des pharaons.

Sans relâcher son attention, Rufin respirait mieux ;

lors du banquet réunissant les notabilités de la province, la garde rapprochée de César contrecarrerait aisément une tentative d'agression.

Cléopâtre ressentit le trouble de son amant ; brutalement immergé dans une tradition millénaire, il avait perdu ses points de repère et se demandait si Rome, malgré sa grandeur, n'était pas une petite nation au regard d'une civilisation au rayonnement incomparable.

Le rêve de Cléopâtre, l'enfant qu'elle portait, l'avenir d'un pays ressurgissant de son passé et de ses temples… L'*imperator* ne participait-il pas à un miracle qu'il devait amplifier ?

Le sourire de la reine acheva de le séduire ; explorer cet univers devenait sa priorité.

75

Thèbes aux cent portes avait souffert de destructions et de pillages sous l'occupation perse ; le libérateur de l'Égypte, Alexandre le Grand, reconnu pharaon par le dieu Amon, s'était attaché à restaurer une partie de son immense domaine en revivifiant des sanctuaires, à Karnak et à Louxor.

Les pylônes, les colonnades, les cours à ciel ouvert, les gigantesques salles à colonnes décorées, les innombrables bas-reliefs aux couleurs vives, la multiplicité et la variété des sanctuaires... Émerveillé, César se laissait envahir.

Lui, l'*imperator*, s'estimait bien faible face à la stature des géants de pierre dont le visage avait traversé les siècles. Pourquoi ne pas tenter de s'élever à leur hauteur en épousant Cléopâtre et en ressuscitant, à ses côtés, la fonction pharaonique ?

Le destin l'avait conduit en Égypte, le contraignant à courir des risques insensés ; n'avait-il pas failli perdre la vie au cours de la guerre d'Alexandrie, gagnée de justesse ? C'était ici, sur cette terre, qu'un chef d'État pouvait prendre conscience de la véritable puissance, et c'était peut-être ici que César s'accomplirait en l'exerçant.

*

Charmion appréciait la magnificence du palais de Karnak où tant d'illustres monarques avaient résidé ; certes, elle avait procédé à quelques aménagements afin d'en améliorer le confort et songeait souvent à son Alexandrie natale, mais appréciait ce voyage placé sous le signe de l'amour. En dépit de la différence d'âge, César et Cléopâtre formaient un couple magnifique, et leur passion commune, toujours aussi ardente, émouvait la servante, habituée à l'égoïsme et à la veulerie des mâles. N'ayant rien d'un agneau, le dictateur romain était sincèrement amoureux et admirait la jeune reine ; en lui ouvrant les portes de l'Égypte, réussirait-elle à le convaincre d'y demeurer ?

Le couple passait de longues heures à Karnak, le temple des temples ; le chambellan Apollodore veillait à la qualité des mets servis à la table royale, le Vieux à celle des vins. Lui et Vent du Nord étaient ravis de retrouver le Sud et s'accordaient de longues siestes, tandis que Rufin continuait à se ronger les sangs, hanté par la crainte d'un attentat.

L'arrivée d'un bateau inconnu déclencha une vive réaction ; observant les consignes de sécurité, les marins romains l'arraisonnèrent et amenèrent son capitaine à Rufin qui reconnut aussitôt un vétéran digne de confiance.

— J'apporte le courrier parvenu à Alexandrie, expliqua-t-il ; des missives officielles destinées à l'*imperator*.

*

Le soleil brillait haut dans le ciel, la chaleur s'intensifiait ; Cléopâtre se reposait et, d'une fenêtre du palais, César contemplait le domaine sacré de Karnak.

Son lieutenant lui présenta les documents.

— Tu parais contrarié, Rufin.

— M'autorisez-vous à être franc ?

— Je te le recommande.

— Même si je vous heurte ?

— Exprime-toi, je te prie.

— Depuis trois mois, vous semblez avoir oublié Rome ! Nos hommes sont troublés et se demandent quand ils regagneront leur patrie. Ils attendent votre décision.

— Serait-ce si urgent ?

— Je le crois.

— Voyons ces lettres.

Les soutiens de César ne cachaient pas leurs inquiétudes, les nouvelles étaient alarmantes. Le Sénat n'appréciait guère la liaison de l'*imperator* avec une étrangère et souhaitait qu'elle se terminât au plus vite ; s'accommodant d'une dose massive d'hypocrisie, la morale publique restait un critère dominant de la politique romaine. Et César, si forte fût son influence, ne saurait négliger l'avis des sénateurs.

Les partisans de Pompée ne désarmaient pas ; malgré la disparition de leur chef, ils se regroupaient en Numidie[1] et ralliaient à leur cause des légionnaires mécontents de leur solde. Détestant César, ils ten-

---

1. L'Algérie actuelle.

taient de reconstituer une armée capable de marcher sur Rome.

En Asie Mineure, la situation se dégradait ; des révoltés avaient massacré un régiment romain, et les autorités se plaignaient du manque de directives de César, cédant aux charmes d'une magicienne qui lui faisait négliger ses devoirs.

La dernière lettre était la pire ; selon Antoine, le représentant de César à Rome, la police peinait à réprimer des combats de rue et, au sein des casernes, la discipline se relâchait. Faute d'une tête pensante, ces troubles n'annonçaient-ils pas l'anarchie ?

*

La douceur de cette soirée printanière ravissait les cœurs et les corps, et l'on s'abandonnait volontiers, comme le Vieux et Vent du Nord, à une délicieuse torpeur ; seul Rufin pestait, déplorant que César et Cléopâtre, indifférents à ses avertissements, se promenassent au bord du Nil. Des légionnaires les surveillaient de loin, mais le danger pouvait surgir de partout.

Au visage fermé de son amant, la jeune femme perçut la gravité de la situation.

— Des nouvelles inquiétantes ?

— Rome, l'Afrique du Nord et l'Asie Mineure exigent ma présence.

— Ne désirais-tu pas découvrir les sources du Nil ?

— Le destin ne nous permet pas de satisfaire tous nos désirs.

— Ne souhaites-tu pas être près de moi, lors de la naissance de ton fils ?

— Si je n'interviens pas rapidement afin d'éteindre les feux destructeurs, la guerre d'Alexandrie aura été inutile, mes nombreux combats n'auront servi à rien, et ton rêve se brisera. Me dérober serait une erreur impardonnable, et je perdrais toute dignité à tes yeux.

L'habileté du discours n'atténua pas la tristesse de Cléopâtre, contrainte de reconnaître la justesse des arguments de César.

— Je retourne à Alexandrie d'où j'embarquerai avec mon armée ; j'y laisserai trois légions, sous les ordres de Rufin. Elles maintiendront l'ordre et conforteront ton autorité.

L'*imperator* étreignit la reine.

— Lorsque j'aurai triomphé, tu viendras à Rome et tu montreras notre fils à mon peuple.

76

Le matin du 23 juin – 47, le doute ne fut plus permis : c'étaient bien les douleurs de l'enfantement. Cléopâtre se trouvait à Hermonthis, près de Thèbes, et tenta de montrer un visage serein.

— Soyez sans crainte, Majesté, recommanda la servante Charmion ; vous disposerez des meilleures sages-femmes.

En pénétrant dans le pavillon d'accouchement, fleuri et parfumé, la reine songea à César, guerroyant en Afrique. Elle pria la déesse Hathor de le protéger et de lui accorder un fils en parfaite santé.

Les deux sages-femmes avaient des formes épanouies et une mine rassurante ; comme toutes les Égyptiennes depuis la première dynastie, Cléopâtre accoucherait debout, soutenue par les assistantes des deux spécialistes qui lui dicteraient le comportement adéquat et ne cesseraient de l'enduire d'huiles essentielles et anesthésiantes.

*

Nerveux, Apollodore marchait de long en large.

— C'est interminable, déplora-t-il.

— Détrompe-toi, objecta Charmion, confiante ; le dieu Bès et la déesse Thouéris veillent sur notre souveraine. Le tour du potier divin façonne l'enfant, et les sept fées de Hathor lui préparent un grand destin.

— Interminable, répéta le Sicilien.

Enfin, la porte du pavillon d'accouchement s'ouvrit ! En sortit une sage-femme, souriante.

— C'est un garçon, annonça-t-elle ; lui et la reine se portent à merveille.

Charmion et Apollodore constatèrent de leurs propres yeux que la reine, fatiguée mais heureuse et détendue, avait donné la vie à un beau bébé qui serait confié à une nourrice au lait généreux.

Savourant ce grand bonheur, Cléopâtre savait qu'il lui fallait immédiatement mener un combat difficile ; le perdre réduirait cette naissance à néant.

*

À Hermonthis, se réunit un collège comprenant les ritualistes locaux, les autorités religieuses de la province et les correspondants de l'administration alexandrine.

La supérieure de Dendera, Hathor, avait été chargée de le diriger et conclurait les débats.

La demande de la reine était simple : son fils se nommerait Ptolémée César, puisque, en exerçant la fonction pharaonique, il associerait la puissance retrouvée de l'Égypte à celle de Rome. Consciente que des politiciens alexandrins nieraient la paternité de l'*imperator*, Cléopâtre signifiait ainsi qu'il reconnaissait son fils, futur souverain des Deux Terres.

Une exigence supplémentaire s'imposait : le plein accord des divinités. Ptolémée César n'était pas un enfant comme les autres et devait bénéficier de leur soutien.

Au terme de ses discussions, le collège aboutit à une conclusion qui prendrait force de vérité symbolique et incontestable : Râ, le maître de la lumière divine, avait adopté la forme de César pour s'unir à Cléopâtre, incarnation d'Isis, mère divine donnant naissance à un nouvel Horus, appelé à mettre l'ordre à la place du désordre en gouvernant l'Égypte.

Afin de conférer un caractère officiel et sacré à cet événement capital, on sculpterait sur les parois des temples de Dendera et d'Hermonthis des scènes et des hiéroglyphes relatant la venue au monde de Ptolémée César et son avènement. À Alexandrie seraient fondues des monnaies où Cléopâtre apparaîtrait en Isis, serrant dans ses bras son fils, Horus ; lors de la moindre transaction commerciale, on se rappellerait que Ptolémée César était l'authentique descendant des pharaons et l'héritier du testament des dieux.

Quant au 23 juin, il deviendrait un jour chômé et l'occasion de fêter à la fois Isis et l'anniversaire du roi César.

*

Cléopâtre tenait à présenter son fils au taureau Boukhis qui, à l'origine de son aventure, lui avait offert sa force. Le puissant animal s'approcha de ses hôtes à pas comptés, et son regard, menaçant, croisa celui de la reine.

Il reconnut sa protégée, huma le bambin et dressa ses cornes vers le ciel.

— Tu es l'âme de la royauté, déclara Cléopâtre, et je ferai ériger en ton honneur un sanctuaire de la naissance dont le nom sera « la chapelle de lumière ».

Satisfait, le taureau retourna à sa mangeoire.

La frêle silhouette d'Hathor, la supérieure de Dendera, émergea d'un rayon de lumière.

— Dans le malheur, Majesté, tout le monde se souvient ; dans le bonheur, personne ne se souvient. Si, dans le bonheur, on se souvenait, quel besoin y aurait-il de malheur ?

Cléopâtre grava ces paroles en son cœur ; quoi qu'il advienne, elle préserverait ce moment de grâce où son rêve avait pris corps.

— Deux êtres me manquent, avoua la reine ; César, qui risque sa vie pour conquérir le pouvoir suprême, et Hermès, sans lequel je n'aurais pas vaincu le désert.

— Ne négligez jamais son enseignement.

— Rester fidèle à Isis ! Je m'y suis engagée et ne renierai pas mon serment.

— Les salles consacrées à ses grands mystères seront achevées en décembre, révéla la supérieure ; Isis vous y attendra.

*

Le petit Ptolémée César grandissait à vue d'œil ; appréciant le lait de sa nourrice et la tendresse de sa mère, il souriait à un monde ensoleillé. Mais beaucoup doutaient encore de la capacité de Cléopâtre à régner et ne se fieraient qu'à un signe : la hauteur de la crue.

En cas de montée insuffisante des eaux, synonyme

de famine et de pauvreté, chacun constaterait l'impéritie de l'ambitieuse ; humiliée et désavouée par les dieux, elle devrait se démettre, et le pays se choisirait un nouveau chef. Les statues grecques du Nil le représentaient en vieillard barbu, couronné de roseaux, détenteur d'une corne d'abondance ; seize enfants jouaient autour de lui. Seize coudées[1], la hauteur idéale de la crue.

Angoissés, le chambellan Apollodore et la servante Charmion s'étonnaient du calme de la souveraine ; à son enfant, elle parlait de l'amour qu'elle vouait à César et des jours heureux qui se dessinaient.

La terre se craquelait, la chaleur devenait oppressante ; et le message émanant des spécialistes préposés au nilomètre d'Éléphantine, à l'extrême sud de l'Égypte, parvint à Thèbes : la crue serait de seize coudées.

_____

1. 8,32 mètres.

77

Lorsque Cléopâtre débarqua à Dendera, le 28 décembre – 47, elle venait de recevoir d'excellentes nouvelles de César. Sa campagne d'Afrique était un franc succès, les derniers partisans de Pompée avaient les reins brisés, et la majorité du Sénat se rangeait sous la bannière de l'*imperator*. Bientôt, il célébrerait à Rome un triomphe inoubliable, un spectacle grandiose auquel Cléopâtre et leur fils, Ptolémée César, assisteraient.

La reine n'avait pas oublié sa promesse ; seule Isis, dont elle était la représentante terrestre, pouvait lui permettre de vaincre l'adversité et libérer son chemin.

Et son rêve se matérialisa devant elle : le temple de la déesse Hathor était presque achevé et commémorerait son règne. Les belles pierres d'éternité, dotées d'une vie immuable, traverseraient les siècles.

La supérieure vint à la rencontre de la souveraine.

— Les pharaons et les grandes épouses royales étaient initiés aux mystères d'Isis et d'Osiris, rappelat-elle ; si vous franchissez indemne les portes de la mort, vous commencerez réellement à régner.

Assistée de deux ritualistes, la supérieure conduisit Cléopâtre à l'entrée de la première des cryptes, chambres secrètes réparties sous le sol, au même niveau et au-dessus, à l'intérieur de la maçonnerie ; elles contenaient les archives, « la puissance de formulation de la lumière », des objets rituels, des statues de divinités et de rois, et d'inestimables reliques, comme un sistre, instrument de musique au nom de Pépi Ier, pharaon de l'Ancien Empire.

Cléopâtre eut la surprise de découvrir sa figure sculptée, en tant que « maîtresse des Deux Terres », et fut conviée à se recueillir face à une Hathor aux quatre visages, l'amour de la déesse se répandant aux quatre points cardinaux. Puis la supérieure la guida jusqu'au toit du temple où avaient été édifiées de petites chapelles, réservées à la célébration des mystères.

Un homme à la haute stature en gardait l'accès.

— Hermès…

— Ce jour est exceptionnel, révéla le mage ; la renaissance d'Osiris coïncide avec la montée de la pleine lune au zénith, et un tel phénomène ne se reproduit que tous les 1 500 ans. Contemple les secrets du ciel, reine d'Égypte.

Hermès amena Cléopâtre au-dessous d'un zodiaque circulaire[1] magnifiant la résurrection stellaire d'Osiris, passé des ténèbres de la mort à la lumière des étoiles ; le ciel, la Grande Ourse, la constellation d'Orion, les douze signes du zodiaque, les décans et les planètes redonnaient vie au dieu assassiné et ressuscité, modèle des « justes de voix » qu'il associerait à son immortalité.

---

1. Le zodiaque de Dendera se trouve aujourd'hui au musée du Louvre.

Cléopâtre fut invitée à vivre la passion d'Osiris, ses épreuves, son passage par la mort, la dispersion des éléments de son être et leur reconstitution grâce à la magie d'Isis. Entourée des ritualistes portant des masques de divinités, la reine s'allongea dans le sarcophage osirien, comparé à un bateau voguant au cœur des cieux, et sa pensée fut nourrie des forces créatrices.

Pour renaître en Osiris, il lui fallut affronter une armée de démons au service de Seth le destructeur ; des morts multiples rôdèrent, et seules les formules de conjuration que prononcèrent Hermès et la supérieure les dissipèrent.

Relevée hors du néant, la nouvelle initiée apprit à transformer l'orge en or et à façonner la pierre philosophale, incarnation d'Osiris transmuté et de l'Égypte régénérée.

— Ta mère Ciel a été enceinte de toi, dit la supérieure à Cléopâtre, elle a fait croître tes os, consolidé tes chairs, assemblé tes membres ; et te voici née à nouveau, d'un rayon de lumière. Les pleurs s'éteignent, l'or et les pierres précieuses assurent ta protection.

À l'issue du rituel furent présentés à l'Osiris Cléopâtre des vases contenant les parties du corps du dieu et symbolisant les provinces d'Égypte que tout pharaon devait rassembler ; la jeune femme prit alors conscience de l'immensité de sa tâche, à la fois spirituelle et matérielle.

Désormais, le temple de Dendera, son rêve de pierre réalisé, vivrait au plus profond de son cœur.

*

La nuit était d'une beauté particulière, la brillance des étoiles captivait le regard. Assise sur le toit du temple, Cléopâtre vénérait sa mère Ciel en se remémorant les étapes du long chemin qui l'avait conduite à cette initiation aux grands mystères.

Les enchantements de l'univers emmenaient son esprit au-delà des temps et des espaces ; ce qu'elle avait appris et éprouvé, l'amour de César, la naissance de son fils, son désir de régner n'étaient rien, comparés à l'immensité dévoilée par les chapelles osiriennes de Dendera.

Ce temple n'était-il pas le terme heureux de son itinéraire, l'endroit rêvé qu'elle ne devrait pas quitter ? Mais Alexandrie ne se gouvernerait pas seule, et son peuple exigeait sa présence et celle de Ptolémée César, l'avenir de l'Égypte.

— Cet avenir-là est inscrit dans les étoiles, déclara Hermès ; souhaites-tu le connaître ?

Cléopâtre se releva.

— Me serait-il interdit de le construire ?

— Les astres inclinent et ne déterminent pas ; sois maîtresse d'œuvre, et sache utiliser les matériaux mis à ta disposition.

— Qu'aurais-je à craindre ? En me comblant de faveurs, le destin m'a délivrée de l'angoisse ; ai-je d'autre choix que mes devoirs de reine ?

Hermès contempla le cosmos.

— Notre pays est à l'image du ciel et, cette nuit, tu as compris qu'il était le temple de tous les dieux.

Quand l'aube se leva, le mage avait disparu ; Cléopâtre se laissa envelopper des rayons du jeune soleil, porteur d'une espérance inouïe, capable de vaincre les ténèbres. Ne s'appartenant plus, elle tenterait de la prolonger et d'en être l'instrument, en écoutant les paroles des ancêtres, transmises par les mystères d'Isis et d'Osiris.

Peu importait le lendemain, puisque la jeune femme avait atteint une sorte de plénitude ; mais serait-elle à la hauteur de son destin ?

Une seule réponse : être.

Être Cléopâtre.

Épilogue[1]

Le 16 novembre 1828 au soir, nous arrivâmes enfin à Dendera. Il faisait un clair de lune magnifique, et nous n'étions qu'à une heure de distance des temples ; pouvions-nous résister à la tentation ?

— Monsieur Champollion, m'avertit mon guide, ce n'est pas prudent ; mieux vaudrait aller nous coucher.

— Désolé, je préfère continuer.

Je ne regrettai pas ma décision ; le grand temple incarnait la grâce et la majesté réunies au plus haut degré. Nous y restâmes deux heures en extase, courant les grandes salles avec notre pauvre falot, et cherchant à lire les inscriptions extérieures au clair de la lune. On ne rentra au campement qu'à trois heures du matin pour retourner au temple à sept heures ; c'est là que nous passâmes toute la journée du 17. Ce qui était magnifique à la clarté de la lune le fut encore davantage lorsque les rayons du soleil nous permirent de distinguer les détails. Le sanctuaire de Dendera a lutté victorieusement contre le temps et les ravages des hommes, et l'on constate que son immortalité s'est rajeunie.

---

1. Texte adapté des notes prises par Jean-François Champollion lors de son unique voyage en Égypte.

Accompagné de son âne, un superbe grison aux yeux profonds et intelligents, un vieil homme s'approcha de moi.

— Sauriez-vous lire les signes sacrés ? demanda-t-il, sceptique.

— J'ai consacré mon existence entière à trouver la clé de leur lecture.

— Et vous avez réussi ?

— En 1822 ; ce voyage confirme ma découverte, je déchiffre les hiéroglyphes et l'immense livre de l'ancienne Égypte s'ouvre à nouveau.

— M'accorderiez-vous une faveur ?

Je fus intrigué ; que pouvait bien souhaiter ce vieillard ?

L'âne nous emmena jusqu'au mur du fond du grand temple de Dendera et s'immobilisa devant un bas-relief représentant une reine et un roi. Elle maniait le sistre, instrument de musique des initiées aux mystères d'Isis, et un collier symbolisant la résurrection[1] ; lui utilisait un encensoir. Entre eux, la petite figure du *Ka* royal, la puissance immortelle transmise de pharaon en pharaon.

— Cette femme est si belle, dit le Vieux ; les signes sacrés révéleraient-ils son nom ?

Je n'eus aucune peine à les déchiffrer.

— Il s'agit de Cléopâtre et de son fils Ptolémée César, dit Césarion.

Cléopâtre… En prononçant ce nom légendaire, je ressentis une sorte d'éblouissement et songeai aux temps forts de son extraordinaire destin. Certains prétendaient qu'elle n'était ni une Grecque ni la fille de Ptolémée le Douzième, mais celle d'un prêtre égyp-

---

1. Le collier *ménat*.

tien ; cette ascendance expliquait-elle sa volonté de redonner à l'Égypte sa splendeur passée, elle que l'on considérait à juste titre comme le dernier des pharaons ?

En offrant un fils à César, son grand amour, elle avait créé une nouvelle lignée ; et lors du phénoménal triomphe de l'*imperator*, en – 46, la reine et son fils avaient été reçus à Rome avec les honneurs dus à leur rang. L'avenir s'annonçait riant, les ambitions de Cléopâtre se réalisaient. L'assassinat de César, en mars – 44, avait tout remis en question ; contrainte de demeurer l'alliée de Rome, la reine avait eu le tort d'accorder son amour et sa confiance à Marc-Antoine, esprit faible comparé à celui de César. À la suite de la défaite d'Actium, le 2 septembre – 31, Cléopâtre avait choisi le suicide afin de ne pas tomber aux mains du vainqueur, l'impitoyable Auguste, assassin de son fils Césarion.

Le rêve s'était brisé de la manière la plus brutale, mais, pendant quelques années, le pharaon Cléopâtre avait bel et bien ranimé la gloire de l'Égypte. Et moi, en déchiffrant son nom, je la ramenais au jour, en ce temple merveilleux où elle vivait à jamais !

— Vous semblez bouleversé, estima l'un de mes assistants.

— Regarde ce bas-relief ! Initiée aux mystères d'Isis, Cléopâtre protège magiquement son fils, le pharaon, pour l'éternité. Remplis de puissance, les hiéroglyphes ont vaincu le temps et l'oubli.

Lui aussi, mon assistant perçut l'importance de la découverte et se laissa fasciner par cette reine dont les pierres sculptées, qu'illuminait un doux soleil, préservaient la silhouette.

— Et toi, qu'en penses-tu ? demandai-je au vieillard qui m'avait conduit ici.

N'obtenant pas de réponse, je me retournai et ne le vis pas.

— Étrange, ils sont partis…

— De qui parlez-vous ?

— D'un vieil homme et de son âne.

Me jugeant victime d'un coup de chaleur ou d'une grande fatigue, mon assistant se montra cordial et apaisant.

— Il n'y avait personne, monsieur Champollion ; vous avez dû rêver.

Composé par Nord Compo
à Villeneuve-d'Ascq (Nord)

Imprimé en France par

BRODARD & TAUPIN

à La Flèche (Sarthe)
en septembre 2013

POCKET – 12, avenue d'Italie – 75627 Paris Cedex 13

N° d'impression : 3002142
Dépôt légal : octobre 2013
S24279/01